KB082272

표현의 집

[군말인가, 아닌가]

표현의 집

[군말인가, 아닌가]

발　행 | 2024년 6월 10일
저　자 | 김성훈
펴낸이 | 한건희
펴낸곳 | 주식회사 부크크
출판사등록 | 2014.07.15.(제2014-16호)
주　소 | 서울특별시 금천구 가산디지털1로 119 SK트윈타워 A동 305호
전　화 | 1670-8316
이메일 | info@bookk.co.kr

ISBN 979-11-410-8839-2

www.bookk.co.kr

표현의 집

[군말인가, 아닌가]

김성훈지음

BOOKK

사랑하는 나의 요셉가족

특히 손자들 시온, 이든 그리고 외손녀 슬아에게

서 문

아인슈타인은 "말로 쉽게 설명할 수 없으면, 제대로 이해하지는 못한 것이다."라고 말했으며 『어른의 어휘력』 저자인 유선경은 '글을 쓰고 책을 읽고 사람을 만나면서 어휘력 부족이 단순히 국어 능력 문제가 아니며 얼마나 일상에 커다란 불편을 가져오는지 깨닫는다.'고 했다. 내가 **역연했다**.(***역연하다** : 또한 그러하다)

내 어휘력 부족을 채울 좋은 방법이 없을까 오랫동안 생각하던 차에 차무진의 『IN THE BAG』을 읽다가 천둥과 번개가 몇 개씩 들어있는 대추 한 알 같은 어휘들(**까무룩, 노곤한 방귀, 꾸둑꾸둑하게, 벨크로, 노깨, 손거스러미, 너스래미, 시퉁한, 답세기, 우듬지, 애살맞게, 흐무러지다 등**)을 발견하고 이것들이 '나를 위한 것이구나.' 하고 그때부터 책을 읽다가 눈을 확 사로잡는 어휘가 보이면 **뒤살피고 음미하면서 그러모아 『표현의 집』**에 **켜켜이** 쌓아 나름 **애살맞게** 책으로 펴내게 되었다.

특히 단어 하나, 문장 하나, 묘사 하나를 **허투루** 쓰지 않고 서사 안에 뒤엉켜 있는 감정들을 유기적으로 연결하여 의미를 만들어내는 이어령, 김훈, 김영하, 박완서, 박경리 작가들이 사용한 **핍진한** 표현들을 많이 실었다.

미욱하나마 내 취향에 맞게 선정한 말들이 군말이 되지 않기를 바라면서 부제를 [**군말인가, 아닌가**]로 정했다. 독자들이 이 책에 있는 새뜻한 어휘들을 쉽고 적절하게 설명할 수 있게 되고 글쓰기에도 적실한 도움이 되길 **희원**希願한다.

2024년 6월 김성훈

차 례

<ㄹ>

<ㅁ>

<ㅂ>

†

세상에 단 한 권의 책이 있다면
우리에게 끝없이 속삭이고
끝없이 책을 읽게 만들고 쓰게 하는
큰 힘을 가진 책일 것입니다.

~이어령~

[표현의 집]

<말로 쉽게 설명할 수 없으면, 제대로 이해하지는 못한 것이다.>

- 아인슈타인

"사전은 작품에 쓰인 말들을 모아서 나중에 편찬하는 거예요. 지금 작가가 쓰는 말들이 말뭉치가 돼서 나중에 사전이 되는 거예요."

(김영하, 『말하다』, p. 198)

<ㄱ>

1. 가리사니 : ① 사물을 판단할 만한 지각.
② 사물을 분간할 수 있는 실마리.

♣ 가리사니 없는 행동. ♣ 가리사니를 잡아야 일이 풀리지.

2. 가뭇없다 : ① 보이던 것이 전혀 보이지 않아 찾을 길이 감감하다.
② 눈에 띄지 않게 감쪽같다. (서울시 9급 시험 기출)

♣ 밝고 따스하고 즐거운 봄 입김은 가뭇없이 사라지는 듯 하다. (현진건, 『적도』, BOOKK(부크크))

♣ 축축한 볼을 어깨로 닦았다. 입안 가득 고인 피를 뱉은 후 지연아, 라고 말해보니 소리가 가뭇없었다.

(차무진, 『인 더 백』, p. 9, 요다)

♣ 추적한 비가 연기를 금세 사그라들게 했고 소리는 가뭇없이 사라졌다. (앞의 책, p. 284)

3. **가만하다** : ① 움직이지 않거나 아무 말도 하지 아니한 상태에 있다. ② 드러나지 않게 살며시.

♣ 죽은 듯이 가만하고 있다.

(최윤필, 『함께 가만한 당신』, 마음산책)

♣ 고모는 팔년 전에 가만히 세상을 떴다.

(신경숙, 『아버지에게 갔었어』, p. 83, 창비)

♣ 그러나 나와 함께 있는 헬라인 디도까지도 억지로 할례를 받게 하지 아니하였으니 이는 가만히 들어온 거짓 형제들 때문이라 그들이 **가만히** 들어온 것은 그리스도 예수 안에서 우리가 가진 자유를 엿보고 우리를 종으로 삼고자 함이로되 그들에게 우리가 한시도 복종하지 아니하였으니 이는 복음의 진리가 항상 너희 가운데 있게 하려 함이라

(갈라디아서 2:3-5, 『성경』)

4. **가산금리** : 기준금리에 덧붙여진 금리를 말한다. 기준금리에 신용도 등의 차이에 따라 덧붙이는 금리를 가산금리라고 하는데 은행에서 대출금리를 결정할 때 고객의 신용 위험에 따라 금리를 추가하는 금리이다.

신용등급이 높다면 **가산금리**는 낮아지고 신용등급이 낮다면 **가산금리**는 높아진다.

(김승호, 『돈의 속성』, 스노우폭스북스)

5. **가스라이팅** : '심리적인 수단을 이용해 상대방이 현실에 관한 잘못된 설명을 받아들이게 하거나 자기 분별력을 의심하게 만드는 조종행위'를 말한다.

6. **가슬가슬하다** : 피부나 물건의 표면이 부드럽지 않고 거칠다.

♣ 집으로 들어가니 그리웠던 나의 고양이들이 달려 나와 반겼다. 이녀석들도 내가 보고 싶었던 모양이다. 내 다리 사이를 지나가기도 하고, 바짓가랑이를 물어 당기기도 하고, 털이 가슬가슬한 몸을 내 다리에 비벼대기도 했다. 어떤 놈은 탁자 위로 뛰어오르고, 또 어떤 놈은 연한 발바닥으로 내 얼굴을 토닥거렸다. 활기가 집 안에 가득 찼다. 반 장님으로 사는 동안에는 고양이 얼굴을 눈앞에 바짝 가져다대지 않으면 눈동자 색깔을 볼 수 없었지만, 이제는 달랐다. 내 눈에 비치는 고양이의 모습도 완전히 달라져 있었다. 녀석들이 동그란 눈망울을 굴리며 날 쳐다볼 때면 노란색과 파란색 눈동자가 오묘한 빛을 냈다. (지센린, 『다 지나간다』, p. 248, 추수밭)

7. **가용성 추단법** : 생생한 정보일수록 더 쉽게 떠오르고 관련된 일이 더 자주 일어난다고 판단하게 되는 것. 예를 들어 우리는 종종 여러 교통수단 중에 비행기의 사고 위험이 가장 크다고 생각한다. 1991년 미국의 한 조사에서 자동차 사고로 죽을 확률은 비행기 사고의 26배였다. 이것은 사고 장면을 생각하면 비행기 사고의 처참한 광경이 쉽게 떠오르기 때문이다.

8. **각가지** : 각각의 여러 가지/ 많은 종류/각종.

♣ 퇴근 시간 무렵, 그녀는 각가지 생선들을 썰면서 생선별 요리법을 젊은 새댁들에게 설명했다.

(양지은, 『심해』, 신춘문예당선소설집, 2018)

9. **간극**: 사물 사이의 틈. 사귀는 사이나 의견 등에서 생기는 틈.

♣ 400년이라는 시공간의 **간극**을 뛰어넘어 아직도 우리를 웃기는 책이라면 고전이라는 타이틀을 얻을 만하지 않는가?

(김해완, 『돈키호테 책을 모험하는 책』, p. 19, 작은길)

♣ '나의 언어의 한계는 나의 세계의 한계이다.'라는 정언과 더불어 '체험한 낱말과 체험하지 못한 낱말은 자연이 솟아오르는 소리와 공룡이 땅을 내리찍는 소리만큼이나 **간극**이 크다. 자신이 몸과 정신으로 체험한 낱말을 사용해야 오해의 소지를 줄일 수 있고 자유자재로 문장을 구성할 수 있다. 가끔 멋 부리고 싶어서 체험하지 못한 낱말을 쓸 때가 있는데 여지없이 체하거나 탈나서 뱉어내야 한다.

(유선경, 『어른의 어휘력』, p. 87, 앤의서재)

♣ 그러나 나와 아버지를 가르고 있는 것은 시간과 거리만이 아니다. 그것은 변화된 자아다. 나는 아버지가 기른 그 아이가 아니지만, 아버지는 그 아이를 기른 아버지다. 아버지와 나 사이에 생긴 **간극**은 20년에 걸쳐 서서히 벌어지고 커져 가고 있긴 했지만 그것이 더 이상 다리를 놓을 수 없을 정도로 커져버린 순간은 그 겨울밤, 내가 목욕탕 거울에 비친 나를 노려보고 있는 동안 아무도 모르게 아버지가 화상으로 비틀어져 버린 손으로 수화기를 들고 오빠의 전화번호를 누른 때였다. 디에고, 칼, 그다음에 벌어진 일들은 굉장히 극적이었지만, 진정으로 극적인 일은 그 목욕탕 안에서 이미 벌어진 후였다. (타라 웨스트오버, 『배움의 발견』, p. 506, 열린책들)

♣ 그런데 목사님들은 세속적인 가치 속에서 사는 사람들과는 다르거든요. 그런 분들의 얘기와 믿는 사람들의 얘기가 뭐가 다른가. 그건 학생과 선생의 차이라고 할 수 있습니다. 선생

말은 안 들어도 학생들 중에서 잘나 보이는 애들 말은 듣거든요. 그런 애들이 남자다워 보이고 선생님이 말하는 세계와는 다른 무엇이 있어 보이잖아요. 그런 애가 어느 날 "야, 선생님 말 들어!" 하면 선생님보다 더 무섭거든요. 그러면 다들 선생님 말을 듣죠. 그런 **간극** 속에 내가 있는 게 아닌가, 이게 내 역할이 아닌가. 그렇게 본다면 당분간은 문지방을 넘어 가지 말고 그냥 서 있는 게 좋을 것 같아요.(웃음) 그래서 목사님께 "내가 교회 나가는 걸로 평가하지 마십시오. 나는 평생 말하고 글 쓰는 것을 배웠으니 그걸로 내 신앙을 표현할 수밖에 없습니다. 교회를 몇 번 출석하느냐, 새벽기도에 몇 번 나오느냐를 기대하지 마십시오. 그건 나보다는 다른 사람이 더 잘합니다. 그런 얘기를 했더니 막 웃으시면서 교회 안 나와도 용서해 주실 것처럼 얘기를 하셨지만 어쨌든 열심히 나가야죠."

(이어령, 『당신, 크리스천, 맞아?』, p. 28-29, 열림원)

10. **간난신고** : 몹시 힘들고 어려우며 고생스러움.

♣ 천애의 불모지에 남겨진 그녀가 한 살 터울의 동생과 함께 겪어온 **간난신고**는 여느 고려인과 다를 바 없이 참혹한 것이었다. (도재경, 『피에카르스키를 찾아서』, 신춘문예당선소설집, 2018)

11. **간단없다** : 계속하거나 이어져 있던 것이 끊이지 아니하다.

♣ 오빠가 인민군이 됐다면 인민군대가 이기길 바라야겠지만 유난히 극성스러워진 폭격과 **간단없는** 박격포탄 소리를 들으면 그 반대의 기대로 가슴이 울렁거리곤 했다.

(박완서, 『그 많던 싱아는 누가 다 먹었을까』, p. 249, 웅진닷컴)

12. **간벌** : 삼림이나 수목 농장에서, 주된 나무의 성장을 돕기 위하 여 빽빽하게 자란 곳이나 불필요한 나무를 잘라

내어 적당한 간격을 두는 일, 소벌疏伐. 솎아베기(반대: 주벌主伐)

♣ 지금 산림청의 논리도 똑같아요. 우리가 50년 동안 나무를 키웠잖아요? 나무를 심고 그 정도 지나면 키는 얼추 클 만큼 다 큽니다. 그렇다고 탄소흡수력까지 멈췄을까요? 다 자란 어른 나무들이 줄 맞춰 서 있으니 비좁아서 옆으로 살이 찔 수 없는 것뿐입니다. 키는 컸는데 옆으로 못 자라니 예전보다 흡수량이 생각만큼 늘지 않아요. 그럼 여기서 뭘 해야 하느냐? 싹 베어내는 것이 아니라 빽빽한 숲을 솎아주는 겁니다. 그래서 키가 다 큰 나무가 옆으로 크면서 훨씬 많은 이산화탄소를 흡수하게 되는 거지요.(…) <u>**간벌**</u>을 해야죠. 그러면 나무의 몸집도 커지면서 북아메리카 국립공원들 안에 있는 레드우드Red-wood 같이 자랍니다. 산림청은 그 단계까지 안 가고 지금 탄소흡수량 그래프가 약간 꺾이기 시작한 것만 보여줍니다. 간벌을 하면 다시 성장할 텐데, 그곳을 보여주지 않고 있어요.

(최재천·안희경, 『최재천의 공부』, p. 162-3, 김영사)

13. **간예** : 어떤 일에 간섭하여 참여함.

14. **갈무리하다** : ① 물건 따위를 잘 정리하거나 보관하다.
② 일을 처리하여 마무리 하다.

♣ 저마다의 고통을 제가끔 <u>**갈무리하고**</u> 모르는 사람끼리 마주 앉아서 장기를 두는 노년은 쓸쓸하다.

(김훈, 『저만치 혼자서』, 문학동네)

♣ 잠과 깸 사이의 어느 <u>**갈무리할**</u> 수 없는 시간에 그것은 새어 나오는 모양이었다. (앞의 책, p. 240)

♣ 힐끔 뒤를 살피자 빵을 먹던 남자가 가방을 <u>**갈무리하는**</u> 모

습이 보였다.(양수빈, 『낮에 접는 별』, 신춘문예당선소설집, 2023)

♣ 오이지 항아리 안을 찾아오는 시간은 경험되지 않은 미래의 시간이다. 지나가버린 시간 위에서는 오이지를 담글 수 없다. 오이지뿐 아니라 노래를 부를 때, 악기를 연주할 때, 그림을 그릴 때 자전거를 탈 때도 마찬가지이다. 오이지는 다가오는 시간의 경이로운 작용을 음식의 맛으로 표현해서 사람의 몸속으로 넣어준다. 오이지는 미래의 시간을 받아들여서 스스로 변하고, 그 변화 속에 지나간 시간을 **갈무리한다**.

(김훈, 『연필로 쓰기』, p. 222, 문학동네)

15. **갈음** : 무엇을 다른 것으로 바꾸어 대신하는 것.(~하다)

♣ 이제 60까지 사는 것은 당연하게 여긴다. 그래서 대부분 가족들끼리 조촐하게 밥을 먹거나 부부가 여행을 다녀오는 것으로 **갈음한다**. (박영옥, 『주식 농부처럼 투자하라』, 프레너미)

♣ '스트레스'란 무엇인가? 기사에서는 "스트레스는 정신과 신체가 내·외부 환경에 대해 반응하는 생리적이며 심리적인 반응이다"라고 정의하고, 그 아래 몇 가지 증상을 나열해 놓았다. 난 사실 정의라는 것이 자연과학에서는 가능하지만 인문과학이나 사회과학에서는 불가능하다고 생각해왔기 때문에 스트레스에 대한 정의는 위의 기사 내용으로 **갈음하겠다**.

(지셴린, 『다 지나간다』, p. 52)

16. **갉죽거리다** : 날카로운 끝으로 물체를 자꾸 박박 갉다.

(**갉다** : 깔짝깔짝 문지르다. 빗질하듯이 끌어들이다.)

♣ 나는 나의 부주의한 방문을 후회하는 한편, 여러 가지 의혹이 꼬리에 꼬리를 물고 의식을 **갉죽거려** 고모부가 원인이 되어 성사된 미팅을 치러내는 삼박사일 동안이 여간 불편하

고 짜증나는 게 아니었다. 무엇보다도 고모부를 믿을 수 없게 된 일이 가장 괴로웠다. (박완서, 『노란집』, p. 256-257, 열림원)

17. **감득하다** : ① 느껴서 알다. ② 영감으로 깨달아 알다.

♣ 그는 고등학교 때부터 폐결핵으로 아팠으나 성직으로 부르는 목소리를 **감득하고** 있었다.(김훈, 『저만치 혼자서』, p. 101)

♣ 치수는 천천히 눈을 들어 윤씨부인을 바라본다. 시선을 느낀 윤씨 부인도 아들의 눈을 마주 대한다. 검은 점이 무수히 드러난 얼굴이었다. 잠 못 이룬 탓인지는 눈 가장자리에 달무리 같은 푸른 빛깔이 드리워져 있었다. 처연한 모습이다. '많이 늙으셨다.'

긴 눈매, 눈매 속의 눈동자만은 여전히 빛나고 있다. 의지와 힘이 사무친 듯 남아 있다. 머리 모양 옷매무새는 방금 자리에서 일어난 것 같지 않게 단정하여 변함이 없다. 치수는 어머니의 흩어진 모습을 본 일이 없었다. '여전하시다! 언제나 저 모습, 저 눈빛, 대장간에서 수천 번을 뚜드려 만든 쇠붙이 같으다.'

치수는 자신의 마음도 싸늘하게 식어가는 것을 느낀다. 많이 늙었다고 생각하는 순간 전신을 맴돌았던 뜨거움은 싸아 소리 내며 가는 것 같았다. 단련된 쇠붙이와 쇠붙이였다. 싸움터에서 적과 적의 칼이 맞닥뜨린 순간이었다. 쌍방이 혼신의 힘으로 겨루는, 숨결조차 내기 어려운 침묵, 긴장은 두 모자 사이의 공간을 팽팽하게 메운다. 치수는 어머니의 뻗치는 힘이 전보다 가늘어진 것을 느낀다. 대신, 보다 날카로워진 것을 피부로 심장으로 **감득한다**.

(박경리, 『토지 1부 2권』, p. 68, 마로니에북스)

18. **강고하다** : 굳세고 튼튼하다.

♣ **갈등이 없는 중산층 중심의 문학**

옛날에 사극을 한창 보던 시절에는 조선에 왕과 사대부만 살았던 것 같은 착각이 들었어요. 이와 비슷하게 중산층 시청자를 주 대상으로 한 TV드라마를 보면 한반도 남쪽에 마치 평균적인 중산층 중심주의는 상당히 **강고해서** 중산층의 삶의 방식과 깊이 관련돼 있지 않은 어젠다(의제, 안건)들은 생명력이 매우 짧습니다. 예컨대 교육 문제나 치안 문제는 늘 폭발성이 있지만 노동자의 파업이라든가 재벌 기업의 부의 상속에는 그만큼의 관심이 쏠리지 않습니다. 문학조차도 그렇습니다. 우리가 흔히 본격문학이라고 부르는 작품들에서 인물들 간의 높은 수준의 갈등을 발견하기 힘듭니다. 의도적으로 회피하고 있다고 밖에는 생각할 수 없을 정도로 갈등이 적습니다. 그것은 이 세계에 더 이상 존재하지 않아서가 아니라 갈등을 직면하는 문학이 중산층 독자(혹은 작가 자신)의 구미에 맞지 않기 때문일 것입니다. 어쨌든 이렇게 됨으로써 엄존하는 사회의 일부 구성원들이 유령화됩니다. 한때 미국의 흑인들에 대해 랠프 앨리슨이 묘사한 것처럼 '보이지 않는 인간'으로 살아가게 됩니다.

(김영하, 『말하다』, p. 219-220, 문학동네)

19. **강다짐** : 이미 한 일이나 앞으로 할 일에 틀림이 없음을 매우 단단히 강조하여 확인함.

♣ 누군가의 말에 반감을 넘어 증오심까지 생기는 이유는 질적으로 편향돼 있고 양적으로 적은 표본을 취해 자료나 근거랍시고 들이대며 앞뒤 안 맞는 논리와 저질의 어휘력으로

자기가 옳다고 우기기 때문이다. 이렇게 나오면 감정을 자극해서 옳고 그름을 떠나 절대 승복하고 싶지 않다는 **강다짐**만 하게 만든다. (유선경, 『어른의 어휘력』, p. 221)

20. 강팍하다 : 성미가 까다롭고 고집이 세다.

♣ 모든 기도는 궁극적으로 "이름이 거룩히 여김을 받으시오며 나라가 임하시오며 뜻이 하늘에서 이루어진 것같이 땅에서도 이루어지이다"(마태복음 6:9,10)라는 기도로 귀결되어야 한다. 기도는 하나님과의 언약 관계에 근거한다. 하나님은 그리스도를 통해 우리의 아버지가 되셨고, 예수님은 하나님의 자녀가 된 우리의 맏형이 되셨다. 예수님은 신자들의 기도를 듣고 응답하시겠다고 약속하셨다(요한복음 14:13, 14, 16:23, 요한일서 5:14, 15 참조).

하나님의 인도를 구하는 기도를 드릴 때는 먼저 어리석음과 교만과 **강팍한** 마음과 그릇된 사고를 부추기는 삐뚤어진 욕망을 버리게 해달라고 기도한 다음, 순수한 마음과 명료한 사고와 영적 감수성을 허락하셔서 하나님을 가장 영화롭게 할 수 있는 일을 선택하게 해달라고 기도하면 된다. 읽고, 생각하고, 말하고, 듣는 등 하나님의 뜻을 분별하기 위해 노력하면서 늘 마음속으로 그런 기도를 드려야 한다.

시편 23편은 하나님의 인도를 주제로 다루고 있는 대표적인 성경 본문이다. 하나님이 우리를 인도하시고 작정하신 이상, 그분은 우리를 끝까지 인도하실 것이다.

시편 25편에서 우리는 하나님의 인도를 구하는 기도를 발견할 수 있다. 우리 모두 시편 25편의 기도를 우리의 기도로 삼아야 한다. 그 기도를 드리면, 하나님의 인도에 관한 고민과 두려움이 모두 사라지게 될 것이다.

(제임스 패커 외, 『하나님의 인도』, p. 334-335, 생명의말씀사)

21. **거버넌스**(Governance): **거버넌스**는 일반적으로 '과거의 일방적인 정부 주도적 경향에서 벗어나 정부, 기업, 비정부기구 등 다양한 행위자가 공동의 관심사에 대한 네트워크를 구축하여 문제를 해결하는 새로운 국정운영의 방식'을 말한다. (제러미 리프킨, 『회복력 시대』, 민음사)

22. **거스러미**: 손발톱 뒤의 살 껍질이나 나무의 결 따위가 가시처럼 얇게 터져 일어나는 부분.

♣ "기생 팔자란 다 그런 거지 머."
국향은 손톱 사이에 난 **거스러미**를 물어뜯는다.
"그 차중에 하동서 손님이 왔거든. 참 잘생긴 선비더구나."
"그랬는데?"
국향은 다 그렇고 그런 거 아니냐, 누가 그 사정을 몰라서? 비스듬한 눈길로 봉춘 네를 쳐다본다.

(박경리, 『토지 2부 2권』, p. 323)

23. **거울 뉴런**(Mirror neuron): 특정 움직임을 행할 때나 다른 개체의 특정 움직임을 관찰할 때 활동하는 신경세포.

♣ 앞서 잠깐 말했듯 인간에겐 **거울 뉴런**이라는 게 있어서 타인의 행동을 보기만 해도 본인이 직접 하는 것과 비슷한 반응을 뇌에 일으킨다. 이런 점을 잘 이용하는 게 바로 '좋은 자기계발서 읽기'다. 책의 내용을 너무 깐깐하게 비판적으로 따지지 말고, 한 수 배운다는 느낌으로 마음을 열고 보면 좋겠다. 지금 우리가 그런 책을 읽는 건 그 저자를 숭배하려고 그러는 것이 아니니까 말이다. 그 사람의 성공 스

토리에 내 마음과 삶을 동기화하는 것, 그뿐이다.

(자청, 『역행자』, p. 109, 웅진지식하우스)

24. **건필** : 문장이나 시를 의욕적으로 많이 쓰는 것. 글씨를 힘 있게 잘 씀.

♣ 『천개의 파랑』은 SF적인 장치를 그리 많이 쓰지는 않았지만, 이 점이 중요하게 느껴지지 않을 만큼 탁월한 작품이었다. 안락사를 앞둔 경주마와 결함이 있어 살짝 인간처럼 사고하게 되어버린 로봇 기수를 중심으로, 이 둘을 둘러싼 여러 사람의 삶이 무지갯빛으로 펼쳐진다. 수명이 다한 경주마의 단 며칠의 삶의 유예를 위해 모여든 사람들, 가장 천천히 달리기 위한 여정, 더해서 결말의 소소한 반전은 감동과 전율을 자아낸다. 제목 그대로 천 개의 파랑이 가득한 듯한 환상적이고 우아한 소설이다. 이미 활발하게 활동하고 있는 유명 작가의 작품이라 해도 믿을 법했다. 별다른 이견 없이 지지를 받아 대상으로 선정됐다. 당선된 모든 분께 축하를 드리며, 아쉽게 선정되지 못한 작가들의 **건필**을 또한 기원한다.(김보영 심사위원) (천선란, 『천개의 파랑』, p. 367, 허블)

25. **걸터듬다** : 무엇을 찾으려고 이것저것을 되는대로 마구 더듬다.

♣ 커다란 가방을 메고 나가면 뭐 하나 꺼낼 때마다 가방 안을 온통 헤집느라 정신까지 쏙 빠진다. 이런 상황에 딱 맞는 어휘는 **'걸터듬다'**이다. '헤집다'도 틀린 말은 아니나 '**걸터듬다**'는 무엇을 찾는다는 의도까지 내포하고 있어 이런 상황에 맞춤이다. 가방이나 서랍 안에 손을 깊숙이 넣어 걸터듬을 때는 조심해야 한다. 손톱 주변에 거칠거칠하게 일어난 살갗이 상처 입을 수 있어서다.(유선경, 『어른의 어휘력』, p. 64-65)

26. 검박하다 : 검소하고 소박하다.

♣ 마리아 수도회 소속 수녀님들이 오갈 데 없는 아이들의 엄마가 되어 살아가는 모습을 TV에서 보았습니다. 아이들 엄마로 사는 수녀님들의 모습은 **검박하다** 못해 초라해 보일 정도였지요. (한근영, 『나는 기록하기로 했다』, p. 141, 규장)

27. 겉볼안 : 우리말이다. '겉을 보면 속을 안 보아도 짐작할 수 있다'는 뜻을 가진 명사로 줄임말이다. 신조어 같지만 국어사전에 올라 있는 표제어다. 경험치가 늘면 **겉볼안**이 맞을 때가 있기는 하다. 그러나 지금까지 겉볼안이 다 맞았다고 다음에 맞힐 확률이 높아지는 것이 아니고, 지금까지 다 틀렸다고 다음에도 틀릴 확률이 높아지는 게 아니다.

(유선경, 『어른의 어휘력』, p. 119)

28. 격절 : 사이가 동떨어져 연락이 끊어지는 것.

♣ 똥통을 비운 여객기는 또 300여 명을 태우고 10여 시간을 날아서 지구 반대편 공항으로 간다. 이것이 대지와 **격절**된 똥이 보여 주는 문명사적 풍경이다.

(김훈, 『연필로 쓰기』 p. 62)

♣ 청춘남녀들은 꼰대들이 아무리 말리고 짓눌러도 기어코 사고를 치게 되어 있고, 이것은 자연의 순리다, 남북 인민 간에 어린애를 낳으면 처벌한다는 조항이 국가보안법에 없는데, 이 70년 동안 남남북녀와 남녀북남 사이에는 어린애 한 명도 태어나지 않았다. 무사고였다. 이 **격절**과 불임의 세월에도 서울 거리에는 평양냉면과 함흥냉면을 파는 식당들이 서로 원조의 기원과 육수의 품격을 다투며 장사를 해왔다.

(앞의 책, p. 387)

29. 결기 : ① 결 바르고 결단성 있게 행동하는 성질.

② 참지 못하고 성을 내거나 왈칵 행동하는 성미.

♣ 등에 아이가 업혀 있고 양식 보따리가 걸려 있는데, 그건 어떤 투사의 앞모습보다 결기가 넘쳤어.

(고은경, 『숨비들다』, 신춘문예당선소설집, 2023)

♣ 그가 유리컵을 가져다 내 앞에 두고 결기 어린 표정을 지었다. 죽음에 관한 느슨한 아포리즘을 기대했던 나는 당황했다. 선생은 마치 새로운 물리법칙을 발견한 후 실험 도구를 앞에 두고 흥분한 과학자처럼 보였다.

(김지수, 『이어령의 마지막 수업』, p. 24, 열림원)

30. 결속하다 : ① 한 덩어리가 되게 묶다.

② 뜻이 같은 사람들끼리 하나로 뭉치다.

♣ 하나의 눈송이가 태어나려면 극미세한 먼지나 재의 입자가 필요하다고 어린 시절 나는 읽었다. 구름은 물분자들로 이뤄져 있지 않다고. 입자들로 수증기를 타고 지상에서 올라온 먼지와 재의 입자들로 가득하다고 했다. 두 개의 물분자가 구름 속에서 결속해 눈의 첫 결정을 이룰 때, 그 먼지나 재의 입자가 눈송이의 핵이 된다.

분자식에 따라 여섯 개의 가지를 가진 결정은 낙하하며 만나는 다른 결정들과 계속해서 결속한다. 구름과 땅 사이의 거리가 무한하다면 눈송이의 크기도 무한해질 테지만, 낙하시간은 한 시간을 넘기지 못한다. 수많은 결속으로 생겨난 가지들 사이의 텅 빈 공간 때문에 눈송이는 가볍다. 그 공간으로 소리를 빨아들여 가두어서 실제로 주변을 고요하게 만든다. 가지들이 무한한 방향으로 빛을 반사하기 때문에 어떤 색도 지니지 않고 희게 보인다.

(한강, 『작별하지 않는다』, p. 93, 문학동네)

31. **결연하다** : 마음가짐이나 행동에 있어 태도가 움직일 수 없을 만큼 확고하다.

♣ 쌀값은 폭등하고 전염병은 여기저기 번져 사람들은 맥없이 죽어 나가는데, 총칼 찬 일본 헌병들은 걸핏하면 죄 없는 사람들을 끌고 가서 인정사정없이 괴롭히는 건 모두가 알고 있는 일이었습니다. "흠, 흐음……. 참는데도 한계가 있소이다. 우리 모두 충서와 뜻을 같이 합시다!" 문중 어른들도 <u>결연한</u> 의지를 보였습니다.

(글 고현숙, 그림 장영철, 『그날의 약속』, p. 31, 도담소리)

♣ 지난 달 하순에 저희 서화반이 이사를 하였습니다. 5, 6년 동안 작업장으로 사용해왔던 강당 옆 계단으로부터 열세 평짜리 큰 방으로 옮겨왔습니다. 사글세를 살다가 전세를 얻어든 폭은 됩니다. 방이 크기 때문에 윗목에 책상을 벌여놓아 작업을 하고 아랫목에서 먹고 자는 이른바, 숙, 식, 작업의 전 생활이 한곳에서 이루어지게 되었습니다. 서화반의 식구도 일곱으로 늘고, 저녁잠만 자러 오는 악대부원 10여 명이 또 이 방의 동숙인입니다.

이것은 실로 이사 이상의 큰 변화입니다. 낯선 것, 서툰 것, 심지어 불편한 것까지 전체로서 신선한 분위기를 이루어 생활에 활력을 불어놓습니다. 이번 이사 때 가장 두고 오기 아까웠던 것은 '창문'이었습니다. 부드러운 능선과 오뉴월 보리밭 언덕이 내다보이는 창은 우리들의 메마른 시선을 적셔주는 맑은 샘이었습니다.

그러나 생각해보면 '창문'보다는 역시 '문'이 더 낫습니다. 창문이 고요한 관조의 세계라면 문은 힘찬 실천의 현장으로 열리는 것입니다. 그 앞에 조용히 서서 먼 곳에 착목着目하여 스스로의 생각을 여미는 창문이 귀중한 '명상의 양지'임을 부인할 수는 없지만, 그것은 **결연히** 문을 열고 온몸이 나아가는 진보 그 자체와 구별되지 않을 수 없습니다. 한 해 동안 베풀어주신 형수님의 수고에 감사드립니다. 새해의 발전과 건강을 기원합니다. 1981년 세모에. (신영복, 『감옥으로부터의 사색』, p. 194, 돌베개)

♣ 사도 요한이 "성도들의 피와 예수의 증인들의 피에" 취한 음녀를 보고 놀라자 천사가 그 음녀와 짐승의 비밀을 알려 줍니다. 짐승은 "전에 있었다가 지금은 없으나 장차 무저갱으로부터 올라와 멸망으로 들어갈 자"입니다. 무저갱에서 올라와 세상을 소란스럽게 만들겠지만, 반드시 멸망할 것입니다.

하나님의 백성은 돈과 권력을 휘두르는 짐승을 봐도 무서울 것이 없지만, "그 이름이 생명책에 기록되지 못한 자들은" 짐승을 보고 놀랄 것입니다. 어떤 사람이 짐승에게서 경외감을 느낀다면, 생명책에 그의 이름이 기록되지 않았기 때문입니다. 하나님의 사람은 세상을 두려워할 필요가 없습니다.

당시 상황을 알면 짐승에 대한 두려움이 이해될 것입니다. 포악한 네로 황제는 자살한 게 아니라 로마의 대적 파르티아로 도망간 것이며, 그가 파르티아 군대를 이끌고 다시 로마로 돌아올 것이라는 소문이 파다했습니다. 일곱 황제 뒤에 여덟 번째 황제로 복귀할 것이라는 소문에 두려워 떠는 사람이 많았습니다.

이 짐승은 잠시 사라지는 듯했다가도 다시 나타나며 다른 모습으로 변할 수도 있는 존재입니다. 권력이 사라졌다가 다시 나타나는 것처럼, 돈이 모양을 바꿔 가며 세상을 지배하듯이 말입니다. 이런 일은 끊임없이 일어납니다. 이유가 무엇입니까?
돈과 권력은 마치 당근과 채찍과도 같아서 교회를 뒤흔드는 데 가장 유효적절한 수단입니다. 그래서 사탄은 이 두 가지로 그야말로 끊임없이 교회를 흔들어 댑니다. 돈으로 유혹하고, 권력이든 폭력이든 강권적인 수단으로 교회를 핍박합니다. 사탄의 방법은 예나 지금이나 동일합니다. 우리는 이 두 가지를 항상 경계하며 **결연한** 태도를 취해야 합니다. 그러나 다른 한편으로, 신앙의 자리를 지킨다는 것은 돈과 권력에서 자유로워지는 길이기도 합니다. 오직 하나님께만 붙들릴 때, 그 두 가지에서 진정으로 자유해질 수 있습니다. (조정민, 『사후대책』, p. 308-309, 두란노)

32. 경외심(경외감) : 신이나 어떤 대상을 두려워하며 우러러 보는 마음.

♣ 하나님, 남편의 고백대로 오늘은 하나님께서 하늘에 띄워 놓으신 저 달을 통해 각자의 자리에 있는 담갈 지체들에게 말씀하시나 봅니다. 어떤 이들에게는 위로를, 어떤 이들에게는 격려를, 어떤 이들에게는 감탄을 안겨주고 계셨겠지요. 그리고 우리 모두에게 창조주 하나님께 대한 **경외심**을 주셨다고 믿습니다. (한근영, 『나는 기록하기로 했다』, p. 297)

♣ - 왜 하필 서른셋이냐고 묻고 싶은 모양이군. 글쎄 서른셋은 예수가 십자가 위에서 돌아간 나이고 알렉산더가 거대 제국을 건설하고 죽은 나이지. 서른셋이 지나면 더 이상 청춘이라고는 할 수 없지 않을까. 요절이란 말도 서른셋이 되기 전 죽은 자들에게나 주어지는 것 아니겠나. 예술가들에겐

요절은 때로 영광이지. 그들의 작품이나 저작은 내게 연민과 **경외심**을 불러일으켰어. 관심이 있으면 가져다 봐도 좋아. - 고맙습니다. (신경숙, 『어디선가 나를 찾는 전화벨이 울리고』, p. 77, 문학동네)

♣ 20세기의 유명한 작가이자 신학자인 C. S. 루이스는 테오시스를 옹호한 독실한 신자였다. 그는 이렇게 말했다. "남자나 여자나 신이 될 수 있는 세상에서 산다는 건 엄숙한 일이다. 당신이 지금 말하고 있는 상대가 아무리 어리석고 재미없는 사람이라 해도 그가 언젠가는 당신이 몹시 숭배하고 싶은 존재가 될 수도 있다는 사실을 기억하라…. 이 세상에 평범한 사람은 없다."

나는 이 글을 보고 신과 인간의 관계를 직관적으로 이해할 수 있었다. 이 글이 가장 설득력 있고 강력하게 신과 인간을 설명해주는 것 같다. "이 세상에 평범한 사람은 없다"라는 루이스의 말이 무척 인상적이다. 신에 대한 이런 견해 덕분에, 나는 모든 인간을 **경외심**과 경탄의 눈으로 바라볼 수 있게 됐다. 모든 인간은 신처럼 될 타고난 역량을 지녔다. 지금의 삶은 우리가 발전하는 하나의 작은 발걸음이다. 우리 앞뒤로 무한성이 끝없이 펼쳐져 있다. 한 사람이 그리는 삶의 궤도는 현재의 모습보다 훨씬 강력하고 실제적이다.

(벤저민 하디, 『퓨처셀프』, p. 186, 상상스퀘어)

♣ 하나님을 본 자는 죽음을 맞는 것이 아니라 죽음의 죽음을 경험합니다. 하나님에 대한 **경외감**은 세상에 대한 긍휼함을 낳습니다. 하나님을 두려워하면 세상이나 사람이 커 보이지 않습니다. 하나님이 살아 계시다는 것을 확인하면 하나님을 모르는 사람들이 불쌍하게 여겨집니다. (조정민, 『사후대책』, p. 110)

♣ 이윽고 환상이 아련한 모습으로 사라지며 하나님의 아들이신 예수 그리스도께서 그의 삶을 충실히 따른 모든 인물들을 향하여 손짓하시는 모습이 보였다. 어딘가에서는 천사들의 성가대가 우레와 같은 목소리로 큰 승리의 노래를 부르고 있는 것이 들렸고 기나긴 계단 끝에 서 계신 예수님의 형상은 점점 더 찬란하게 빛났다.

"그래요, 그래요! 오, 나의 주인님. 기독교 역사를 위해 이 땅에 신세기의 미명이 밝을 때가 되지 않았습니까? 이 시대의 기독교 왕국에 빛과 진리가 뚫고 들어오게 하소서! 우리가 당신의 발자취를 끝까지 따르도록 도우소서!"

마침내 그는 천상의 것을 목격한 사람이 가질 만한 **경외심**을 품은 채 자리에서 일어섰다. 오늘날 전 세계적으로 퍼져 있는 인간의 죄악과 그것이 남긴 참상이 무겁게 느껴졌다. 예수의 진실한 제자인 헨리 맥스웰 목사는 믿음과 사랑과 함께 가는 소망을 간직한 채 잠이 들었고, 꿈에서 이 땅에 기독교 왕국이 거듭나는 광경과 '흠도 점도 주름도 없는' 예수의 교회가 서 있는 모습을 꿈에서 보았다. 그 교회는 끝까지 주님을 따르며 그분의 발자취를 따라 걷고 있었다. (찰스 쉘던, 『예수님이라면 어떻게 하실까?』, p. 428-429)

33. **곁** : 어떤 대상의 옆, 또는 공간적·심리적으로 가까운 데.

♣ '비록……일지라도'는 고백하자면, 사실 나 자신을 위한 것입니다. '내가 무능할지라도, 내가 죄를 지었을지라도, 내가 남보다 체력이 뒤처질지라도, 내가 나를 어떻게 미워하랴. 나의 존귀함을 지켜야지. 내 마지막 프라이드를 지켜야지. 하나밖에 없는 내 생명인데, 이걸 헛되게 쓰지 말아야지'라

고 생각하고 사는 겁니다. 이제까지 내가 타락하지 않고, 많은 사람들이 자포자기할 때도, 며칠을 굶어서 하늘이 노랗게 보여도 절망하지 않았던 이유는 자살하지 않았던 바로 우리말이, 문학이 있었기 때문이었습니다. "분해서라도 이것을 글로 남기리라. 이 원통함을 글로 남기리라." 내가 절망 속에서 글 쓰는 사람이 되고 저항의 문학을 쓰던 때가 그때였습니다. 그때 이미 하나님이 곁에 계셨던 겁니다.

(이어령,『빵만으로는 살 수 없다』, p. 263, 열림원)

♣ 사람들이 그래요. "당신 위선자 아니냐. 당신 같은 사람은 그저 성서 보고 신학책 읽고 기도드리면 됐지 왜 교회 나가서나 예수 믿는다고 떠드느냐. 차라리 무교회주의자가 되지." 그때 내가 비유로 말했어요. 「워싱턴 포스트」지에서 사람들이 정말 음악을 알아듣는 귀가 있나를 시험한 적이 있습니다. 세계 최고의 바이올리니스트 조슈아 벨에게, 거리의 악사처럼 허름한 옷을 입고 3백5십만 달러짜리 스트라디 바리우스를 시시한 깽깽이처럼 들고 연주해보라고 한 겁니다. 자기네가 지식인입네 하는 사람들이 가장 많이 다니는 워싱턴 랑팡 플라자 지하철역에서 말이죠. 조슈아 벨은 연주회 입장권이 수천달러나 하는 스타니까 사람들이 사인해 달라고 마구 덤비면 어떡하나 걱정하기까지 했지요. 아침 7시 50분부터 약 45분 동안 출근시간에 바이올린을 연주했는데 조슈아 벨을 알아보기는커녕 그 아름다운 음악을 귀담아 듣는 사람조차 없더랍니다. 다들 휴대전화로 통화하느라 정신이 없고 바삐 출근하느라고 걸음을 멈추는 사람도 없었어요. 일곱 사람만이 잠시 멈춰 서서 그의 음악을 들었다고 합

니다. 연주자가 조슈아 벨인지는 모르고 말이지요.

나는 그 얘기를 이렇게 풀이해주었습니다. 하나님은 우리 곁에 있다. 아름다운 하나님의 음악이 있는데 바삐 출근하기 위해 지하철을 타러 뛰어가느라고 삿된 목적을 쫓느라고 그 목소리를 못 듣는 것뿐이다. 조슈아 벨이 길거리가 아니라 어마어마한 카네기 홀에서 연주해봐라. 평소에 별관심이 없던 사람도 워낙 유명한 사람의 연주이니 가서 듣고 감탄할 거 아니냐. 마찬가지다. 교회라는 게 음악으로 치면 극장이다. 교회는 어디에나 있지만 조슈아 벨 연주를 듣기 위해 티켓을 사서 들어가는 공간처럼 교회 역시 누구나 선망하는 하나님을 만나는 공간이다. 그렇게 얘기해주었습니다.

(이어령, 『지성에서 영성으로』, p. 338-339, 열림원)

♣ 아리마대 사람 요셉은 예수님의 머리맡에 무릎을 꿇고 상처난 얼굴을 조심스레 닦아내기 시작했다. 부드러운 수건을 적셔 대제사장의 뜰에서 주먹으로 맞은 상처와 채찍질, 가시관에 찔려 흘러내린 핏자국들을 깨끗이 닦아냈다. 그러고 나서 예수님의 두 눈을 꼭 감겨드렸다.

니고데모는 요셉이 가져온 세마포를 풀어서는 예수님 곁에 있는 큰 바위 위에 펼쳐 놓았다. 이 두 명의 유대교 지도자들은 호흡이 끊긴 예수님의 시체를 들어서 세마포 위에 조심스럽게 뉘였다. 이제는 온몸에 향유를 뿌릴 차례였다. 니고데모는 예수님의 두 뺨에 몰약과 침향을 발랐다. 그는 가슴속에 눌러 놓은 감정이 솟구쳐 오르는 것을 참을 수가 없었다. 눈물 한 방울이 십자가에 처형된 만왕의 왕이신 우리 주님의 얼굴에 떨어졌다. 그는 흘러내리는 눈물을 감추기 위해 움직이던 손을 잠깐 멈췄다. 이 중년의 유대인은 숨을 쉬지 않고 누워 있는 젊은 갈릴리 사람을 못내 그리워하는 마음으로 쳐다보았다.
예수님의 장례가 결코 주님 곁을 떠나지 않겠노라고 장담하던 사람들에 의해서가 아니라, 메시아를 처형하자고 주장한 산헤드린공회의 대표자격인 두 사람에 의해 치러졌다는 것은 참으로 아이러니한 일이다. (맥스 루케이도, 『구원자 예수』, p. 143-144, ㈜아가페)

34. **계염** : 부러워하며 시샘하여 탐내는 마음.

♣ "우리 언제 밥 한번 먹자"는 기약 없는 약속이다. "언제요?"라고 물었다 상대가 우물쭈물하는 걸 보고야 빈말인 걸 알아차렸다. 나는 절대 그런 빈말하지 말아야지 다짐했건만 언제부터인가 같은 빈말을 하고 있고 '빈말을 하려고 한 게 아니라 차일피일 미루다가 빈말이 되는구나'라고 자기합리화한다. 돈 벌려고 하는 일을 '밥 먹고 살자고 하는 짓'이라 하고, 실용적이지 않은 일을 두고 '돈이 나오나, 밥이 나오나'라고 하며 잘 풀리지 않으면 '먹고살기 힘들다'라고 한다. 하필이면 이럴 때 엘리베이터에서 마주친 누가 명품으로 치장한 모습을 보면 '밥술깨나 먹는 모양'이다 싶어 계염나는데 집에 들어와 '밥 빌어다 죽 쑤어 먹은' 얼굴 보면 열불난다. 한소리 했다 행여 번나갈까 삼킨다.

(유선경, 『어른의 어휘력』, p. 258)

35. **게으름** : 행동이 느리고 움직이거나 일하기를 싫어하는 태도나 버릇.

♣ 물리학자인 프리먼 다이슨은 이 단계의 중요성을 현재 자신이 진행 중인 일을 예로 들어 설명한다.

"나는 아무것도 하지 않고 빈둥거리고 있는데, 아마도 지금이 창의적인 시기일지도 모릅니다. 사실 더 두고 봐야 알겠지만 말입니다. 나는 한가한 시간이 매우 중요하다고 생각합니다. 셰익스피어도 희곡을 쓰지 않을 때는 **게으름**을 피웠다고 하더군요. 나 자신을 셰익스피어에 비교하는 것은 아니지만 언제나 바쁜 사람들은 보통 창의적이 되지 못한다는 거죠. 그래서 나도 게으름을 피우는 것이 부끄럽지 않습니다."

(미하이 칙센트미하이, 『창의성의 즐거움』, p. 121, 북로드)

♣ 눈만 뜨면 교회에 달려가고 시간만 나면 헌신하고 봉사하는 건 귀하다. 하지만 가끔은 쉬어야 하고 가끔은 쓸데없는 생각도 필요하다. 돕는다는 것은 뭘 주는 것이기도 하지만 함께 비를 맞는 일이기도 하다. 무조건 앞만 보고 달려가다 보면 내 생각에 도취하기 쉽다. 진정한 하나님의 사람이 되려면 자신만의 언어로 사유를 할 수 있어야 하고 또 가끔은 자기만의 바닷가에서 **게으름**을 피우는 시간도 가져야 한다.

(이정일, 『소설읽는 그리스도인』, p. 178, 샘솟는기쁨)

♣ 캘리포니아로 가는 이주자들의 세상은 밤에 만들어졌다. 하루면 가는 거리엔 꼭 야영장이 있었다. 이곳에서 쉬면서 이주자들은 자신들이 생각하는 세상을 만들었다. 아이들은 장작을 모으고 물을 길었고, 남자들은 천막을 세우고, 여자들은 저녁식사를 준비했다. 힘들 땐 댄스파티를 열어 격려했고, 주일엔 예배를 드리며 감사기도를 했고, 가끔씩은 진흙 속에 떨어진 씨앗처럼 **게으름**을 피울 수 있기를 소망했다.(『분노의 포도』중)

(앞의 책, p. 194-195)

36. **게인로스 효과**(Gain-Loss Effect) : 첫인상보다 오래 만나면서 호감을 높이는 것이 더 좋은 평가를 받을 수 있다는 심리적 효과를 말한다.

37. **고독** : 세상에 홀로 떨어져 있는 듯이 매우 외롭고 쓸쓸함.

♣ **안** - 흔히 우리는 '**고독**'과 '외로움'을 구분하지 못하고 '고독'과 '고립'을 혼동합니다. '고독'이란 '자발적 홀로 있음'에 가까운 것 같아요. 이 홀로는 세상과의 단절이 아니고요. 내가 나와 온전히 함께하면서 내 안에 스며든 세상의 요소도 바라보도록 안내하지요. 혼자 있는 시간은 세상과 연결된 적극적 나의 존재를 깨달아 가는 시간이 아닐까요?
최 - '자발적 홀로 있음'이라는 표현이 참 좋네요. 시인 황동규 선생님은 그걸 '홀로움'이라 부르셨죠. 저는 어울리기 좋아하지만 반드시 혼자 있는 시간을 확보합니다. 그 시간에 외롭다는 표현은 전혀 어울리지 않아요. 홀로움, 참 멋진 단어인 것 같아요. (최재천·안희경, 『최재천의 공부』, p. 97)

♣ 자신의 삶에서 무엇이 중요한지 우리는 거의 깨닫지 못하고 있다. 그러나 그것이 다른 사람을 괴롭히는 것은 아니다. 종일 물속에서 헤엄치고 있는 물고기가 물에 대해 무엇을 알겠는가? 괴롭고 즐거운 일은 외부에서 비롯되지만 힘든 일은 자기 자신에서 비롯된다. 나는 대체로 내가 하고 싶은 일을 한다. 그 일로 많은 존경과 사랑을 받는 것은 민망한 일이다. 물론 나에게도 비난의 화살이 날아온 적이 있다. 그러나 그것이 나를 맞히지는 못했다. 어쩌면 그것은 나와 전혀 상관없는 또 다른 세계에 속했기 때문일 것이다. 나의 젊은 시절은 고통스러웠지만, 노년에는 유쾌하기까지 한 그

런 **고독** 속에 살고 있다.(아인슈타인, 『나의 노년의 기록들』, p. 17, 지훈)

♣ "인간이 사교적으로 되는 것은 **고독**을, 고독한 상태의 자기 자신을 견딜 능력이 없어서다."

아리스토텔레스도 행복의 조건을 '자족(스스로 만족)'하는 것으로 정의했다. 고독의 중요성을 다시 생각하게 한다. 쇼펜하우어는 **고독**과 사교성을 대립하는 것으로 본다. 지적인 능력이 클수록 혼자 지내려는 경향이 강하고 지적 능력이 떨어질수록 어울리는 경향이 강하다는 것이다. 따라서 **고독**은 위대한 사람의 특성이다. **고독**은 인간의 본래 모습에 가깝다. 친구든 애인이든 가족이든 나와 완전히 하나가 되는 일은 불가능하다. 각자 개성과 취향, 의견이 달라서 늘 불협화음과 갈등이 생기기 마련이다. 그러나 오직 자기 자신과는 유일하게 완전한 융화가 이뤄질 수 있다. 마음의 평화와 행복은 오직 자신의 **고독** 안에 생겨난다. 행복을 얻기 위해서 그 원천인 **고독**을 피하지 말고 그것을 견디는 법을 배워야 한다. "누구나 자기 자신의 고독한 모습일 때 본래 지닌 것이 드러나기 때문이다."

(강용수, 『마흔에 읽는 쇼펜하우어』, p. 179-180, 유노북스)

♣ 아, 하지만 명심하라. 이해인 수녀도 <존재 그 쓸쓸한 거리>에서 이렇게 시를 읊고 있다는 것을 - "누구 하나 내 **고독**의 술잔에 눈물 한 방울 채워주지 않거늘. … 매일 아침 오늘도 살아있음에 감사하거늘, 그래도 외로운 거야 욕심이겠지. 그런 외로움도, 그런 쓸쓸함도 없다는 건 내 욕심이겠지."

그러므로 이제는 **고독**과 외로움을 친구로 삼아라. 정호승 시인은 "외로우니까 사람이다"라고 하지 않았던가. 그래도 누군가에게 기대고 싶다고? 그 기분, 충분히 이해한다. 나도 전혜린이 <이 모든 괴로움을 또 다시>에서 말하듯 "가끔 몹시도 피곤할 때면, 기대서 울고 위로받을 한 사람을 갖고 싶었다."

(세이노, 『세이노의 가르침』, p. 491-492, 데이원)

♣ <하나님의 마음으로 나아가는 유일한 길>

오늘 밤, 감기로 몸이 아프고 외로운 나는 아픔과 고독과 실패감에서 자라나는 깊은 평안이 있다는 것을 경험으로 배우고 있습니다. 이러한 것들은 나로 하여금 하나님을 향해 언덕에 오르게 하며, 나는 거기서 눈물을 통해 웃음보다 훨씬 더 좋은 위로가 내 영혼 속으로 들어옴을 느낍니다.

그것은 '경험하지 않고는 이해할 수 없는 하나님의 평안'입니다. 모든 것이 좋을 때 하나님은 가까이 오실 수 없습니다. 하나님이 사람들에게 큰 의미로 다가가기 위해선 어두운 시간들, 마음이 공허한 시간들이 필요한 것 같습니다.

우리는 사랑하는 사람을 잃었을 때 그런 시간을 경험했습니다. 헤어질 때, 그리고 마음이 아플 때 그런 시간을 경험했습니다. 절망에 빠져 침상에 누워 있을 때 그런 시간을 경험했습니다. 이것이 바로 자연의 본질에 담긴 깊은 진리일까요?

우리는 이렇게 노래합니다.

"내주를 가까이 하게 함은
십자가 짐 같은 고생이나…"

십자가가 하나님의 마음으로 나아가는 유일한 길일까요?

(프랭크 루박, 『프랭크 루박의 편지』, p. 101-102, 생명의말씀사)

38. 고자누룩하다 : ① 한참 떠들썩하다가 조용하다. ② 몹시 괴롭고 답답하던 병세가 조금 가라앉은 듯하다.

♣ 교실 안은 좀 전까지도 부산스럽더니만 어느새 **고자누룩했다**.

♣ 한참 괴로워하시던 할머니는 통증이 **고자누룩한** 후에야 잠이 드셨다.

39. **곤혹스럽다** : 곤란을 당해 어찌할 바를 모르는 난처한 상황을 뜻한다.

♣ 저는 그랬습니다. 참 어정쩡했습니다. 공부를 괜찮게 하긴 했지만, 뛰어나게 잘하지는 못했습니다. 그럭저럭 글을 쓰긴 했지만, 제게는 웅숭깊은 사유도 탁월한 문장도 수려한 표현도 없습니다. 이런 제가, 선생 노릇도 오랫동안 해오고 글쓰기도 오랫동안 해왔습니다. 변명처럼 제 스스로에게 위로가 되는 건 있습니다. 특별하지 않으니, 공부하는 게 얼마나 어려운 가를 잘 압니다. 책을 읽으며 느끼는 어려움이 무엇인지 압니다. 종이 위의 글자가 내 머릿속으로 가슴속으로 들어오는 대신, 외계인의 신호처럼 의미 없이, 얼마나 이상하게 읽히는지, 그래서 책 읽기가 얼마나 **곤혹스러운** 일인지를 압니다. 또 글쓰기가 얼마나 힘든 것인지도 압니다. 머리에 맴도는 생각이 손끝으로 흘러나오지 않고, 아니 어떤 생각조차 나지 않은 채로 머릿속이 온통 악머구리 끓듯하고, 가슴 아래가 꽉 막힌 체기에 괴로워하는 그런 고통을 너무 잘 알고, 시시때때로 겪습니다. 제가 이러하니, 최소한 위압적인 선생, 교만한 글쓰기는 멀리할 수 있으리라는 게 제 변명이자 위안거리입니다.

(김연숙, 『박경리의 말』, p. 278-279, 천년의상상)

♣ 4월 16일 토요일. 여전히 마음이 무겁다. 오후에 설교하면서 전보다 더 큰 실망감을 느꼈다. 성도들에게서 만족스런

결과를 얻지 못할 거라는 두려움에 사로잡혔다. 하나님 앞에 엎드려 전심으로 은혜를 구했지만 별 위로를 얻지 못했다. 아일랜드인 한 사람과 네덜란드인 한 사람이 내가 주일에 할 설교를 듣기 위해 찾아왔다. 그러나 하나님을 모독하는 그들의 이야기를 듣는 것이 얼마나 **곤혹스러웠는지**. 아, 누군가 내 고통을 알아주기를 간절히 바랐다. 나는 헛간으로 가서 하나님 앞에서 괴로운 마음을 털어놓았다. 그러다 하나님의 은혜에 감사드리게 되었다. 하나님께서 내가 그들과 구별된 삶을 살게 해주셨으니.

(데이비드 브레이너드, 『데이비드 브레이너드 생애와 일기』, p. 129, 좋은씨앗)

♣ 예술은 사물이나 인간을 전혀 다른 방식으로 재구성합니다. 그 특징의 하나가 클로즈업하는 것입니다. 야생화 한 송이를 확대경으로 들여다보는 것과 같습니다. 유심히 주목하면 하찮은 삶도 멋진 예술이 됩니다. 우리가 미처 몰랐던 수많은 사연을 담고 있습니다.

훌륭한 회화는 우리가 무심히 지나친 것을 액자에 넣어 사람들에게 들어 보이는 것이라고 합니다. 예술의 본령은 우리의 무심함을 깨우치는 것입니다. 우리를 깨우치는 것 중에서 가장 통절한 것이 비극입니다. 비극은 모든 나라의 문화 전통에서 극화되고 있습니다. 예술 장르에서 비극은 부동의 지위를 누리고 있습니다. 우리가 이 대목에서 생각해야 하는 것이 비극이 왜 미가 되는가에 관한 것입니다. 비극이 미라는 사실이 **곤혹스럽습니다**. 그렇다면 도대체 미란 무엇인가. 이러한 물음을 정리해 보기로 하겠습니다.

미는 아름다움입니다. 그리고 '아름다움'은 글자 그대로 '앎'입니다. 미가 아름다움이라는 사실은 미가 바로 각성이라는 것을 의미합니다. 인간에 대하여 사회에 대하여 삶에 대하여 각성하게 하는 것이 아름다움이고 미입니다. 그래서 나는 아름다움의 반대말은 '모름다움'이라고 술회합니다. 비극이 미가 된다는 것은 비극이야말로 우리를 통절하게 깨닫게 하기 때문입니다. 마치 얇은 옷을 입은 사람이 겨울 추위를 정직하게 만나는 것과 다름이 없습니다. 추운 겨울에 꽃을 피우는 한매寒梅, 늦가을 서리 맞으며 피는 황국黃菊을 기리는 문화가 바로 비극미를 소중하게 생각하는 문화입니다. 우리가 비극에 공감하는 것은 그것을 통하여 인간을, 세상을 깨닫기 때문입니다.

(신영복, 『담론』, p. 252-253, 돌베개)

♣ 우리의 문제는 무엇입니까? 교회가 되지 못한 채 교회에 다니기만 하는 사람들의 문제는 무엇입니까? 세상의 가치관과 교회의 가치관 사이에서 늘 흔들리는 것입니다. 세상도 부럽고 그렇다고 교회를 떠날 수도 없어 **<u>곤혹스럽습니다.</u>**
결혼 생활의 비극은 두 집 살림을 하는 것입니다. 인생의 고통은 두 사람 사이에서 저울질 하는 것입니다. 마음을 정하십시오. 요한계시록은 흔들리는 마음을 붙잡아 주는 기둥과도 같은 메시지입니다. 왜 그렇습니까? 마지막을 보여 주기 때문입니다. 결론을 가르쳐 주기 때문입니다. 최악의 시나리오를 펼쳐 보여주기 때문입니다. 그럼으로써 최악을 대비하도록 해주기 때문입니다. 대비하지 않는 사람은 앉아서 최악을 기다리는 셈입니다. (조정민, 『사후대책』, p. 300-301)

♣ 그러나 아무리 하나님께 많은 기도를 드렸더라도, 오히려 로렌스 형제의 고통은 계속해서 점차 늘어났으며, 그처럼 무거운 두려움과 **<u>곤혹스러움</u>**으로 말미암아 갑자기 마음을 다스리기 힘든

지경에까지 도달하기도 하였습니다. 안전한 정박지로 여겼던 수도원의 고독은 사나운 폭풍우에 휘말린 바다 같은 처지로 바뀌었습니다. 로렌스의 마음은 마치 거센 비바람을 흠씬 두들겨 맞고 선장에게 버림받은 배처럼 이리저리 흔들렸습니다. 그러는 와중에 어디로 가야 할지, 어디로 피해야 할지 도무지 갈피를 잡지 못하고 갈팡질팡하였습니다. 한편으로 끊임없는 자기희생을 통하여 주님께 전적으로 순복하도록 인도하는 은밀한 내적 갈망을 느끼고 있으면서도, 다른 한편으로는 이리저리 방황하다가 그릇된 길로 나아가지는 않을까 두려워하기도 하였습니다.

(로렌스 형제, 『하나님의 임재연습』, p. 142-143, 브니엘)

40. 곧추서다 : 꼿꼿이 서다

♣ 척추가 <u>**곧추서면서**</u> 찌릿하달까. 덕분에 처음 보는 해파리에 몇 번 쏘이기도 했는데.

(이강, 『플라스틱러브』, 신춘문예당선소설집, 2023)

♣ 예수님의 눈물은 어떤가? 대제사장의 뜰에서 흘리신 눈물, 그리고 확신하건데 십자가 위에서도 그 이슬방울들은 예수님의 두 눈에 맺혀 있었을 것이다. 그것이 연약함의 표시일까? 그의 두 뺨에 얼룩진 눈물자국이 나약함과 용기 없음을 말해주는 표시인가?

절대 아니다. 바로 이것이 핵심이다. 중요한 것은 그 눈물에 있는 것이 아니라 그것이 표현하고 나타내는 것에 있다. 그것은 인간의 마음과 정신과 영혼을 나타내는 것이다. 당신의 감정에 자물쇠를 걸고 열쇠로 잠가두는 것은, 그리스도를 닮아가는 성품의 일부를 억지로 땅에 묻어두는 것과 같다.

특별히 당신이 갈보리 십자가 앞으로 나올 때는 더욱 그렇다. 감정은 없앤 채 단지 이성만 가지고 십자가 앞으로 나올 수 없다. 그런 방법은 결코 통하지 않는다. 갈보리 언덕길은 머릿속으로만 하는 여행이 아니며 지식의 수련장도 아니다. 더구나 그것은 신학자들이 어림짐작으로 하는 예측이나 감정 없는 신학적 이론도 될 수 없다. 그것은 가슴을 열어 심령을 쪼개는 것이다.
멀뚱멀뚱한 눈과 아무런 감동도 일지 않는 마음으로 십자가 곁을 떠나지는 말라. 옷깃을 여미고 자세를 곧추세운 채 헛기침만 하고 있지 않기를 바란다. 갈보리 언덕을 냉랭하고 침착한 마음으로 내려가서는 안 된다.
부탁컨대…, 잠깐 멈추고 다시 한 번 보라. 바로 저것이 예수님의 손에 박힌 못들이다. 십자가에 달려 신음하고 계신 저 분이 바로 하나님의 아들이다. 그분을 그곳에 있게 한 사람들이 바로 우리인 것이다.
베드로는 그것을 알고 있었다. 요한도 마리아도 알고 있었다. 그들은 지금 엄청난 대가가 치러지고 있음을 알고 있었고, 그의 곁에 진정 못 박혀야 할 사람이 누구인지도 알고 있었다. 또 새로운 역사가 움트고 있다는 사실도 알고 있었다.
이러한 까닭에 그들은 눈물을 흘리지 않을 수 없었다. 그들은 바로 구세주를 보았던 것이다.
"하나님! 우리가 너무 '지식 많은 자'가 되거나 너무 '생각 깊은 자'가 되어 당신의 십자가를 눈물 없이 바라보는 자들이 되지 않게 하소서." (맥스 루케이도, 『구원자 예수』, p. 153-154)
♣ 갑자기 어떤 힘이 그의 가슴, 옆구리를 세차게 밀어붙였고 숨이 턱턱 막혔다. 그는 나락에 떨어졌다. 나락 끝에서 뭔가

빛을 발하고 있었다. 그에게는 묘한 일이 일어나고 있었다. 그건 기차 여행을 할 때 기차가 앞으로 가고 있다고 생각하는 데 실제로는 뒤로 가고 있고, 그걸 모르고 있다가 갑자기 정확한 진행 방향을 알게 되는 것과 비슷했다. "맞아, 전부 그게 아니었어."라고 그는 자신에게 말했다. "하지만 괜찮아. 잘하면, 잘하면 '그걸' 할 수 있어. 근데 '그게' 뭐지?" 그는 자신에게 묻다가 갑자기 입을 다물었다.

그건 사흘이 되던 날 밤, 그가 사망하기 한 시간 전에 일어난 일이었다. 김나지움에 다니는 아들이 아버지에게 조심조심 다가왔다. 죽어가는 이는 연신 처절하게 울부짖으며 두 손을 내젓고 있었다. 그의 손이 아들의 머리를 툭 쳤다. 아들은 그 손을 잡아 자기 입술에 갖다 대고 그만 울음을 터뜨리고 말았다.

바로 이 순간 이반 일리치는 나락에 떨어져 빛을 보았고, 빛을 보는 순간 자신이 살아온 삶이 그래서는 안 되는 삶이었지만 아직 개선의 여지가 있다고 믿었다. 그는 '그게' 무엇인지 자문하다 입을 다물고 귀를 **곧추세웠다**. 여기서 그는 누군가가 자신의 손에 입을 맞추고 있다는 느낌이 들었다. 눈을 뜨자 아들이 시야에 들어왔다. 아들이 가여워졌다. 아내가 다가왔다. 그는 아내를 쳐다보았다. 아내는 벌어진 입을 다물지 못했고, 눈물은 그녀의 코와 뺨을 타고 하염없이 흘러내렸다. 그녀는 절망적인 얼굴로 그를 바라보았다. 그런 그녀가 안쓰러워졌다.

(레프 톨스토이, 『이반 일리치의 죽음』, p. 110-111, 작가정신)

41. 골마지 : 간장, 고추장, 김치 등 표면에 생기는 효모가 만들어내는 흰색 막.

♣ 그는 허연 골마지가 핀 아들의 자그마한 코를 닦으며 말했다.

(차무진, 『인 더 백』, p. 75)

♣ 파출부한테 잔소리를 할 때도 먹다 남은 고기나 생선, 소시지 따위는 지딱지딱 버리지 않는다고 야단을 치고, 우거지나 시어빠진 무청은 왜 버렸냐고 야단을 친다. 무만 잘라 먹고 남은 총각김치의 무청을 차곡차곡 모아두면 나중에 표면엔 골마지가 낀다. 그걸 바락바락 물에 빨아 우려내고 나서 멸치나 몇 개 들어뜨리고 지진 된장찌개가 그렇게 맛있을 수 없다. 그래서 나는 그걸 물에 헹굴 때 단 한 오라기라도 떠내려갈까 봐 안달을 한다. 그래서 아줌마는 나한테 할머니는 우거지라면 치를 떤다고 흉을 본다. 아무리 헹구어도 남아 있는 곰삭은 시간의 맛, 절대로 인공적으로 만들 수 없는 그 맛은, 아무하고도 나눌 수 없는 고독의 맛이기도 하다. 아무하고도 그 맛의 밑바닥, 궁핍했던 시절이 내 혀끝에 남긴 맛의 오지만은 나눌 수가 없다. 그래서 나는 그 보잘것없는 것을 아귀아귀 포식하고 나면 슬프다.

(박완서, 『모래알만 한 진실이라도』, p. 266-267, 세계사)

42. 곰비임비 : 물건이 거듭 쌓이거나 일이 계속 일어남을 나타내는 말(부사).

♣ 무엇이 목적이었든 오랜 세월 꾸준히 반복한 독서와 필사는 글눈을 뜨게 하고 좋은 글과 나쁜 글을 가려내는 안목을 길러줬을 것이다. 곰비임비 모인 글을 보면 그 글을 쓴 작가와 작품보다 그 글을 거울 들여다보듯 한 스무 살의 나, 서른 살의 나, 마흔 살의 나, 가 보인다. 그런 나들이 모여 지금의 나를 만들었을 것이다.

(유선경, 『어른의 어휘력』, p. 199-200)

43. **곱다랗다** : 축나거나 변함이 없이 그대로 온전하다.

♣ '개와 늑대의 시간'이라는 프랑스의 관용구를 처음 들었을 때 그림 같았다. 해가 훤히 뜨면 개와 늑대를 구분할 수 있다. 해가 완전히 넘어가면 개인지 늑대인지는커녕 아예 보이지 않는다. 그리고 어슴푸레 형태는 보이지만 개인지 늑대인지 한눈에 알아보기 힘든 시간이 있다. 하루에 두 차례 찾아온다. 한자로는 '여명'과 '황혼', 우리말로 '갓밝이'와 '어둑발'이다. 갓밝이에서는 이제 막 밝아지는 기운이, 어둑발에 서는 어둑어둑해지는 기운이 느껴진다. 눈에 보이는 자연현상을 **곱다랗게** 글자로 들어앉힌 우리말이다. 어휘력은 문장을 낱말로, 서술을 명사나 형용사로 줄이는 기술이기도 하다. 세상의 사물과 현상은 저마다 명칭을 가졌고 이 장에 소개한 것처럼 소소해 보이는 것들마저 가지고 있다. 심지어 사전에 실린 풀이는 평소 말로 풀어 서술한 내용보다 두루뭉술하지 않고 명확하다. 맞춤한 낱말을 구사하면 불필요한 곁가지 서술을 줄여 효율적일 뿐 아니라 그 낱말을 디딤돌 삼아 하려는 이야기를 자신감 있게, 자유자재로 발전시킬 수 있다. 사람에 대해서는 이름을 안다고 다 안다고 할 수 없지만 사물과 현상은 맞춤한 이름을 알면 거의 아는 것이다. 단순히 이름만 아는 게 아니라 하나의 새로운 세상을 아는 것이다.(유선경, 『어른의 어휘력』, p. 72-73)

44. **곱다시** : 무던히 곱게, 그대로 고스란히.(방언: **꼽다시**)

♣ 많은 형제자매가 있고 너나들이하는 친척과 이웃들에 둘러싸여 있었다. 노는 방법은 주로 '말'이었고 - 그거 밖에 없

기도 했고 - 대화는 위아래 폭넓은 연령대를 아울렀다. 웬만한 거리는 양말로 땅을 꾹꾹 밟고 다니며 자연이 만들어내는 현상과 사람이 만든 사물을 체험했고 그것들에 대한 설명과 감정을 말로 나누려면 많은 어휘가 필요했을 것이다. 나는 그런 끄트머리에 태어나 자랐다. 사전이나 책 등에서 말을 보기 전에 사람에게서 들었다. 너무 어렸을 때라 귓등만 치고 멀리 가버린 줄 알았는데 들추니 <u>곱다시</u> 쌓여 있다. 이 시대에 닿고 보니 어휘의 축복이었다. (유선경, 『어른의 어휘력』, p. 153-154)

♣ "내가 봉밀구에 있을 적 이야근디 하 참, 그 불쌍한 광부들 땀 밴 푼돈을 노리고 깍다구 겉은 계집들이 모여든단 말시. 나도 푼푼 절용해서 모은 은 두 냥을 <u>곱다시</u> 빼앗기지 않았더라고?" (박경리, 『토지 2부 1권』, p. 410)

45. **곱씹다** : 말이나 생각을 곰곰이 되풀이하다. 거듭하여 씹다.

♣ 찬양의 멜로디와 가사를 <u>곱씹다</u>보니 생각은 이사야서 말씀으로까지 이어졌다. 이 말씀을 읽다가 욥기서를 읽다가를 반복했다. 그러자 무너져가는 우리의 삶도 어쩌면 하나님의 손안에서 복구될 수 있다는 믿음이 내 안에 손톱만큼 생기는 것 같았다. 눈을 감고 조용히 기도드렸다.

(한근영, 『나는 같이 살기로 했다』, p. 78, 규장)

♣ 시도 그렇지만 소설도 하나님의 선물이다. 『네루다의 우편배달부』는 두 시간이면 다 읽을 수 있는 소설이다. 분량도 가볍고 유머와 해학도 있어 신나게 읽을 수 있다. 어찌 보면 특별한 것도 없는 소설이지만 읽고 나면 시가 뭔지 인생이 뭔지를 <u>곱씹게</u>된다. 게다가 또 좋았던 건, 이 소설이 뭘 가르치거나 강요하지 않고 또 판단하려고도 하지 않는다

는 것이다. 그렇게 품어주는 게 좋아 나는 소설을 읽는다.

(이정일, 『소설 읽는 그리스도인』, p. 97)

♣ 정말 사람들은 꼭 그런 곳에서만 위로와 편안한 느낌을 받을 수 있다는 소리인가? 만일 교인들이 모두 예수님처럼 행한다면 허다한 사람들이 일자리를 구하러 거리를 배회하고 교회를 욕하고 술집을 최고의 벗으로 삼는 이 현상이 과연 지속될까? 오늘 밤 이 강당에 모인 사람들이 호소한 아픔과 문제점들에 대해 기독교인은 과연 어디까지 책임져야 할까? 대도시에 있는 교회에서 예수를 위해 실제로 고난당하는 데까지 예수를 따르자고 청하면 대부분은 손사래를 치며 뒷걸음질할 거라는 말이 과연 사실일까? 헨리 맥스웰은 레이철이 노래를 마친 후 모임이 파하고 비공식 뒤풀이 모임을 하는 내내 이 질문을 <u>**곱씹었다**</u>. 복지관에 머무는 사람들이 레이먼드에서 온 방문객들과 함께 복지관 관례대로 묵상 예배를 드리는 중에도 그랬고, 새벽 1시까지 계속된 부루스 목사와의 면담 중에도 그랬고, 자기 전 무릎을 꿇고 미국 교회에 전에 없는 성령 세례를 달라고 열렬히 간구할 때에도 이 질문을 곱씹었다. 아침에 눈을 뜨자마자, 온종일 복지관을 돌아다니며 세상과는 확연하게 구별된 가난한 사람들이 사는 모습을 목도하면서도 이 질문을 곱씹었다.

단지 시카고 교회에 있는 성도들뿐 아니라 전국에 있는 그리스도인들에게 주님을 제대로 따르기 위해서 십자가 길을 가자고 하면 정말 그 길을 가기를 거부할 것인가?

이 한 가지 질문은 계속 답을 요구하며 집요하게 그를 따라 다녔다. (찰스 쉘던, 『예수님이라면 어떻게 하실까?』, p. 412-413)

♣ '상처 입은 피해자'는 바닥에 떨어진 유리같이, 상처가 되는 일을 당해 몸과 마음이 산산이 부서진 사람이다. 또한 바닥에 떨어진 진흙같이 상처에 달라붙어 아무것도 하지 못하는 사람이다. 칼을 꽂으며 상처를 준 사람은 상대방인데, 꽂힌 칼을 더욱 휘젓는 것은 나 자신이다. 너무 아파 상처를 되뇌고 **곱씹으며** 스스로 구렁 속으로 들어가는 안타까운 사람. 상처 입은 피해자는 더 상처를 받지 않기 위해 벽을 쌓는다. 그러나 상처를 막기 위해 벽을 쌓으면 그 벽은 나를 가두는 벽이 되기도 한다.

(한재욱, 『인문학을 하나님께 3』, p. 225-226, 규장)

46. **공리적인** : 어떤 일을 할 때 그 행위가 자신에게 이익이 되는 지를 먼저 생각하는.

♣ "음…… 수녀 생각을 했어. 그런 굴레를 써야만 신앙이 순수해질 거라는……."

여옥이보다 미스 헤이워드가 먼저 말뜻을 알아차린 듯 빙그레 웃는다.

"우리 주변은, 내가 아는 우리 주변 신자들의 믿음이 독실한 것은 알지만, 그렇지만 장사하는 사람은 장사하는 처지에서, 모두 제각기 처지에서 종교와 접근하는 게 아닐까 하구, 물론 외국인의 경우를 잘 모르지만 그들에게는 무의식 속에 예수가 늘 계시지만 우리들에게는 의식을 해야만 예수를 느낄 수 있다. 그런 얘길까? 그리고 과연 영혼의 구제를 어느 정도 희구하는지 모르겠다는 생각도 들구……."

두 사람은 말이 없었고 명희는 더듬더듬 말을 계속한다.

"하나님을 사랑하기보다 무서워하게 되고, 무서워하다 보면 떠나게 될 거 아니에요? 그런가 하면 형식적으로 되어버리기도 하는 것 아닐까요? 영혼이 존중되지 않는 합리적 사고방식은 오히려 메마르게 될 것 같아요. 그리고 또 예수를 생각하는 마음은 서양과 같지 않으면서 그 밖의 것만 따라간다는 것은…… 전에 생각한 일입니다만 적선이라는 말과 자선이라는 말인데요, 적선이라는 말은 참 <u>공리적인</u> 것 같아요. 해서 안심도 되는 말인데, 자선이라 한다면 뭔지 마음의 진실을 추구하고 채찍질하는 것 같거든요. 한데 진실을 추구하고 또…… 또 채찍질하는 느낌을 못 가질 때는 적선이라는 말보다 못할 듯도 싶구요. 결국 밀착이 돼야하는데."(중략)
"예수께서 불법이 성하므로 많은 사람의 사랑이 식어지리라, 그러나 끝까지 견디는 자는 구원을 얻으리라, 이 천국 복음이 모든 민족에게 증언되기 위하여 온 세상에 전파되리니 그제야 끝이 오리라(마 24:12-14), 그렇게 말씀하시었습네다." 미스 헤이워드는 깍지 끼고 눈을 감으며 말했다.(박경리, 『토지 3부 2권』, p. 462-464)

47. **과람하다** : 분수에 지나치다.

♣ 숙부가 면서기로 취직하는 데도 백이 필요했는데 백이 돼 준 분은 할아버지와 같은 항렬의 먼 친척이었다. 그분의 아버지는 역사책에도 나오는 나라 팔아먹는 문서에 도장 찍은 역적이라 그 분도 일본의 작위까지 가지고 있었다. 면서기 정도에는 <u>과람한</u> 백이었고, 면서기 정도를 출세라고 생각하는 할아버지이고 보니 그분에게 설설 기는 건 차마 눈뜨고 못 볼 정도였다.

(박완서, 『그 많던 싱아는 누가 다 먹었을까』, p. 109)

♣ 말로도 그렇고 지껄였고 농부들을 바라보는 눈초리는 그 이상의 협박도 하고 있었다. 막딸네를 걷어찬 것은 벌써 옛날이다. 삼월이하고는 내외가 된 것처럼 한방 거처를 하는 터이나 조준구의 편리를 보아주고 당분간 자신의 아쉬움도 풀자는 심산이었지 애초 생각한 대로 삼월이를 데리고 살 생각은 없었다. (삼수)의 야심은 조신스럽고 얼굴도 반반하게 생긴 봉기의 딸 두리에게 있었다. 평생을 함께 살 여자라면 처녀라야 한다는, 그에게는 **과람한** 자존심 때문인데 종의 신분으로 될 법이나 한일인가. (박경리, 『토지 1부 4권』, p. 23)

48. **관영하다** : 가득 차다.

♣ 우리는 여전히 노아 시대를 살고 있다. 그때만 죄악이 **관영했던** 것은 아니다. 인간의 삶은 자신에게 속한 것만큼이나 타인에게도 속해 있고, 지극히 개인적인 체험도 알고 보면 인간이란 공통분모에 맞닿아 있다. 개인이 집단이라는 익명성 뒤에 숨을 때 도덕적 판단 능력을 상실하게 된다. 집단은 본질적으로 위험하다. 이런 흐름을 뒤집지 못하면 우리는 사는 내내 혼란스럽고 비틀거릴 것이다. 그럼 우리는 어떻게 해야 할까?

(이정일, 『문학은 어떻게 신앙을 더 깊게 만드는가』, p. 319, 예책)

49. **관점** : '철학에서 사고를 특정하게 진술하는 방식이며 어떤 개인적 견해로부터 무엇인가를 이해하고 생각하는 태도'를 말한다.

♣ 시편 23편의 신학적인 구조
첫째, 시편 23편은 삼위일체 교리에 근거해 해석해야 한다. 시편 23편이 노래하는 하나님의 사역은 가족을 돌보시는 성부, 선한 목자이신 성자("선한"을 뜻하는 헬라어 "칼로스"는 뛰어난 아름다움과 동시에 탁월한 사역을 의미한다), 신자들의 마음에 믿음, 평화, 기쁨, 찬양을 불러일으키시는 성령, 세 분의 합동사역에 해당한다.

둘째, 언약의 **관점**에서 해석해야 한다. 즉, 시편 23편은 삼위일체 하나님이 지금부터 영원토록 우리 하나님이 되시고, 또 나의 하나님이 되신다는 사실, 즉 다른 신자들의 무리에 속해 있는 나도 영원히 그분의 것이라는 진리를 깨우쳐 준다.

셋째, 구원론적인 **관점**에서 해석해야 한다. 시편 23편은 하나의 구원 사역을 증언한다. 하나님은 우리를 죄책과 죄의 속박에서 구원하시어 하늘나라로 인도하신다. 하늘나라에서는 이루지 못한 꿈이나 거룩하지 않은 욕망이나 사랑이 없는 냉랭한 마음이 더 이상 존재하지 않는다. 우리는 하늘나라의 집에서 주님과 함께 기쁨을 누리며 영원히 살게 될 것이다. 시편 23편에는 이 같은 의미가 담겨 있다.

넷째, 양을 기르는 목자의 **관점**에서 이해해야 한다. 다윗은 어렸을 때 양들을 돌보던 숙련된 목자였다. 따라서 목자의 지식과 기술을 잘 이해해야만 그의 시어에 담긴 의미를 정확히 파악할 수 있다. (제임스 패커 외, 『하나님의 인도』, p. 28-29)

♣ 제12일 훈계와 꾸지람을 소홀히 말라

글을 쓰다 보면 과거에 내가 썼던 글과 비슷한 내용의 글을 쓰게 되는 경우가 종종 있다. 제목을 붙여야 하는 경우 심지어는 제목이 똑같은 글을 쓰는 경우도 생긴다. 그런데 그렇게 쓰여 진 두 글을 읽어보면 **관점**이 크게 달라진 것이 대부분이다. 전혀 다른 두 사람이 같은 제목으로 쓴 글처럼 보일 때도 있다. 시간의 흐름에 따라, 글을 쓸 당시의 환경에 따라, 나의 마음 상태도 달라지기 때문이다. 그래서 나는 글을 쓴다. 그리고 나의 생각을 기록으로 남긴다. 나의 성장과 발전을 위해...
대부분의 글은 주로 나만 보는 노트에 기록하며, 블로그에 가끔 쓰던 글을 요즘은 매일 공개적으로 블로그에 글을 쓴다. 삶의 목적을 찾아가는 여행으로 주로 성경 읽기 및 묵상의 내용이다.

1. 부모의 지혜를 주의하여 따르며 지식을 지키는 자식이 되라.

1. 내 아들아 내 지혜에 주의하며 내 명철에 네 귀를 기울여서
2. 근신을 지키며 네 입술로 지식을 지키도록 하라

_잠언 5장[개역개정]

2. 훈계와 꾸지람을 소홀히 말며 선생의 가르침에 귀 기울이고 따르라.

11. 두렵건대 마지막에 이르러 네 몸, 네 육체가 쇠약할 때에 네가 한탄하여
12. 말하기를 내가 어찌하여 훈계를 싫어하며 내 마음이 꾸지람을 가벼이 여기고
13. 내 선생의 목소리를 청종하지 아니하며 나를 가르치는 이에게 귀를 기울이지 아니하였던고
14. 많은 무리들이 모인 중에서 큰 악에 빠지게 되었노라 하게 될까 염려하노라

_잠언 5장[개역개정]

3. 악한 행위를 하지 말고 어리석어지지 않도록 하라.

22. 악인은 자기의 악에 걸리며 그 죄의 줄에 매이나니

23. 그는 훈계를 받지 아니함으로 말미암아 죽겠고 심히 미련함으로 말미암아 혼미하게 되느니라 _잠언 5장[개역개정]

(유철기, 『하늘 문을 여는 지혜』, p. 206-207, 트랜스포마인드코리아)

♣ 남의 옷이 아니라 내 옷을 찢자

부끄러운 고백을 하나 하겠다. 몇 년 전까지만 해도 대형교회나 목회자에 대한 이런저런 이야기를 들을 때마다 속으로 '나는 저런 부류와 달라. 대형교회 목사라고 다 같은가? 난 그런 사람이 아냐'라는 식의 생각이 있었다. 그러던 어느 날 뼈아프게 자각한 게 있다. 주님의 **관점**에서는 손가락질 받는 그 목사님보다 나 같은 부류의 사람들이 더 악할 수 있다는 생각을 하게 되었다. 하나님은 교만을 싫어하시기 때문이다. 나는 다르고, 우리 교회는 다르다는 생각, 하나님 보시기에는 이런 태도가 악한 것임을 자각해야 한다.

우리의 가정을 돌아보자. 우리 아이들이 어쩌다 이렇게 세상적인 아이가 되어버렸는가? 장로님 아들, 권사님 딸인데 어쩌다 신앙은 하나도 없는 세상적인 아이가 되어버렸는가? 이런 문제는 분석하면 안 된다. 분석해서 나오는 답이 뻔하기 때문이다.

'이게 다 가정을 돌보지 않는 남편 때문이야.'

'이게 다 아이들 가정교육을 제대로 못 시킨 아내 때문이야.'

죄성을 가진 우리는 책임을 남에게 돌리기 좋아하는 습성이 있다. 그러니 분석하지 말자. 조상 탓으로 돌리는 것이 아니

라 자신이 회개의 자리로 나아갔던 요시야 왕처럼 우리도 회개의 자리로 나아가자.

"우리 가정에 일어난 가슴 아픈 일들은 다 부족한 저로 인해 생긴 일입니다. 주님의 은혜를 구합니다. 우리 가정의 부흥을 위해 저를 변화시켜주옵소서"라며 겸손히 기도해야 한다.

자신의 옷을 찢어야 한다. 배우자의 옷을 찢어야 한다면 상대방을 잡지 말자. 내 옷을 찢어야 한다. 이것을 자각하는 것, 여기에서부터 부흥이 시작된다. (이찬수, 『오늘 살 힘』, p. 109-110, 규장)

♣ 불행하게도, '겸손한'이라는 용어는, 특히 최고만을 우상화하는 문화에서 그 진정한 의미를 상실하는 경향이 많다. 겸손한 사람은 소심하고 수줍음을 잘 타며 소극적이고 잘 나서지 않는 사람, 즉 쉽게 지배당하는 약한 상태라는 이미지를 불러일으킨다. 교만한 자가 스스로를 높이는 사람이라면, 겸손한 자는 자기 자신을 비하하는 사람이라고 생각하는 것도 그럴 듯해 보인다. 겸손하다는 것은 "나는 하찮은 존재야, 나는 아무것도 아니야, 아무 것도 아닌 것보다 더 못한 존재야"라고 중얼거리며 스스로의 그늘 밑에 주저앉는 것이다. 예수님 역시 자신을 "선한 선생"이라 부르는 말에, "어찌하여 너는 나를 선하다고 하느냐? 하나님 한 분밖에는 선한분이 없다"(마가복음 10:18)라고 말씀하시지 않았던가?

거침없는 교회 개척자이자 서간들의 저자인 사도 바울도 "나는 죄인 중에 괴수입니다"(딤전 1:15)라고 말하지 않았던가?

그러나 이러한 **관점**은 마조히즘을 사디즘으로 뒤집는 식의 자기 감추기일 뿐이다. 다른 사람을 때려눕힌다든지, 자기 자신을 때려눕힌다든지 할 수밖에 없는 것이다! 처칠은 히틀러에 대해 유화 정책을 편 체임벌린(영국 정치가)에 대해 이렇게 빈정거렸다. "그는 겸손한 사람입니다. 부족한 게 참 많죠." 누군가를 이렇게 겸손하다고 평하는 것은 그의 존엄과 가치를 손상시키거나 모욕하는 것이 아니다. 겸손에 대해 말하는 것은 교만한 사람들이 놓치곤 하는 존엄성과 가치에 대해 말하는 것이다. 교만한 사람은 이렇게 말하는 사람이다. "나와 비교하면 당신은 가치 없고 별 볼 일 없죠. 내 재능과 업적에 비교하면 당신은 아무 것도 아닙니다." 그래서 예수님은 교만한 자가 낮아지고 겸손한 자가 높아질 것이라고 말씀하신 것이다. 말하자면, 각자의 진정한 존엄과 가치가 인정되고 옹호되는 것이다. 겸손한 사람들은 교만한 사람들에 의해서 더 이상 업신여김을 받지 않을 것이다.

겸손은 자기 자신을 비하하는 것이 아니다. 그것은 자기 자신에 대해 생각하는 것이 아니다. 겸손이란 기꺼이 축하하는 것이고, 주제를 바꾸는 것이다. 결국, 자기를 높게 생각하는 것과 자기를 낮게 생각하는 것에는 공통점이 있다. '내'가 관심의 초점인 것이다. 겸손한 사람은 땅바닥에 넙죽 엎드리거나 낡은 재킷을 입고 있는 사람이 아니다. 다른 사람보다 자기가 우월한지 열등한지의 문제에 관심을 갖지 않은 사람이다. 겸손한 사람은 자유롭다. 자유롭게 사람들의 뜻에 따르고, 자유롭게 다른 사람들의 가치를 발견한다.

(콘라드 하이어스, 『그리고 하나님이 웃음을 창조하셨다』, p. 99-101, 아모르문디)

50. **괴리** : 서로 어그러져 동떨어짐.

♣ '대학생이라면 꼭 알아야 할'이라는 조건을 전제한 교양 강의, 더구나 그중 제 담당 강의는 인류 문명의 정전, 소위 클래식한 고전을 바탕으로 삶의 의미와 가치를 탐색하는 내용입니다. 처음 강의를 시작했을 때 여러 분야 고전에 대한 지식이 부족해 힘들었습니다. 지금도 힘들긴 하지만, 그래도 조금씩 나아질 수는 있었습니다. 정작 더 큰 문제는 내가 행하는 '가르침'과 내 삶이 다르다는 **괴리**였습니다. 전공 교과에서는 학문 대상과 연구 주체 사이에 객관적 거리가 있고 그 거리를 탄력적으로 운용하는 것도 가능해 보였습니다. 하지만 교양 교과에서는 일순간에 거리감이 사라지기 일쑤였습니다. 더 나은 세계, 더 나은 인간… 이런 목표 지향이 아무 매개 고리도 없이, 너라면 어떻게 하겠는가, 너에게 중요한 가치는 무엇인가, 너는 왜 그런 판단을 했는가, 지금 너는 어느 곳에서 있는가, 너는 어떻게 관계 맺고 있는가를 질문하면서 달려드는 것이었습니다. 나는 가르치는 자 - 교수니까, 나는 괄호 안에 묶어두고, 학생 너희들은 어때? 너희들만 답해봐. 이런 분열을 일으킬 수도 없는 노릇이었습니다.

게다가 제가 '가르치는' 것이 심오한 연구 결과도 아니요, 독창적 논지도 아닙니다. 그런데도 불구하고 종종 학생들은 마치 낯선 외국어라도 듣는 양 열심히 받아 적습니다. 분명 기특하고 고마운 일입니다. 그러나 한편으로 그것은 절대적 수용에 그쳐버릴, 위험한 태도이기도 합니다. 무슨 말을 해도 다 들어준다는 것은 역으로 무슨 말을 해도 나와는 상관없다는 태도와 별반 다르지 않기 때문이지요. 더 가혹하게 말하자면, 그건 그저 시험에 나오며, 학점에 필요한 정보를 수집하는 작업일 뿐입니다. 물론 이런 태도를 학생들 스스로가 만든 것은 아닙니다. 마사 누스바움이 『학교는 시장이 아니다(Not for Profit)』에서 "국가 이익에 기갈 든" 나머지 "이익 창출에 적합한 교육"만을 중시하는 현대사회를 신랄하게 비판했던 것처럼 우리 사회를, 우리 교육을 이렇게 만든 것은 저를 비롯한 기성세대의 책임이기 때문입니다. 겹겹이 쌓인 이 문제들 속에서 제 '가르침'은 도대체 무엇입니까. (김연숙, 『박경리의 말』, p. 270-271)

51. **교양** : 단순한 학식이나 지식과 달리 일정한 문화 이상을 체득하여 거기에 따라 개인이 습득한 창조적인 이해력이나 지식을 말함.

♣ 옛날의 귀부인들은 노예가 있는 옆에서 서슴없이 옷을 갈아입었다 합니다. 옆에 아무도 없는 것으로 치든가 고양이나 강아지가 있는 것쯤으로 생각했던가 봅니다. 그러나 당시의 노예들은 생각마저 묶여 있어서 제대로 바라보지도 못하였으리라 생각됩니다. 그에 비하면 오늘의 수인들은 그 의식이 훨씬 자유롭기 때문에 많은 것을 관찰하는 셈입니다.

맨홀에서 작업중인 인부에게 길가는 사람들의 숨긴 곳이 노출 되듯이, 낮은 자리를 사는 수인들에게는 사람들의 치부를 직시할 수 있는 의외의 시작이 주어져 있습니다. 비단 다른 사람들뿐만 아니라 재소자 자신들도 징역 들어와 머리 깎고 수의로 옷 갈아입을 때 예의, 염치, **교양**……, 이런 것들도 함께 벗어버리는 사람이 대부분입니다. 이러저러한 까닭으로 해서 우리는 사람들을 쉽게 존경하지 않습니다.

꾸민 표정, 걸친 의상은 물론 지위, 재산, 학벌, 경력 등 소위 알몸이 아닌 모든 겉치레에 대하여 지극히 냉정한 시선을 키워두고 있습니다. 인간과 그 인간이 걸치고 있는 외식外飾을 구별하는 이 냉정한 시선은 다른 곳에서는 여간해서 얻기 어려운 하나의 통찰임에 틀림없으며 그렇기 때문에 별로 가진 것이 없는 우리들에게는 귀중한 자산의 하나가 아닐 수 없습니다.

(신영복, 『감옥으로부터의 사색』, p. 288)

♣ 당신도 글쓰기로 당신의 **교양**에 투자하세요. 글쓰기로 생각하는 힘을 기르세요. 비판적으로 생각하고, 분석하고, 판단하고, 관찰하고, 표현하고, 설득하는 큰 힘을 가지세요. 독자를 생각하고, 염려하고, 배려하는 에세이를 쓰며 인공 지능이 엄두 못 낼 공감 능력을 기르세요.

글쓰기에 투자하는 것이 정말로 매력적인 이유는 빈손으로 당장 시작할 수 있기 때문입니다. 무엇을 하며 살았든 컴퓨터만 켤 줄 알면 누구나 가능하거든요. 투자에 위험 부담도 없습니다. 물감을 사지 않아도 되고, 바이올린을 사지 않아도 되거든요. 집집마다 한 대쯤 컴퓨터면 됩니다.

(송숙희, 『150년 하버드 글쓰기 비법』, p. 305, 유노북스)

♣ 역사적인 인물들이 탁월함을 얻었던 학문, 젊은이들의 마음을 지켜주고 노인들에게 행복을 주는 학문, 풍요로운 삶과 역경 시에도 마음의 안정을 주는 학문, 그 학문이 바로 '인문학'(후마니타스)이라는 것이다.

키케로가 굳이 나서지 않아도 될 재판에 나서서 아르키아스를 변호한 이유는, 그와 같이 인문의 일을 하는 시인을 추방해서는 안 된다고 여겼기 때문이다. 키케로는 '후마니타스'라고 이름 붙인 공부를 통해 인간의 본질적 풍요로움이 가능하다고 본 것이다. 이렇듯 인문학의 시작은 그리스 로마 시대에 교양 시민을 양성하기 위한 일반 교육을 의미했다. 그 후 인문학은 중세 시대에 침체를 겪다가 르네상스시기에 와서 '신'과 대비되는 '인간'에 대한 관심으로 학문의 방향이 바뀌며 재탄생하게 된다.

(한재욱, 『인문학을 하나님께 3』, p. 17)

52. **교직하다** : (비유적으로) 어떤 현상이나 사건, 생각 따위를 번갈아 나타내다.

♣『피에카르르키스를 찾아서』는 주인공이 제작한 다큐멘터리 '긴 벽'이 담고 있는 '과거'와 의혹에 가득 찬 피에카르스키라는 인물의 족적을 더듬어 나가는 '현재'를 하나로 교직해 나간다.

(도재경, 『피에카르르키스를 찾아서』)

53. **구저분한** : 더럽고 지저분한

♣ 메어린은 쪼그리고 앉더니 구저분한 장갑 손으로 아이의 정수리를 한번 쓸었다. 동민은 당장 일어나려 했지만 그러지 못했다.(중략)

동민은 넝쿨 선모에 긁힌 종아리를 긁으며 어디가 좋은 장소일까를 생각했다. 교회 지붕을 바라보았다. 용마루 끝에서 솟아오르는 꼭대기는 상고대처럼 구저분한 덩굴이 덮여 있었다. 저 십자가라면 좋을 성싶었지만 올라갈 방도가 없었다.

(차무진, 『인 더 백』, p. 291)

54. **군말** : 하지 않아도 좋을 쓸데없는 군더더기 말.

♣『축소지향의 일본인』을 쓴 내가 강연자로 나서면 아시아의 다른 국가들도 군말이 없다.

(김지수, 이어령의 『마지막 수업』, p. 37)

♣ '여태까지 이 말을 하고 싶어서 쓸데없는 군말들을 많이

도 늘어놓았구나' 하는 알 수 없는 긴장감마저 느낀다.

(양귀자, 『모순』, p. 18, 쓰다)

55. **군입정** : 때 없이 군음식으로 입을 다심.

♣ 내가 밥 안 먹는다고 하면 "**군입정**하니까 밥을 안 먹지!" 야단 치셨는데 걱정의 다른 표현이셨으리라.

(유선경, 『어른의 어휘력』, p. 151)

56. **굽잡히다** : 남에게 꼭 쥐이어서 기운을 못 펴게 되다.

♣ 작은 숙부 내외도 서울로 떠났다. 엄마에게 고무된 바가 컸다. 엄마가 먼저 서울을 개척했으니 과연 잘나기는 잘난 엄마였다. 엄마를 괘씸하게만 여기던 어른들의 마음도 많이 누그러진 것 같았다. 그건 누그러졌다기보다는 **굽잡히고** 있는 건지도 몰랐다.

(박완서, 『그 많던 싱아는 누가 다 먹었을까』, p. 36)

57. **귀인오류** : 내가 저지른 잘못은 언제나 외부 환경에 원인이 있기에 용서가 되지만 남의 잘못은 타고난 본성에서 비롯된 것이므로 용서할 수 없다는 심리다.

58. **귓돌** : ① 지대나 축대 등의 귀퉁이에 쌓는 돌. ② 척추동물의 속귀에 있는 석회질의 단단한 물질. 몸의 평형을 알 수 있다.

♣ 그건 성공이 아닙니다. 오히려 버려진 돌, 내버린 돌, 그게 바로 하나님이 쓰시는 돌입니다. 가난하고 고통스럽고 불행한 사람들이 현실에서는 신전을 짓는 데 쓸모가 없는 돌일지라도 하나님이 오실 때는 참으로 쓸모 있는 귀한 **귓돌**이 될 것입니다. (이어령, 『당신, 크리스천 맞아?』, p. 85)

59. **그들먹하다** : (일정한 범위 안에) 거의 그득하다.

♣ 점심상에 알배기 굴비를 올릴 때까지만 해도 마나님은 행

복감으로 마음이 **그들먹했다**. 겸상을 하고 막 수저를 들려는 데 딸한테서 전화가 왔다. 안부전화여서 오래 걸리지 않았는데도 밥상으로 돌아와 보니 그사이에 굴비는 온데간데없다. 살을 어찌나 알뜰하게 발라먹었는지 머리와 꼬리를 잇는 등뼈의 가시가 빗으로 써먹어도 좋을 정도로 온전하고 깨끗하다. 한 마리에 오만 원도 넘는 진짜 영광굴비래요. 며느리가 집에 선물 들어온 굴비 두름에서 세 마리를 갖다 주며 한 말을 마나님은 영감님에게 몇 번이나 되뇌며 그 굴비를 구웠는지 모른다.

(박완서, 『노란집』, p. 18)

♣ 퇴근길을 재촉하는데 대부분 천 원짜리 물건이 **그들먹한** 덕수궁 옆 다이소가 눈에 띄었다.

60. **그러모으다** : 흩어져 있는 사람이나 사물 따위를 거두어 한 곳에 모으다.

♣ 전봇대 아래 버려놓은 재활용 쓰레기를 살폈다. 그중 원통형 테이블을 끌고 왔다. 테이블을 발로 빠개 작은 조각을 만들어 **그러모았다**. (차무진, 『인 더 백』, p. 72)

♣ 그냥 괜찮다고 말해주고 싶다. 사사로운 일에 예민해진 당신에게, 모진 인간관계에 풀썩 지쳐버린 당신에게, 누군가를 잃어 내려앉을 듯 슬픈 당신에게. 잠시라고, 그저 잠시뿐이라고, 분명 다 괜찮을 거라고 말해주고 싶다. 병들지마, 무너지지마, 하고 울분이라도 터트리면서. 괜찮다. 괜찮다. 그냥 다 괜찮다고 말해주고 싶다. 사방에 널브러진 작은 행복들을 곡식처럼 **그러모아** 주린 마음을 듬뿍 채워내라고. 삶은 늘 그렇듯 조각조각 괜찮은 것들을 주워 담아, 슬픔을 호주머니 바깥으로 차차 밀어내는 거라고. 도무지 이겨낼

용기가 나지 않더라도, 제자리를 찾아갈 엄두조차 나지 않더라도, 우중충함이 쉬지 않고 장대비와 천둥 번개를 퍼붓는다 해도 괜찮다고 말해주고 싶다.

(하태완, 『나는 너랑 노는 게 제일 좋아』, p. 97, 북로망스)

61. **그러쥐다** : 손가락을 손바닥 안으로 당기어 쥐다.

♣ 사촌 언니의 아기를 안아본 적이 있다. 태어난 지 며칠 되지 않은 아주 작은 아기였다. 조그만 손금을 제 손 안에 **그러쥐고** 있었다. 손가락을 가만 내밀었더니 그보다 더 센 힘으로 꼭 쥐었다. 한번 안아봐, 언니가 나에게 아기를 넘겨주었다. 부서질 듯 연약한 것을 안는 자세로 어색하게 안았다. 아기는 따뜻하고 따뜻하게 무거웠다. 아기를 안는 순간 알았다. 사람의 생의 무게란 이런 것이구나.

(김버금, 『당신의 사전』, p. 85, 수오서재)

62. **그리스도인과 교회**

♣ 예수님이 사람들을 보셨을 때 목자 없는 양 같이 고생하며 기진맥진해 하더라는 것입니다. 요즘 사람들이 방황하고 있습니다. 세상을 어떻게 살아야 할지 몰라서 길을 잃은 사람처럼 살고 있습니다. 삶이 고단하고 고생 가운데서 살 수 있는 길을 가르쳐 달라고 아우성치고 있습니다. 예수님은 이러한 사람들의 마음을 아시고 불쌍히 여기시고 하나님의 말씀으로 열심히 가르쳤습니다.

우리(**그리스도인**)도 세상 사람들을 찾아가서 하나님의 복음을 전하고 열심히 가르쳐야 합니다. 그래서 목자들의 사명이 큰 것입니다. 여러분이 열심히 전도하면 죽어가는 사람을 살릴 수 있습니다. 목자들이 맡은 사명은 복음을 전하여 사람을 살리는

사명입니다.(권영구, 『힘이 되신 하나님』, 십자가선교센터)

♣ 아직도 걱정하고, 염려하고, 두려워하고, 원망하는 마음이 있다면 십자가에 못 박기를 바랍니다. 주님은 우리(<u>그리스도인</u>)에게 완전한 믿음을 주시기를 원합니다. 믿음으로 취하십시오. 우리 가정을 하나님이 완전히 책임져 주셨음을 믿으십시오.

"너와 네 집이 구원을 받으리라." '아멘'입니다. 반드시 주님은 그렇게 하십니다. 확실히 믿습니다. 이제는 더 이상 될까, 안 될까 걱정하지 마십시오. 주님이 우리 가정을 완전히 구원하십니다. 천국 같은 가정을 만드십니다. 기쁨이 넘치게 하십니다.

우리 가정이 성지가 되기를 원합니다. 황폐하기도 하고 말할 수 없는 어려움도 있지만 주님이 함께하시는 곳이라면 하나님의 성지가 됩니다. 힘들고 어려웠던 순간들, 또 답답하고 안타까웠던 현장이 다 성지가 될 것입니다. 우리에게 영원히 잊을 수 없는 믿음의 기념비가 우리 가정 안에 세워지기를 원합니다.

(유기성, 『십자가에서 살아난 가정』, 두란노)

♣ '사랑의 원자탄'이라는 별명으로 유명한 손양원 목사님은 자기의 아들을 죽인 원수를 용서할 뿐 아니라 그 원수를 양자로 삼았다. 자기 두 아들을 죽인 원수를 용서하는 것, 이것이 고린도전서 13장에서 말하는 '인내'에 해당된다면, 거기서 그치지 않고 그 아들을 양자 삼아주는 것, 이것이 인내 다음에 나오는 온유에 해당되는 것이다. 이 인내와 온유가 조화를 이룰 때 우리는 이 땅에서 온전한 <u>그리그도인</u>의 삶을 드러낼 수 있다. (이찬수, 『삶으로 증명하라』, 규장)

♣ <u>교회</u>가 진짜 복지를 하기 위해서는 걸어야 합니다.

예수님이 걸으셨던 하늘을 향한 영생의 길을 걸어야 합니다.

우리는 주말마다 교회로 걸어갑니다. 집에 머무르는 것도 아니고 다른 곳을 향하지도 않고 교회를 향해 걸어갑니다. 걸어서 교회를 가고 걸어서 나눔을 하고 걸어서 모임을 하러 갑니다. 그것이 새 생명을 찾아 나서는 걸음입니다.

(이어령, 『먹다 듣다 걷다』, 두란노)

♣ 시대가 바뀐 것을 느낀다

'우리'라는 말을 쓰지만 '우리'는 '나'에 가깝다. '우리'는 개인주의 사회에서 태어나고 자랐기에 공동체가 갖는 힘을 모른다. '나'는 '나'일뿐이다. '우리'가 아니다. 이제 공동체의 책임보다는 개인의 권리가 우선한다. 진리는 절대적인 것이 아니라 상대적인 것으로 해석된다. 안타깝게도 이런 현상은 '나'를 넘어 교회와 교단 사이에서도 그대로 나타난다.

손봉호 교수는 그 안타까움을 이렇게 토로한다.

"하나님도 '내'가 잘 섬겨야 하고, '복과 은혜'도 '나'와 '우리 가족'이 받아야 하며, 성장도 '우리 교회'만 해야 하고, 심지어 선교, 구제, 전도도 '우리 교회'가 주도해야 한다. '이웃의 축복', '이웃 교회'의 성장, '다른 교단'의 선교에는 별로 관심이 없다.

따라서 **그리스도인들**과 **교회**나 교단 간에 경쟁은 있어도 소통은 없다. 이렇게 '우리 교회' 우상을 섬기기 때문에 한국교회가 건강하게 성장하지 못하고 하나님의 영광이 가려지는 것이다." (이정일, 『문학은 어떻게 신앙을 더 깊게 만드는가』)

63. **그악스럽다** : 보기에 사납고 모진 데가 있다.

♣ 괄호는 여러 형태를 가졌다. 허공과 허공 사이에 **그악스럽게** 들어 앉아 있다가도 어느새 공기 중으로 풀려 들어가 고요하

게 남겨질 때가 있었다.(김수온, 『( )』,신춘문예당선소설집, 2018)

♣ 그러나 부뚜막의 소금도 집어넣어야 짜다고 아무리 마음대로 퍼올 수 있는 쌀이 독독이 있다고 해도 운반을 해 오지 않으면 우리 입에 들어갈 수가 없는데 운반이 쉽지 않았다. 순사가 쌀을 뒤지러 다니는 것은 농가에만 해당되지 않았다. 기차 속에서의 단속은 더욱 <u>그악스러웠다</u>.

(박완서, 『그 많던 싱아는 누가 다 먹었을까』, p.155)

♣ 목청 좋은 두만네는 가락을 뽑고 아낙들도 함께 어울려 노래를 부르며 해 떨어지기까지 밭을 맨다.

이날 밤 늦게까지 임이네는 논에 물푸기에 남들은 정신이 없는데 살림 안 살 작정이냐고 앙앙거렸다. 혼인 이래 임이네 쪽에서 앙앙거리는 일이라곤 거의 없었다. 그만큼 칠성이는 열심히 일을 했으며, 오히려 칠성이가 힘 좋은 암소 한 마리 사다 놓은 것처럼 임이네를 몰아세워 고되게 부려먹었던 것이다. 임이네는 또 <u>그악스럽게</u> 일을 했고 먹성도 좋아서 해산하는 이외 자리에 눕는 일이 없었다. 임이네가 건강하고 일 잘하는 것에는 칠성이도 얼마간 흡족해하는 것 같았으나 입이 미어지게 밥을 끌어넣는 임이네를 볼 적에 까닭 없이 남들은 죽 먹는데 밥 먹느냐고 역정을 내곤 했다. 그럴 때면 여느 아낙들같이 서럽게 생각지 않는 것이 임이네였다. 눈을 흘기고 입을 비쭉거릴뿐이었다. 서로가 다 우애를 지키는 처지에서는 남남이었고 실속을 차리는 데만은 일심동체였다고나 할까. 다음 날 해가 지기 전에 임이네는 보리방아를 찧고 칠성이는 장에 내갈 열무단을 만들고 있는데 울타리 밖에서 평산이 부르는 소리가 났다. 칠성이는 열무를 내려다보며 망설이다가 나갔다.

(박경리, 『토지 1부 1권』, p. 315)

♣ 벌은 산 놈이었다. 날개가 상하였는지 날지 못한다. 엉금엉금 기어가는 벌한테 개미 네댓 마리가 덤벼드는 것이다. 엉덩이에 올라탄 놈, 등에 올라탄 놈, 다리를 물어 늘어진 놈, 벌이 뒹군다. 사방에 나가떨어진 개미들은 미친 듯이 맴을 돌다가 <u>그악스럽게</u> 다시 덤벼든다. 잔인하고 무서운 아귀다. 아이들은 머리를 마주 대고 땅을 내려다본 채 꼼짝없이 곤충들의 격투를 지키고 있다. (앞의 책, p. 331-332)

64. **극명하다** : 속속들이 똑똑하게 밝히다.

♣ 아, 어떤 무엇도 저 구두만큼 단숨에 내 아버지의 모습을 <u>극명하게</u> 설명해줄 수 있는 것은 없었다.(양귀자, 『모순』 p. 259)

♣ 라디오라는 내밀한 미디어의 매력

어렸을 때부터 라디오를 들으면서 성장한 라디오 세대라서 그런지 라디오에 애착이 있어요. 라디오는 아주 문학적인 데가 있습니다. 개인적인 매체지요. 텔레비전과는 달라요. 텔레비전은 콜로세움 미디어, 그러니까 사람들이 모여서 보는 미디어지요. 그러한 성격을 가장 <u>극명하게</u> 보여주는 예가 월드컵의 거리 응원이고요. 하지만 오늘날 여러 사람이 모여서 라디오를 듣는 풍경은 상상하기 힘들죠. 라디오는 모두가 혼자 들어요. 어두운 밤 나에게만 들려주는 노래 같고, 진행자가 "오늘 더우셨죠?" 하면 "더웠지" 하면서 혼자 대답을 하죠. 그런 의미에서 라디오는 개인적이에요. 가끔 택시를 타면 택시 기사들이 행복한 일체감에 사로잡혀 있음을 느낄 수가 있어요. 손님이 탔는지 안 탔는지 신경도 안 쓰고, 혼자 차 몰고 가면서 실실 웃기도 하고 라디오에 빠져 있는 거죠. 라디오에서는 개인적인 사연들이 마치 옛날 할머니,

할아버지, 이웃집 사람들의 이야기처럼 전달 돼요. 하지만 텔레비전은 그렇지 않아요. 화면이 계속 바뀌고, 몰입하기 어렵고, 뿐만 아니라 호시탐탐 다른 채널로 옮기려는 사람들이 옆에 있어요. 어딘가 불안정하죠. 그런 면에서 라디오는 문학적인 미디어고, 마치 먼 우주로부터 메시지를 전달받는 듯한 느낌이 있어요. 제 꿈은 심야 음악방송을 하는 거였어요. 새벽 2~3시쯤 외계를 향해 장렬히 전파를 발사하고 사라지는 황당한 방송……(웃음) (김영하, 『말하다』, p. 40-41)

♣ **여름 징역살이** (계수님께)

없는 사람이 살기는 겨울보다 여름이 낫다고 하지만 교도소의 우리들은 없이 살기는 더합니다만 차라리 겨울을 택합니다. 왜냐하면 여름 징역의 열 가지 스무 가지 장점을 일시에 무색케 해버리는 결정적인 사실—여름 징역은 자기의 바로 옆 사람을 증오하게 한다는 사실 때문입니다. 모로 누워 칼잠을 자야 하는 좁은 잠자리는 옆 사람을 단지 37℃의 열 덩어리로만 느끼게 합니다. 이것은 옆 사람의 체온으로 추위를 이겨나가는 겨울철의 원시적 우정과는 **극명한** 대조를 이루는 형벌 중의 형벌입니다.

자기의 가장 가까이에 있는 사람을 미워한다는 사실, 자기의 가장 가까이에 있는 사람으로부터 미움받는다는 사실은 매우 불행한 일입니다. 더욱이 그 미움의 원인이 자신의 고의적인 소행에서 연유된 것이 아니고 자신의 존재 그 자체 때문이라는 사실은 그 불행을 매우 절망적인 것으로 만듭니다. 그러나 무엇보다도 우리 자신을 불행하게 하는 것은 우리가 미워하는 대상이 이성적으로 옳게 파악되지 못하고 말초감각에 의하여 그릇되게 파악되고 있다는 것, 그리고 그것을 알면서도 증오의 감정과 대상을 바로잡지 못하고 있다는 자기혐오에 있습니다. 자기의 가장 가까운 사람을 향하여 키우는 '부당한 증오'는 비단 여름 끝자리만 고유한 것이 아니라 없이 사는 사람들의 생활 도처에서 발견됩니다. 이를 두고 성급한 사람들은 없는 사람들의 도덕성의 문제로 받아들여 그 인성을 탓하려 들지도 모릅니다. 그러나 우리는 알고 있습니다. 오늘 내일 온다온다 하던 비 한줄금 내리고 나면 노염老炎도 더는 버티지 못할 줄 알고 있으며, 머지않아 조석의 *추량秋涼은 우리들끼리 서로 키워왔던 불행한 증오를 서서히 거두어가고, 그 상처의 자리에서 이웃들의 '따뜻한 가슴'을 깨닫게 해줄 것임을 알고 있습니다. 그리고 추수秋水처럼 정갈하고 냉철한 인식을 일깨워줄 것임을 또한 알고 있습니다. 다사했던 귀휴 1주일의 일들도 이 여름이 지나고 나면 아마 한 장의 명함판 사진으로 정리되리라 믿습니다. 변함없이 잘 지내고 있습니다. 친정 부모님과 동생들께도 안부 전해주시기 바랍니다.(*추량秋涼: 가을의 서늘한 기운) (신영복, 『감옥으로부터의 사색』, p. 329-330)

♣ 인문학과 성경의 차이는 마치 밤하늘의 천체를 어린아이의 장난감 망원경으로 보는 것과 우주 공간에 설치한 허블망원경으로 보는 것의 차이만큼이나 **극명하다**. 성경은 천지를 창조하신 하나님, 만물의 기원, 죄와 죄 용서, 죽음과 죽음 후의 세계 등 인문학이 보지 못하는 것들을 말해주는 생명의 책이다. 영원을 보여주는 책이다. 진짜 행복을 보여주는 책이다.

(한재욱, 『인문학을 하나님께 3』, p. 105)

♣ *그때에 큰 지진이 나서 성 십분의 일이 무너지고 지진에 죽은 사람이 칠천이라 그 남은 자들이 두려워하여 영광을 하늘의 하나님*

께 돌리더라 둘째 화는 지나갔으나 보라 셋째 화가 속히 이르는도다

_계 11:13-14

두 증인의 사역으로 하나님을 두려워하고 하나님께 영광을 돌리는 사람들이 생겼습니다. 교회의 증언으로 회개하고 구원받는 사람들이 있다는 것입니다. 반대로 하나님께로 돌이키지 않는 무리 또한 반드시 있습니다. 교회의 증인된 삶을 마주하는 세상은 두 가지 **극명한** 반대의 태도를 보입니다. 회개하고 돌이켜 예수님을 구주로 믿게 되는 자들이 있고, 복음에 귀를 막고 하나님께 계속 등을 돌리는 불신자들이 있습니다.

그런데 그 수를 봅시다. "큰 지진이 나서 성 십분의 일이 무너지고" 죽은 자가 칠천 명입니다. 원래 십일조는 하나님의 것입니다. 따라서 하나님의 것을 하나님이 거두신 셈입니다. 칠천 명은 다수를 말합니다. 수많은 사람이 지진으로 희생됩니다. 구약에서도 칠천 명이 등장합니다. 엘리야가 하나님께 오직 자기만 남았다고 푸념할 때 하나님은 바알에게 무릎 꿇지 않은 자가 칠천 명이라고 일러 주십니다. '네 생각보다 내 백성이 많이 남아 있노라'고 말씀해 주신 것입니다. 여기서 다시 등장한 칠천 명은 많은 인명의 손실을 뜻합니다. 그러나 구원받을 십사만 사천 명에 비하면 적은 수입니다.

이 말씀은 결국 하나님이 약속을 지키신다는 것을 알려 줍니다. 하나님이 아브라함에게 하신 약속이 성취되는 것을 보게 됩니다. 구원받을 백성이 하늘의 뭇별과 같이, 땅의 모래와 같이 많을 것이라는 약속이 이루어지리라는 것을 의미합니다.

요한계시록을 통해 확인하게 되는 것은 인, 나팔, 대접 심판을 받고 회개하는 사람은 없지만, 두 증인의 복음 선포로 회개하는 사람이 있다는 것입니다. 얼마나 중요한 사실입니까? 심판받으면 회개하고 돌이킬 것 같은데 그렇지 않습니다. 사람들은 어려움을 겪을수록 마음이 사나워지고 쉽게 회개하지 않습니다. 사람들이 회개하는 것은 두 증인의 증언 때문입니다. 심판이 왜 늦어지는지를 알려 주는 대목입니다. 하나님은 심판을 통해 구원하시는 것이 아니라 증언을 통해 구원하십니다. 교회를 왜 구조선에 비유합니까? 교회만이 구원의 방주이기 때문입니다.

(조정민, 『사후대책』, p. 219-220)

♣ 영적으로 건강한 삶을 살기 위해서는 성경말씀, 즉 성경에 기록된 하나님의 지혜에 비추어 삶의 문제를 결정하는 법을 배워야 한다. 성경의 장르가운데 "지혜문학"이 있다. 지혜문학은 매우 귀한 지혜의 보고인데도 사람들은 크게 관심을 기울이지 않는다. 구약성경의 지혜문학에는 솔로몬과 여러 저자들이 쓴 잠언(삶에 관한 지혜를 모아 놓은 글로서 히브리 할머니들이 대대로 손주들에게 전해 준 유익한 교훈을 연상시킨다. 하지만 글의 형태는 아버지가 아들을 훈계하는 방식으로 되어 있다), 욥기(의로운 자의 고난을 다룬다), 전도서(저자는 솔로몬이며, 타락한 세상에서 축복된 삶을 사는 법을 다룬다), 시편(찬양과 기도이다), 아가서(충만한 사랑을 노래한다)가 포함된다. 신약성경에는 야고보서가 해당된다.

솔로몬이 아가서를 지혜문학에 포함시킨 것을 못마땅하게 생각하는 사람들이 있을지 모르겠다. 하지만 성경은 남녀의 사랑이 인간의 삶에 큰 비중을 차지한다는 점을 도외시 하지 않는다. 남녀의 사랑은 하나님이 정하신 원리다. 이 점은 지금도 마찬가지다. 사랑을 가장 잘 표현하는 방법을 아는 것도 지혜의 일부다. 더욱이, 아가서는 하나님과 그분의 백성이 나누는 사랑을 비유한다. 하나님은 선택하신 백성에게 사랑을 베푸신다. 하나님의 백성도 그분께 사랑을 드려야 한다. 물론, 아가서는 남녀의 격정적인 사랑을 노골적으로 묘사한다. 하지만 하나님과 그분의 백성 사이에 오가는 사랑, 즉 서로가 자기 자신을 온전히 내어주는 사랑의 관계를 생생하게 묘사하는 데는 그런 표현이 가장 적합했을 것이다.

기독교인들은 종종 성경의 지혜문학을 무시한다. 하지만 지혜문학은 하나님의 인도와 관련해 중요한 위치를 차지한다. 우리는 지혜문학을 통해 어리석은 일을 피하는 법을 배운다. 특히, 잠언은 우둔한 삶과 지혜로운 삶을 **극명하게** 대조한다. 우리들 가운데는 늘 어리석은 삶만을 추구하는 무지몽매한 이들이 많다. 잠언의 서문에 해당하는 1-9장은 어리석음을 버리고 지혜를 선택하라는 내용으로 이루어져 있다. 잠언은 처음부터 끝까지 "지혜자"(솔로몬)가 자신의 아들을 훈계하는 방식으로 서술되어 있다.

(제임스 패커 외, 『하나님의 인도』, p. 83-84)

65. 근대문학과 장르문학

♣ **근대문학** : 넓게 보자면 세계를 건설하는 혹은 건설하고자 하는 문제적인 인간이 등장해서 세계의 허위와 비이성, 비합리와 싸우는 과정을 그린다.

♣ **장르문학** : 근대 주류 문학이 다루지 않았던 어둠, 인간의 사악한 욕망, 도피적 욕망, 파괴적 충동, 잔혹성 등의 영역을 다룬다. (김영하, 『말하다』)

66. 근인효과 : 연인 사이에서 헤어질 때, 좋았던 일들은 잊어버리고 오직 안 좋은 일과 헤어짐만 생각하는 것과 같은 것으로 인간관계에서 일종의 편견으로 작용한다.

67. 『기브 앤 테이크』 (애덤 그랜트)

- 기버(giver) : 받는 것보다 더 많이 주기를 좋아하는 사람.
- 테이커(taker) : 주는 것보다 더 많이 받기를 원하는 사람.
- 매처(matcher) : 받은 만큼 되돌려주는 사람.

♣ 무화과 나무가 무성했을 때 찾는 사람, 포도나무에 열매가 많아야 감사를 드리는 사람, 외양간에 소가 많으니 하나님을 따르는 사람, 이러한 사람들은 누구나 할 수 있는 거래를 하는 것입니다. '**기브 앤 테이크**'죠. 준 만큼 받겠다는 거 아닙니까? 우리에게 절대적 사랑을 베푼다는 어머니조차도 이런 이야기를 하곤 합니다. "얘, 너한테 못해준 게 뭐가 있어? 너 슬퍼할 때 내가 뭐했지? 너 아플 때 뭐했어? 이런 거 저런 거 다해주었잖아. 그런데도 부모님한테 대들어?" 이게 인간의 사랑입니다. 부모라 할지라도 내가 준 만큼 안 해주면 섭섭합니다. 하지만 신앙은 하나님이 아무것도 안준다 할지라도, 하나님을 기쁘게 섬기는 것입니다.

(이어령, 『빵만으로는 살 수 없다』, p. 257-258)

♣ 장료는 의도치 않게 심리학의 또 다른 무기 '호혜성 원리'를 사용했다. '호혜성 원리'의 위력은 약속의 이행 원칙만큼이나 강력한 힘을 가지고 있다. '호혜성 원리의 본질은 'Give and take', 받은 만큼 주는 것이다. 1960년 사회학자 엘빈 고드나는 '이 세상에서 호혜성 원리를 따르지 않는 사회 조직은 없을지도 모른다'고 하였다. 유명한 고고학자 리처드 리키는 호혜성 원리가 있었기에 독보적인 인류가 될 수 있었다며 '인류 사회가 오늘 날의 모습을 갖출 수 있었던 것은 우리 선조들이 각자의 의무를 다한 대가로 식량과 기술

을 공유하는 방법을 배웠기 때문이다'라고 말했다.

(천위안, 『심리학이 관우에게 말하다』, p. 50, 리드리드출판)

68. **기신거리다** : 게으르거나 기운이 없어 자꾸 느릿느릿 힘없이 행동하다.

♣ 철수하는 부대들은 중장비에 묶여 <u>기신거렸다</u>.

(김훈, 『저만치 혼자서』, p. 26)

♣ 노량진에서 한강은 유속을 잃고 고여서 <u>기신거렸다.</u>

(앞의 책, p. 150)

69. 기시감/미시감

- **기시감** : 한 번도 경험한 일이 없는 데도 언제 어디선가 이미 경험한 일인 것처럼 느껴지는 것.

♣ 트럭은 터널 벽에 충돌했고 심하게 찌그러져 있었다. 주변으로 시체들이 썩고 있었다. <u>기시감</u>이 든 동민은 절뚝절뚝 다가갔다. (차무진, 『인 더 백』, p. 226)

♣ 다행히도 나는 후쿠오카를 자주 가봤기에 지도만 봐도 하카타자가 어디쯤 있는지 짐작할 수 있었다. 하카타역 앞에 서면 마치 부산역 앞에 서 있는 듯한 <u>기시감</u>이 들었다. 하카타자는 타카스라는 후쿠로카의 유흥가 근처에 있었다. 이 지역은 일본 3대 환락가로 손꼽히는 곳이라 화려한 네온사인과 천변의 다양한 술집과 포장마차 들이 눈길을 끈다. 거기에 비해 나가사키는 소박하고 작은 도시였기에 후쿠오카에 갈 때는 늘 도회지에 나간다는 설렘이 들었다.

(김연수, 『청춘의 문장들』, p. 9, 마음산책)

- **미시감** : 지금 보고 있는 것을 모두 처음 보는 것으로 느끼는 일.

♣ 책을 읽다 글자의 생김새가 *뚜벙 설어 보이는 순간이 있

다. 골똘히 쳐다보며 이 글자는 왜 이 모양으로 생겼나 싶은 미시감에 빠진다. (*뚜벙: 난데없이 불쑥)

(유선경, 『어른의 어휘력』, p. 268)

70. **기함하다** : 갑작스레 몹시 놀라거나 아프거나 하여 소리를 지르면서 넋을 잃다.

♣ "너도 서울 가서 학교에 가야지." 엄마가 말했다. 나는 좋은지 싫은지 알 수가 없었다. 서울이란 데를 동경한 것도 같지만 거기서 학교를 다닌다는 일은 상상해 보지 않았다. 엄마의 의도를 안 할머니가 먼저 "세상에, 계집애를 소학교부터 서울에서!"하고 기함하는 소리를 내셨다. 다시 집안에 분란이 일어났다.

(박완서, 『그 많던 싱아는 누가 다 먹었을까』, p. 38)

♣ 처음 조준구(『토지』 등장인물)와 우연히 마주쳤을 때 한조는 공손히 인사하는 대신 그저 시큰둥하게 바라봤고, 그 때문에 조준구는 양반을 우습게 여긴다며 크게 화를 냅니다. 이 일이 원한이나 앙금으로 남기에는 너무 시시한 수준의 일화입니다. 게다가 이미 그때 양반에게 버릇없이 군다는 이유로 한바탕 매타작을 당했었습니다. 하지만 치졸한 조준구는 계속 한조에 대해 '감히 저것 따위가' 하는 앙심을 품고 있었고, 습격 사건 이후 조준구 앞에 우연히 나타난 정한조는 분풀이 대상으로 안성맞춤이었습니다. 그래서 한조에게는 요즘 말로 하면 명확한 알리바이가 있었음에도 불구하고 '저놈도 폭도'라는 조준구의 말 한마디에 질질 끌려가 끝내 처형당하고 맙니다.

마른하늘에 날벼락 같은 한조의 어이없는 죽음 앞에서 아내와 아이들은 그야말로 기함할 듯 울부짖습니다. 피 끓는 울음 소리를 듣다 못해 강가로 나온 두만아비는 눈앞에서 흐르는 강물도 제대로 바라볼 수 없습니다. 자신도 언제 어떻게 당할지 불안하기도 했지만 그보다는 친구 한조의 모습이 눈앞에 삼삼히 떠올라 견딜 수 없습니다. 친구 윤보, 형제 같은 이웃 영팔이와 용이도 어디에 있는지, 죽은 건지 산 건지 알 길이 없습니다. 오랜 친구와 이웃의 얼굴을 떠올리니 두만아비는 망연자실, 넋이 나갈 지경입니다. 목구멍으로부터 터져 나오려는 울음을 애써 헛기침으로 누르며, 차디찬 겨울 강바람 속에 서 있었을 뿐입니다. (김연숙, 『나, 참 쓸모 있는 인간』, p. 170-171)

71. **기회비용** : 둘 이상의 선택 요소들 중 선택함으로 발생하는 포기한 것들에 대한 가치와 비용을 의미한다.

♣ "엄마 나이도 생각해야지. 권리금이라도 건질 수 있을 때 가게 팔아서 투자하면 기회비용이 얼만데…"

(나규리, 『빈 세상을 넘어』, 신춘문예당선소설집, 2023)

♣ 나는 2019년 4월 말에 유튜브를 시작했다. 이때 유튜브를 시작하는 게 단기적으로 좋은 수는 아니었다. 성공할지 망할지도 모르고, 잘된다고 해도 기회비용을 계산하면 남는 장사는 아니었다. 이걸 하느니 시간당 90만 원짜리 재회 상담을 5건씩 하는 게 금전적으로 더 이득이 컸다(하루에 450만 원을 벌 수 있다). 혹은 이상한 마케팅의 실무를 뛰어서, 매달 2000만 원의 순수익을 내는 게 나았을 수도 있다. 유튜브를 하면 매일 450만 원씩 손해를 보는 셈이었다. 하지만 결과적으로는 당시 미친 듯이 일을 하는 것보다 유튜브가 훨씬 큰 이득을 가져다주었다.

(자청, 『역행자』, p. 158-159)

72. **까무룩** : 정신이 흐려지는 모양.

♣ 문을 열자 역겨운 냄새가 훅 끼쳐왔다. 노인은 눈을 감고 있었다. 잠이 든 건지 까무룩 기절을 한 건지 분간이 되지 않았다. (이경란, 『오늘의루프탑』, 신춘문예당선소설집, 2018)

♣ 그날도 아침부터 바지런히 물질을 하고 불턱에 와서 잠깐 몸을 녹이다가 까무룩 잠이 들었다.

(임성용, 『맹순이 바당』, 신춘문예당선소설집, 2018)

♣ 글을 쓴다. 기억하기 위해 쓴다. 동시에, 잊기 위해 쓴다. 사랑을 한다. 사랑할 땐 사랑의 무게를 모르고 이별을 하고서 패인 깊이로 그 무게를 안다. 다시 사랑할 땐 이전의 사랑을 까무룩 잊는다. 까무룩 잊기 위해 다시 사랑을 한다.

(김버금, 『당신의 사전』, p. 244)

♣ 사랑은 나를 명랑하게 만들어요. 내일을, 내일의 내일을, 또 다음의 내일을 기대하게 해요. 어느 곳을 향하든 사랑 같은 당신이 있습니다. 제 글이 그런 당신에게 언제든 가닿을 수 있다는 사실이 저를 계속 쓸 수 있게 합니다. 당신 덕에 까무룩 안도하게 됩니다. 부디 앞으로도 당신의 어두운 그들을 제가 전부 집어 삼킬 수 있기를, 체할지라도 흔적 없이 소화할 수 있기를, 여린 당신에게는 날마다 쾌청함이 쨍하게 들기를 바랍니다.

(하태완, 『나는 너랑 노는 게 제일 좋아』, p. 290)

♣ 내가 자동차로 그 남자를 친 건 올해 1월 21일 밤 열시 무렵의 일이었다네. 근무하고 있는 학교 연구실에서 학생들이 두고 간 소설을 읽다가, 그러나 실상은 대부분의 시

간을 <u>까무룩까무룩</u> 졸다가 어, 안 되겠다. 작업실에 가서 본격적으로 자야겠다. 생각하고 나선 길이었다네. 오전부터 눈발이 날리다가 그치길 반복했는데(자네 그거 아는가? 광주는 유독 눈이 많이 내리는 고장이라네). 그래서인지 주차장에 세워져 있던 내 차 유리창에는 라떼 거품처럼 쌓인 눈이 단단하게 얼어붙어 있었다네. 차 이름은 '모닝'인데, 어째서 차 주인은 아침에 일어나지 못하는 것일까? 운전석에 잔뜩 웅크리고 앉아 시동을 걸고 히터를 작동시키면서 잠깐 그런 생각을 하기도 했다네. 하늘엔 여전히 먹장구름이 껴 있었고, 곧 또 눈이 내릴 것만 같았다네. 세상은 고요했고, 나뭇가지에선 불규칙적으로 눈뭉치가 떨어졌다네.

(이기호, 『누구에게나 친절한 교회 오빠 강민호』, p. 298, 문학동네)

73. **까슬거리다** : 몹시 거칠고 빳빳한 느낌이 자꾸 들다.

♣ 밥알이 모래알처럼 <u>까슬거려</u> 도저히 넘어가지 않았다. 뱃속에 뭔가 똬리를 틀고 앉은 듯 이상한 울렁증도 생겨났다. 방금 한 일이 기억이 안 나고 등과 목 쪽 근육이 심하게 뭉치면서 어깨 통증도 계속되었다. 아들이 다니는 병원에 가서 증상을 말하자 의사는 항우울제를 처방해주며 말했다. "우울증도 전염됩니다. 한 사람이 우울증에 걸리면 가족 전체에게 번져가지요. 어머니도 약을 드시며 치료해 가세요."

(한근영, 『나는 같이 살기로 했다』, p. 151)

74. **까끄름하다** : 편안하지 못하고 불편한 데가 있다.

♣ 나귀에서 내린 조준구는 키 작고 머리 큰 사람들이 흔히 그러듯이, 뻣뻣하게 힘을 주며 목을 돌려 돌아보았다. 긴장 때문인지 햇볕에 그을린 얼굴은 다소 굳어진 것 같았고 눈에 괴로움과 불안이 가득 차 있었다. 뒤따르던 초라한 가마 두

틀이 멎는다. 짐 실은 나귀도 멎었다. 마부는 구레나룻이 얽힌 얼굴의 땀을 닦았고 조군들이 조심스럽게 멜빵을 풀며 내려놓는 가마에 곁눈질을 했다.
"다 왔느냐?" 가마 안에서 묻는 말이었다. 보따리를 이고 따라온 계집종이, "네, 아씨." 하고 대답한다. 가마 속에서 나온 여인은 삼십오륙 세쯤 되었는지, 사방을 휘이 둘러보고 나서 <u>까끄름하게</u> 모으며 조준구를 바라본다. (박경리, 『토지 1부 3권』, p. 176)

75. **깐죽이다** : 쓸데없는 소리를 밉살스럽고 짓궂게 달라붙어 지껄이다.('**깐족이다**'는 작은말)

♣ 영호가 꼬치꼬치 묻자 동준이는 <u>**깐족이던**</u> 모습은 사라지고 금세 시무룩해져서는 고개를 숙이고 묻는 말에만 퉁명스레 대답했다. 영호는 일어나 부엌을 둘레둘레 살폈다. 그러고는 싱크대로 가서 설거지통도 살피고 찬장도 뒤져 보았다. "이건 뭐야?" 가스레인지에 올려 있던 프라이팬 뚜껑을 열다가 영호는 자지러지게 놀랐다. 언제 뭘 먹고 설거지를 안 해 놓았는지 음식 찌꺼기 위에 파리가 알을 까서 구더기가 꿈틀대고 있었다. (김중미, 『괭이부리말 아이들1』, p. 98, 창비)

76. **깜냥** : 스스로 일을 헤아림. 또는 헤아릴 수 있는 능력.

♣ 그렇다고 본인의 부족한 <u>**깜냥**</u>을 쉽게 인정하고 포기할 사람도 아니어서 항상 조금 버벅대더라도 끝까지 붙잡고 늘어졌다. (황윤정, 『린을 찾아가는 길』, 신춘문예당선소설집, 2018)

♣ 하나님께서 저를 제 <u>**깜냥**</u> 그대로, 있는 모습 그대로 100퍼센트 수용하시되 다만 주어진 제 자리에서 그리스도의 장성한 모습까지 성장하도록 끊임없이 저를 이끌어 주신다는 것을 알게 된 것입니다. (한근영, 『나는 기록하기로 했다』, p. 251)

77. **께끄름하다** : 께적지근하고 꺼림하여 마음이 내키지 않다.

78. **꺼들다** : 잡아 쥐고 당겨서 추켜들다.

♣ 소위의 다리가 와락 들렸다. 동민은 소위로부터 파우치를 **꺼들어** 빼앗고는 줄을 끌며 아래로 내려갔다. 2층 어귀쯤까지 내려온 그는 잠시 외벽에 발을 딛고 위를 보았다. 창틀에 가슴까지 상체를 내놓은 소위가 그를 내려다보고 있었다. 혀를 길게 늘어뜨린 채였다. (차무진, 『인 더 백』, p. 109)

79. **꺼림칙하다** : 마음에 걸려서 언짢고 싫은 느낌이 있다.

♣ 사람들이 까마귀를 **꺼림칙하게** 여기는 대표적인 근거는 동물의 사체를 파먹는다는 것입니다. 하지만 이건 그저 까마귀의 생태적 습성일 뿐입니다. 까마귀는 잡식동물이니까 못 먹는 게 없을 뿐이고, 버려진 사체는 저항하거나 도망가지 않는 얻기 쉬운 먹이일 뿐입니다. 사람이 쌀로 밥을 지어 먹는다는 이유로 누군가에게 미움을 받는다면 부당하다는 생각이 들지 않겠습니까? 밥은 쌀의 시체가 아닌가요. 앞에서도 말한 것처럼 사람들이 까마귀들을 날아다니는 인삼, '비삼'이라고 하면서 보양식으로 먹어 치웠는데, 좋은 인상을 갖고 있는 다른 새들이라도 그렇게까지 했을까 싶습니다. 단지 색깔이 검기 때문에 누구도 까마귀가 멸종되는 것에 대해서 항변하지 않는 거죠. 그러는 사이에 까마귀가 흰색이었다면 그랬을까요. 서양에서는 상복이 검은색이니까 까마귀가 죽음을 상징하는 것으로 느껴져서 더 **꺼림칙해한**거죠. (이어령, 『빵만으로는 살 수 없다』. p. 232)

80. **께름칙하다** : 매우 마음에 걸려서 언짢은 느낌이 있다.

♣ 엄마에겐 부모도, 서방도 해주지 못한 걸 내주는 바다보다

간이나 보고 내빼기나 하는 사람들이 훨씬 **께름칙한** 존재였다.

(고은경, 『숨비들다』)

♣ 그는 받으려 하지 않았고, 어쩌다 받게 되면, 반드시 그 몇 배로 돌려주었다. 그래서 오히려 더 자주 내가 그에게서 무엇을 얻어 쓴 것 같은 기억이었다. 그것들이 하나같이 다른 아이들에게서 거둬들인 것이어서 **께름칙하기는** 했어도.

(이문열, 『우리들의 일그러진 영웅』, p. 88, 다림)

♣ 풀숲은 가까운 곳에 있었다. 앞에 놓인 큰 기둥 하나만 지나면 상자가 떨어진 지점에 다다를 터였다. 기둥은 쓰러진 전봇대처럼 가로로 길게 누워 있었다. 장애물을 넘어갈지 돌아갈지 판단하기 위해 손전등을 비춰 살폈다. 단단하고 우둘투둘한 피부, 구조를 요청하는 손처럼 길게 뻗어 있는 가지, 물고기처럼 떼로 죽어 있는 잎사귀들 그건…… 나무였다. 어느 여염집 마당 한가운데 억척스럽게 솟아 있던, A구역의 유일한 나무. 몇 살을 먹었는지 모르는, 하지만 오래전부터 그곳에 살았을 게 틀림없는 고목. 바람이 불 때마다 신령스럽게 출렁이던, 오늘 아침 잘린 나무…… **께름칙한** 기분 탓이었을까? (김애란, 『비행운』, p. 77-78, 문학과지성사)

♣ 내 경험 하나를 이야기하자. 미군 부대에 있는 대학을 다녔을 때 먹고 살고자 부대에서 흘러나오는 화장품이나 식료품들을 가방에 넣어 갖고 다니며 부유층 아파트들을 돌아다니며 팔았던 적이 있다. 대부분 그런 물건들은 아줌마들이 팔았고 나 같은 남자 대학생은 전혀 없었기에 경비실을 통과하기도 만만하지 않았다. 하지만 단 한 번이라도 문을 열어준 고객들에게는 나는 정말 최선을 다하였다. 우선 나는 모

든 상품에 붙어있는 영문 라벨들을 사전을 찾아 가며 모조리 외웠다. 바세린 연고 하나를 팔더라도 눈 화장을 지울 때 사용하면 좋다는 내용도 잊지 않고 알려 주었다. 그리고 눈 화장을 지울 때는 큐팁(면봉의 미국 상품명)을 사용하라고 하였고 큐팁도 팔았다. 스팸 햄을 팔 때는 새로운 요리법들도 알려 주었다. 결국 한 명의 고객을 만나게 되면 얼마 후 그 고객이 다른 고객을 소개하여 주었는데 정말 그 숫자가 기하급수로 늘어났으며 사전 주문도 생겨났다. 그 당시 내가 알게 된 원칙 몇 개: 남들이 하지 않는 서비스를 제공할 것, 절대 오늘의 이득에 눈이 멀면 안 된다는 것, 부자들은 끼리끼리 산다는 것, 한 명의 고객으로부터 신뢰를 받게 되면 시간은 좀 걸리지만 그 주변의 모든 부자들로 언젠가는 내 고객이 된다는 것. 내가 나중에 누구까지 만나게 되었는지 아는가? 이름만 대면 알 수 있는 당시 최고의 연예인 몇몇까지 내 고객이었다(나는 이 일을 몇 년 하지 않았다. 엄밀히 말해 그 일은 관세법 위반으로 단속 대상이었기에 **께름칙하였을** 뿐 아니라 압구정동에서 영어를 가르치는 것과 번역을 하는 것이 더 많은 수입을 챙길 수 있음을 알았기 때문이다). 자기 몸값은 그렇게 높이는 것이다. 그러므로 막노동을 하여도 최선을 다해 제대로 해라. 당신이 일한 대가에 대한 법칙 두 개가 있다. 첫째, 당신이 먼저 보여 주지 않는 한 국물도 없다. (…)
둘째, 보상의 수레바퀴는 언제나 처음에는 천천히 돈다. 가속도가 붙기까지는 시간이 소요된다. (…)
자, 이제 몇 시간을 일하고 얼마를 받는지는 잊어버려라. 일의 질적인 결과에만 관심을 두어라. 몇 년 후에 받게 될 대우에

걸맞은 일솜씨를 지금 보여 주어라. 부자가 아니라면 가진 것은 몸과 시간밖에 더 있겠는가. 그것들을 바쳐 일의 질을 높여라.
(…)
물론 투여한 시간과 노력에 비해 대가가 충분치 않은 경우도 있을 것이다. 기다려라. 곧 많은 사람들이 당신을 찾을 것이며 당신의 몸값은 저절로 높아지게 되어 있다. 그 몸값이 부자가 될 수 있는 투자의 종잣돈이 된다. 동료들의 야유와 시기가 부담스러워지기도 할 것이다. 콩쥐를 시기하는 팥쥐는 언제나 있는 법이므로 철저하게 무시하라. 적어도 5년 후에는 그들과는 다른 세상에서 살게 될 것이기 때문이다.

(세이노, 『세이노의 가르침』, p. 195-198)

♣ **그래서 이반 일리치는 결혼했다.**

결혼식 자체 그리고 부부간의 금실, 새 가구와 새 식기, 새 속옷 등으로 대표되는 신혼생활은 아내가 임신할 때까지는 너무나 행복했다. 때문에 이반 일리치는 결혼이라는 것이 그 자신이 생각하기에 그렇다고 믿은 경쾌하고 유쾌하며 편안하고 항상 우아함으로써 사교계의 동의를 받는 삶을 결코 파괴하는 것이 아니라 오히려 반대로 더욱 깊게 한다고 생각하기 시작했다. 그러다 아내가 임신한 지 몇 개월도 되지 않아 뭔가 새롭고 예기치 못한 일이 발생했는데 그것은 마음을 <u>께름칙하고</u> 무겁게 하는 것으로 예의에도 어긋나는 것이었다. 또한 도무지 예상할 수도 또 피할 수도 없는 일이었다. 이반 일리치가 생각하기에 아내는 무턱대고 변덕을 부리며 아늑하고 정돈된 삶을 깨뜨리기 시작했다. 그녀는 이유 없이 그를 질투하며 자기를 떠 받들 것을 강요했고 생트집을 잡으며 그에게 거칠고 못되게 굴었다.

(레프 톨스토이, 『이반 일리치의 죽음』, p. 32-33)

81. **께적지근하다** : 조금 너절하고 지저분하다.

♣ 금실 좋은 부부의 모습을 모르고 자란 나에게 숙부와 그 여자와의 깨가 쏟아지는 장면은 불결하고도 문란한 상상력을 자극했고, 그 집을 벗어난 후에도 뭔가 크게 오염 된 것처럼 **께적지근한** 자기혐오감에 사로잡히곤 했다.

(박완서, 『그 많던 싱아는 누가 다 먹었을까』, p. 193)

82. **꼭뒤** : 뒤통수의 한복판

♣ 3층 화장실에서 나체로 쪼그리고 앉은 동민은 샤워기 헤드를 자신의 덥수룩한 **꼭뒤**에 댔다. (차무진, 『인 더 백』, p. 64)

83. **꼭지** : 한 편의 글, 책의 최소 단위.

♣ 말을 건네도 될까.

인선이었다면 어렵지 않게 대화를 시작했을 것이다. 함께 출장 여행을 다니던 첫해 우리는 명산들과 그 아랫마을의 풍광을 취재하는 **꼭지**를 맡았는데, 어느 곳에서든 인선은 할머니들과 금세 친해졌다. 스스럼없이 길을 묻고, 선선히 음식을 나누고, 하룻밤 민박할 집을 수소문해 구했다. 비결을 물었을 때 그녀는 대답했다. (한강, 『작별하지 않는다』, p. 97)

84. **꽛꽛하다** : ① 물건 따위가 굳어져서 거칠고 단단하다.

② 물건이 부드럽지 못하고 뻣뻣하다.

♣ 아이는 어깨가 아프다고 했고 만져보니 **꽛꽛했다**. 천천히 팔을 구부리니 저항하는 힘이 역력했다. 척추에서도 측만증이 일어나고 있었다. 오랫동안 가방에 태우고 다닌 탓이었다. 그는 아이 팔이 부드러워질 때까지 올렸다 내렸다

반복했다.(차무진, 『인 더 백』, p. 48-49)

85. **꾸둑꾸둑하다** : 물기 있는 물건이 거의 마르거나 얼어서 단단히 굳어 있다. ('**구둑구둑하다**' 보다 센말) (**꾸덕꾸덕하다**)

♣ 그가 고개를 끄덕이고 아이의 말간 콧물을 닦았다. 곧 뻥뚫린 아이 어깨에서 고름과 피가 꾸둑꾸둑하게 마르기 시작했다.

(차무진, 『인 더 백』, p.49)

♣ 딸깍, 진저리나는 소리를 내며 간병인의 알루미늄 상자가 다시 열렸다. 그사이 삼 분이 또 흐른 것이다. 나와 눈이 마주친 간병인이 변명하듯 말했다.

친구분 정신력이 정말 강하세요. 정말 잘 참고 계신 거예요.

동의도 부정도 하지 않은 채 인선이 간병인을 향해 천천히 오른손을 내밀었다. 피에 젖은 붕대가 너무 꾸덕꾸덕하다고 나는 생각했다. 아침에 간호사가 와서 드레싱을 하고 붕대를 새로 감았을까. 제대로 갈아주고 있는 건가. 저렇게 계속 피를 흘리는데.

의사 선생님이랑 간호사 선생님들도 다들 그러세요. 진짜로 훌륭하게 참고 계신다고.

두 개의 환부에 차례로 바늘이 꽂혔다 빠져나가는 동안 인선은 입을 다문 채 창을 보고 있었다. 물기가 많고 입자가 작은 눈송이들이 가느다란 선들을 수직으로 그으며 낙하하고 있었다.

이상하지, 눈은. 들릴 듯 말 듯한 소리로 인선이 말했다.

어떻게 하늘에서 저런 게 내려오지.(한강, 『작별하지 않는다』, p. 55)

86. **끄물끄물하다** : 날씨가 활짝 개지 않고 몹시 흐려지다.

♣ 하늘이 **끄물끄물하던** 어느 날, 산동 교남 지방을 지나던 황제는 바닷가 언덕 낭야대에 오르게 된다. 낭야 일대는 통일 전에는 제나라 영토였고 여섯 국 중 가장 치열하게 흡수에 반발하던 곳이었다. 그 이전에는 월나라 영토였다.(중략)
며칠이 지났어요. 폭풍의 끝자락에 접어들었다고 할까. 하늘은 **끄물끄물했고** 먹빛으로 무겁게 가라앉아 바다와 하늘이 하나처럼 보이던 오후였어요. 멀리 구름 속에는 번개가 번뜩이고 있었죠. 일어나서 앉아 있는데 선실 문을 두드리는 소리가 들렸어요. 일하는 뱃놈 하나가 사색이 되어 있었어요. 기시감을 느낀 나는 갑판으로 달려나갔죠. 아이 머리가 또 걸려 있었어요. 이번에는 남자아이 하나 여자아이 하나씩이었어요. 두 개의 머리.

(김동식 외 9인, 『당신의 떡볶이로부터』 p. 214, 234, 수오서재)

87. **끌끌하다** : 마음이 맑고 바르고 깨끗하다.

♣ 사람은 누구나 *괴까닭스러운 구석이 있고 또 그래야 한다고 생각한다. 괴까닭스러운 구석이 있어야 거기서 숨통 트고 산다. 남에게 피해주지 않는 선을 지킨다면 뭐 어떠랴. *체체하고 **끌끌하게**만 살면 된다. (*괴까닭스럽다: 괴상하고 별스럽게 까다로운 데가 있다. 같은 말로 '괴까다롭다'. *체체하다: 행동이나 몸가짐이 너절하지 않고 깨끗하고 트인 맛이 있다.)

(유선경, 『어른의 어휘력』, p. 74)

감사

1. 에스더 페렐 박사는 말한다.

"먼저 사람들의 수고를 인정하고 **감사**하는 뜻을 표하라. 그러고 나서 자신의 관심을 나타내라. 그러면 그들도 당신에게 관심을 보일 것이다. 사람들은 친절에 친절로 보답하고 자신을 존중하는 태도를 보인다. 아무리 잠깐 스쳐 가는 인연이라도 모든 관계는 기회로 들어가는 입구다. 앞으로 5년 동안 어떤 계획을 세워야 할지에 대해 고민하는 것보다 지금 내가 감사할 대상이 누구인지를 둘러보는 게 더 현명하다. 감사할 대상이 없다면 감사할 대상을 만들어라. 소중한 인연은 우연히 찾아오는 게 아니다. 인연을 만드는 의도적인 노력을 통해 찾아온다.

2. "기분이 좋을 때도 기분이 나쁠 때도 감사하는 마음을 가지세요."

행복은 좋지 않은 기분을 어떻게 다스리느냐에 달렸습니다. 다음번에 기분이 나빠지면 그것에 맞서 싸우지 말고 마음을 너그러이 가지려고 한번 노력해 보십시오. 공포감에 허둥대지 않고 감사의 마음을 품고서 냉정함을 지킬 수 있는지를 한번 살펴보십시오. 당신이 부정적인 기분에 맞서 싸우지 않는다면 그리고 **감사**의 마음을 갖는다면 좋지 않은 기분은 태양이 저녁에 지는 것만큼이나 자연스레 그냥 흘러가고 말 것입니다.

『사소한 것에 목숨 걸지 마라』 <리처드 칼슨>

3. "사람이 얼마나 행복한가는 그의 감사함의 깊이에 달려있다."

<존 밀러>

4. **감사는 연습을 통해 향상시킬 수 있는 삶의 기술이다**. 심지어 가장 큰 시련을 겪는 순간에도 우리는 즐길 것과 감사할 거리를 찾을 수 있다. 주어지는 모든 일에 감사해야 한다는 뜻이 아니다. 그건 자신을 몰아붙이는 비현실적인 요구니까 고마움을 느끼는 마음은 도덕적 의무가 아니라 연습을 통해 조금 더 자주 사용할 수 있게 되는 건전한 습관이다. 『나는 내 나이가 참 좋다』 <메리 파이퍼>

5. **감사하는 법을 배울 때** 우리는 인생에서 나쁜 일이 아니라 좋은 일에 집중하는 법을 배우게 된다. <에이미 밴더 빌트>

6. 마음의 그릇이 큰 인간들은 아주 작은 행운을 주어도 천하를 얻은 기쁨으로 하늘에 **감사하는 마음을 가지게 된다**.

『날다 타조』 <이외수>

7. **감사를 많이 느끼는 사람들은 더 낙관적이고 사고가 유연해서 문제해결 능력도 더 뛰어나다**. 다른 사람들로부터 협조를 구하고 건강하고 행복하게 살기 위해서는 주위에 대해 고마움을 느끼고 감사하는 마음을 갖는 것이 무엇보다 중요하다.

거절

1. <u>거절</u>의 힘은 강하다. 이 사회에 속한 여성으로서 우리는 '나중에 생각하자' 혹은 '뭐, 어떻게든 되겠지'라는 식으로 생각하도록 교육받는다. 우리는 그저 "싫어요."라는 대답으로 어떤 요구를 거절했을 때, 나는 머릿속에 번개가 치는 느낌을 받았다. 변명 없이 진심을 전달하는 것은 굉장히 이상한 느낌이었다. 지금도 거절을 할 때면 가끔씩 완곡한 표현을 사용하려고 노력하지만, 그럼에도 "싫어요."라는 말을 쓸 때는 예외 없이 힘과 기쁨이 폭발하는 느낌이 든다.
심리치료를 마칠 무렵, 엠마는 사람들에게 부탁을 받을 때 종종 느껴지던 내면의 불편한 감정에 주의를 기울일 수 있게 됐다. 그는 스스로 피곤하고 꺼려지는 기분이 든다면 그때가 바로 부탁을 거절할 때라는 사실을 서서히 배워나갔다.

『나는 내 나이가 참 좋다』 <메리 파이퍼>

2. 사람이 진심으로 "아니오."라고 말하면 그 말속에는 실은 그 말 한마디 자체보다 훨씬 더 많은 행위가 내포되어 있다. 인체의 모든 기관, 즉 편도선, 신경, 근육 등이 모두 한데 어우러져 <u>거부</u> 상태를 빚어낸다. 대개는 미미한 정도지만 때로는 눈에 띌 정도로 심하게 육체의 거부 현상이 일어난다. 즉 신경과 근육의 전 조직이 거부의 태도를 취하는 것이다.
오버스트리트 교수에 의하면 "아니오."라는 반응은 가장 극복하기 어려운 장애 요인이다. 일단 "아니오."라고 말해 버리면 자존심 때문에 그 말을 계속 고집할 수밖에 없다. 나중에 가서 “아니오.”라고 대답한 것이 현명하지 못했다는 생각이 들지도 모른다. 그럴 때라도 자존심을 생각하지 않을 수 없게 되는 게 사람이다. 일단 한마디 하고 나면 자기가 한 말을 고집해야겠다는 생각을 갖게 된다. **그러기 때문에 긍정적인 방향으로 말을 시작하는 것이 중요하다.**

『카네기 인간관계론』 <데일 카네기>

3. “거절을 어려워하지 마”

건전한 사랑을 하는 이들은 자신의 문제를 인정하고 처리하며 서로 격려한다. 건전한 관계와 불건전한 관계의 차이는 두 가지로 첫째, 각자가 책임을 얼마나 잘 받아들이는가. 둘째, 각자가 기꺼이 상대를 거절하고 상대로부터 **거절**당할 수 있는가이다.
불건전하거나 치명적인 관계를 맺는 이들은 하나같이 책임감이 희박하며 거절하지도 받아들이지도 못한다. 건전하고 다정한 관계를 맺는 이들은 각자와 각자의 가치관에 명확한 경계를 두며 필요하다면 언제든 서로 거절하고 거절을 받아들인다.

『신경 끄기의 기술』 <마크 맨슨>

4. 어차피 거절할 것이라면 단호히 거절하는 것이 낫다. 맺고 끊음이 불분명할 경우 오히려 질질 끌려다니다 후환만 남기게 될 뿐이다. 일단 틈을 주면 상대방은 그 틈을 파고든 다음, 우유부단함을 조종하여 더 많은 것을 요구한다. 작은 부탁부터 시작해 점점 더 큰 부탁을 하는 이런 설득 방법이 문간에 발 들여 놓기 기법이다.

『가끔은 이기적이어도 괜찮아』 <미셸 엘먼>

경청

1. 상대방의 말을 왜곡하지 않고 있는 그대로 <u>**받아들이기**</u> 위해서는 먼저 빈 마음이 필요합니다. 텅 빈 마음이란 아무것도 생각하지 말라는 뜻은 아닙니다. 나의 편견과 고집은 잠시 접어두자는 뜻입니다.

『경청』 <조신영, 박현찬>

2. 찰스 엘리엇 하버드대 총장은 다른 사람의 이야기를 듣는 데 명수였다. 미국 최초의 위대한 작가 중 한 사람인 헨리 제임스는 이렇게 회상했다.

"엘리엇 박사의 <u>**경청**</u>하는 태도는 단순한 침묵이 아닌 활동의 일종이었습니다. 그는 허리를 똑바로 펴고 꼿꼿이 앉아 양손을 무릎 위에 포개 잡고 깍지를 낀 엄지손가락을 천천히 또는 빠르게 돌리는 것 이외에는 아무런 동작도 하지 않은 채 말하는 사람을 마주 보고 앉아 귀뿐만 아니라 눈으로 이야기를 듣는 것처럼 보였습니다.

그분은 마음으로 상대방의 이야기를 들었으며 말하는 사람이 말하고 싶은 것을 충분히 말할 수 있도록 세심한 주의를 기울였습니다. 면담이 끝날 때쯤이면 그분에게 이야기하고 싶은 말을 모두 다 했다는 느낌이 들게 합니다."

3. <u>**경청**</u>은 갖추면 좋은 미덕이 아니라 꼭 습득해야 할 능력이다. 그리고 경청은 결심과 의지로 얻을 수 있는 능력이 아니다. 관련된 글을 읽고 연습하고 자신을 평가해줄 멘토도 있어야 한다. 입

을 닫은 채 고개를 끄덕이는 게 경청이 아니다. 할 말은 하면서 들어야 할 때는 진심으로 귀를 열어 주는 것이 경청이다.

<팀 페리스>

4. **부부싸움이 쉽게 끝나지 않는 이유 중 하나는 상대방이 말을 자르고 도중에 끼어들기 때문이다**. 도중에 끼어들면 부부싸움이 일어난 원인보다 말이 잘렸다는 것 때문에 더 화가 난다. 무시당했다는 생각이 들기 때문이다. 상대방의 말을 자르지 않고 이야기를 끝까지 **들어주면** 의외로 문제가 쉽게 풀린다.

『끌리는 사람은 1%가 다르다』 <이민규>

5. **누군가 당신의 말을 진지하게 귀 기울여 줄 때는 정말 기분이 좋다**. 누군가 내 이야기에 귀를 기울이고 나를 이해 해주면 나는 새로운 눈으로 세상을 다시 보게 되어 앞으로 나아갈 수 있다.

『비폭력 대화』 <마셜 로젠버그>

6. 사람들에게 호감을 느끼게 하는 방법은 간단하다. 다른 사람의 말을 열심히 **듣는 것**이다. <벤저민 디즈레일리>

7. 사람들은 말을 잘하는 사람보다 잘 **들어주는** 사람을 좋아한다. 사람을 움직이는 힘은 입이 아니라 귀에서 나온다.

<바늘귀>

고 작은 바늘 몸에도 꼭 필요한 구멍 하나.

말하는 입 아닌 **받아주는 귀**.

문성란 시집 『얼굴에 돋는 별』

게으름

1. '위장된 <u>게으름</u>'은 대부분 '해야 할 일을 하지 않고 중요하지 않은 일에 매달리는 모습'으로 나타난다. 큰 것을 위해 작은 것을 포기할 줄 모르는 사람은 게으름에서 헤어 나오지 못한다. 큰 것과 작은 것을 나누는 것이 비전임을 잊지 말자.
행동을 바꾸기 어려울수록 사람들은 자신의 태도를 바꾸게 된다. 그리하여 결국 주위 사람에게 말이나 태도를 바꾸는 사람으로 비치기 쉽다. 누군가 그 사람의 모순을 지적하면 '내가 언제 그런 소리를 했어!'라며 쉽게 화를 내기도 한다. '두려움, 자기 비난, 자기합리화' 이 세 가지는 게으름에서 벗어나는데 가장 큰 내면의 걸림돌이다.
가끔은 정말 냉철하게 뒤처질지 모를 자기 자신을 바라보는 것은 필요하다. 행동 없는 긍정은 '안일'일 뿐이다. 위기감이 들 때 사람은 성장한다. 『굿바이, 게으름』 <문요한>

2. <쉼 또는 게으름>

<u>게으름</u>은 있는 그대로 내버려 둔다는 것이다. 그것은 슬기로움이나 너그러움의 한 형태다. 이러한 삶의 방식은 한가로이 거닐기, 남의 말 들어 주기, 꿈꾸기, 글쓰기처럼 사람들이 별로 소중하게 여기지 않는 버려진 순간에 깃들여 있다.
존재의 아름다운 순간을 함부로 다루어서는 안 된다. 그 순간은 놀라움의 순간이다. 여전히 살아 숨 쉬는 순간이고, 당신의 말에 진지하게 귀 기울이는 한 사람과 마주하고 있는 순간이다. 웃음을 띤 채

거의 아무것도 하지 않는 그러한 순간이다.
게으름은 어디 아픈 것처럼 꼼짝도 하기 싫어하는 증세가 아니다. 천천히, 느리게, 있는 그대로 삶을 누리려는 몸가짐이자 마음가짐이다. 아주 천천히 가고 있어서 삶의 저물녘에, 막바지 노을 속에서, 영원의 저녁 빛을 숨 쉬는 그러한 능력이 게으름이다.

『게으름의 즐거움』 <피에르 쌍소>

3. 내 아버지가 젊은 시절부터 혹독하게 평생을 일하시고 남은 거라고는 휘어진 허리와 수면 부족으로 인한 강박증뿐이었다.
더러는 **게으름**을 즐기며 밤하늘의 별도 보고 죽음 후에 대해서도 생각해 보는 여유를 가져보라. 이왕에 한 번 태어나 평생 성실하게 쉬지 않고 걸었다는 자부심만으로 살다 죽기엔 인생이 너무 아쉽다. 바위에 앉아도 보고 꽃도 쳐다보고 개울에 발도 담그며 쉬엄쉬엄 걸어보자. 남을 조금만 더 믿어주고 조금만 더 나눠 가지면 그리 어려운 일도 분명 아니다. 『김밥 파는 CEO』 <김승호>

4. 모든 도덕적 자질 가운데서도 선한 본성은 세상이 가장 필요로 하는 자질이며 이는 힘들게 분투하며 살아가는 데서 나오는 것이 아니라 편안함과 안전에서 나오는 것이다. 『**게으름**에 대한 찬양』 <버트런드 러셀>

5. 작가 비키 로빈은 이렇게 말했다.
"사람들은 지혜의 속도에 맞춰 삶의 속도를 **늦출** 필요가 있다."

『나는 내 나이가 참 좋다』 <메리 파이퍼>

고통

1. 가난한 이들은 삶에서 겪는 **고통**의 대부분이 추위 때문이라고 여기는데, 이런 고통은 신체적으로 느끼는 추위 못지않게 살기 때문에 느끼는 것이다.
우리가 소박하고 현명하게 산다면 이 세상에서의 삶은 고된 시련이 아니라 즐거운 유희라는 것을 내 신념과 경험을 통해 확신한다.

『월든』 <헨리 데이비드 소로>

2. "긍정심리학 분야의 선구자인 미하이 칙센트미하이에 따르면 **고통**도 불행도 창조적 상상력을 통하면 행복으로 변합니다. 세계에서 가장 추운 아이슬란드에 시인이 제일 많다고 해요. 길고 추운 겨울날의 고통을 아름다운 이야기로 바꿔놓은 사례죠. 이 긍정의 심리학을 이미 2천 년 전에 예수님이 하셨던 것입니다." 고통을 긍정적인 시각으로 평가할 수 있어야 한다는 말이다. 『의문은 지성을 낳고 믿음은 영성을 낳는다』 <이어령>

3. 로크는 불청객처럼 찾아온 **고통**을 차갑고 초연한 호기심을 갖고 바라보며 자신에게 이렇게 말했다. "흠, 또 찾아왔군!"
그는 고통이 얼마나 오래 버티는지 지켜보았다. 그것과 싸우는 자신을 지켜보고 있노라면 냉혹한 쾌감을 느꼈고, 그것이 자신의 고통이란 걸 잊을 수 있었다. 그것에 경멸 어린 미소를 보내며 자신의 고통을 향해 미소 짓고 있음을 의식하지 못했다.

『파운틴 헤드 1』 <에인 랜드>

4. 나치 수용소에서 살아남은 빅터 프랭클은 **고통**을 겪는 사람들이 마주하는 또 다른 위기인 의미의 위기를 잘 표현했다. "절망은 무의미한 고통이다." 고통 안에 의미와 삶의 희망이 있으면, 동료 수감자들은 그 고통을 능히 견뎌 내곤 했다. 빅터는 수용소 안에서 그런 모습들을 목격했다. 그렇다면 나치 수용소와는 딴판으로 온갖 편안함이 넘치는 우리 사회에서는 무자비한 침입자 같은 고통이 어떤 의미를 가질 수 있을까?

『한밤을 걷는 기도』 <필립 얀시>

5. **고통**은 무시무시한 교사이지만 가장 멋진 무언가가 시작되는 출발점인 경우가 많다. 괴로움과 창의성은 상당 부분 상호의존적이다. 고통이 불러일으키는 엄청난 압박감은 창의적인 반응을 통해서 풀려나가곤 한다. 고난은 조개껍질 속에 틀어박힌 모래알과 같아서 언젠가 멋진 진주를 키워낸다.

『가슴에서 흘러나오다』 <딕 라이언>

6. 우리가 선택한 다른 대상으로 하루빨리 관심을 돌릴 때만 우리는 **고통**의 사슬을 벗어날 수 있다.

『몰입의 즐거움』 <미하이 칙센트 미하이>

7. "나는 몸이 **아플 때** 기쁨을 느낀다. 아플 때는 일상의 걱정거리가 사라지기 때문이다." <레프 톨스토이>

<ㄴ>

88. **나대다** : 얌전히 있지 못하고 철없이 촐랑거리다.

♣ 우월한 척해도 생명 있는 것들은 거기서 거기구나, 도연은 **나대는** 인간이 하찮아지기도 했다.

(임순옥, 『마음의 거리』, 신춘문예당선소설집, 2023)

♣ '**나댄다**'는 말을 다시 마주한 후로 정숙은 스스로를 검열하고 단속했다. (이예린, 『주제넘기』, 신춘문예당선소설집, 2023)

♣ 내가 이렇게 실행력을 강조하는 건, 역설적으로 뭔가를 실행하는 사람이 거의 없기 때문이다. 앞서 클루지를 설명할 때 말했듯이, 인간은 그렇게 진화했다. 그러니 본인에게 실행력이 부족하다고 좌절할 필요는 없다. 인간으로서 당연한 것이다. 특히 유튜브나 잡지에 나오는 사람들을 보면서 '저렇게 적극적인 사람이 많은데 난 뭘 하는 걸까'하고 기죽을 필요는 없다. 그런 사람들은 유난히 **나대길** 좋아하는 사람들일 뿐 평균이 아니다. 때로 광대 같고, 저속해 보일지라도 그들은 실행력이 최상위권이다. 이미 성과를 거둔 사람들이기 때문에 그들과 나를 비교해선 안 된다. (자청, 『역행자』, p. 211)

89. **나비눈** : 못마땅해서 눈알을 굴려 보고도 못 본 체하는 눈짓.

90. **나풀대다** : 얇은 물체가 바람에 날리어 가볍게 자꾸 움직이다.

♣ 옷은 두 사람의 손동작에 따라 **나풀댔다**.

(송은유, 『먹을 잇다』, 신춘문예당선소설집, 2018)

♣ 하나님, 주일예배를 앞두고 마음 한 자락이 **나풀거렸습니다**. 사랑하는 이들의 아픈 소식들과 그들을 도울 길 없는 저의 내적·외적 한계 상황들, 백신 2차 접종이후 갱년기와 맞물려

나타나는 제 몸의 연약한 증상들을 겪으며 왠지 모를 슬픔과 서러움이 밀려왔기 때문입니다. (한근영, 『나는 기록하기로 했다』, p. 263)

91. **낙수효과** : 고소득층의 소득 증대가 소비 및 투자 확대로 이어져 궁극적으로 저소득층의 소득도 증가하게 되는 효과.

92. **난만하다** : 꽃이 활짝 많이 피어 화려하다.

♣ 이모를 죽인 겨울이 지나고 봄은 무르익어서 사방에 꽃향기가 **난만했다**. 겨울이 있어 봄도 있다.(양귀자, 『모순』, p. 291)

93. **난삽하다** : 글이나 말이 매끄럽지 못하면서 어렵고 까다롭다.

♣ 문제가 **난삽한** 것은 정리를 하지 못한 탓이고 정리가 안 된 것은 문제를 이해하지 못했기 때문이다.

(이정일, 『문학은 어떻게 신앙을 더 깊게 만드는가』, p. 82)

94. **남세스럽다** : 다른 사람에게 웃음거리가 돼서 창피스럽다.

(= **남사스럽다, 우세스럽다, 남우세스럽다**)

♣ 어른들이 이 **남세스러운** 꼴을 보다못해 뜨거운 물을 개에게 끼얹으면 개 두 마리는 교미를 해체하고 깨갱하고 달아났는데, 그때 아이들은 배를 잡고 깔깔거렸다. 이 짓거리는 참으로 신났다. (김훈, 『연필로 쓰기』, p. 26)

♣ 식량이 모자랄 때는 아이와 젊은이가 먹고 늙은이는 굶었다. 배고픔이 **남세스러워서** 늙은이들은 스스로 나하에 몸을 던졌다. (김훈, 『달 너머로 달리는 말』, p. 13, 파람북)

95. **내남없이** : 나와 다른 사람이 모두 마찬가지로. (=**내남직없이**)

♣ 국군과 함께 적의 수중에서 우리를 구해 준 유엔군도 고마웠지만 독립된 정부가 있음으로써 그런 도움을 받을 수가 있었으니 나라 있음이야말로 얼마나 감격스러운 일인지 몰랐다. **내남없이** 애국심이 가슴에서 목구멍까지 벅차

올랐다.(박완서, 『그 많던 싱아는 누가 다 먹었을까』, p. 252)

96. **너름새** : '너그럽고 시원스럽게 말로 떠벌려서 일을 주선하는 솜씨'를 뜻하는 토박이말.

♣ 강은 자기가 <u>너름새</u> 있게 바르집어댄 말휘갑에 안이 직수굿이 듣기만 한 줄로 여겼고, 따라서 계제가 된 것 같아 가져온 말로 뒤를 이었다. (이문구, 『우리동네』, 민음사)

97. **너스래미** : 물건에 쓸데없이 너슬너슬 붙어있는 거스러미나 털 따위.

♣ 쿵, 쿵 나무가 떨어질 때마다 바닥에서 <u>너스래미</u>가 솟아올랐다. (차무진, 『인 더 백』, p. 154)

98. **너트크래커(nut-cracker) 현상** : 너트 크래커는 호두를 양쪽에서 눌러 까는 호두까기 기계를 말하는데 '한 나라가 선진국보다는 기술과 품질 경쟁에서, 후발 개발도상국에 비해서는 가격 경쟁에서 밀리는 현상'을 지칭할 때 쓰인다.

99. **넌덕스럽다** : 너털웃음을 치며 재치 있는 말을 늘어놓는 재주가 있다.

♣ 영두는 봉득이가 번번이 앞질러서 <u>넌덕스럽게</u> 말휘갑을 치는 바람에 여간해서 말의 졸가리를 매동그릴 수가 없었다. (이문구, 『산 넘어 남촌』, 랜덤하우스코리아)

100. **넌덜머리** : '넌더리'를 속되게 이르는 말.

(**넌더리** : 지긋지긋하게 몹시 싫은 생각)

♣ 통로 위쪽으로는 여름 날씨에 입은 검은 모직 상복과, 노란 꽃들 위에서 시들고 있는 초록 이파리에서 풍기는 악취가 신음 소리, 외침 소리와 함께 뒤엉켰다. 내가 지금 신경을 곤두서게 만드는 고통의 소리를 냄새 맡고 있는지,

아니면 <u>넌덜머리</u>나는 죽음의 냄새를 듣고 있는지 분간할 수 없을 정도였다.

(마야 안젤루, 『새장에 갇힌 새가 왜 노래하는지 나는 아네』, p. 215, 문예출판사)

101. **넛지** : '타인의 선택을 유도하는 부드러운 개입'을 뜻함.

현금 인출기가 처음 나왔을 때 현금을 인출한 후에 카드를 그대로 꽂아두고 가는 사람이 많았다. 그래서 카드를 먼저 뽑아야만 현금을 인출할 수 있게 하는 방식으로 바뀌었는 데 바로 이게 '**<u>넛지</u>**'다.

102. **노곤한** : 나른하고 피곤한.

♣ 매캐하고 풀 타는 냄새에 코가 아렸다. 2년 만에 피워보는 담배였다. <u>노곤한</u> 방귀가 나왔다.(중략)

<u>노곤한</u> 무력감이 몸을 감쌌다. 곧 자신의 몸 어딘가에 묵직한 중식도가 박힐 것이다. 가슴이 뛰었다. 얼마쯤 허리를 들썩거려보았지만 압제하는 힘을 이길 수 없었다.

(차무진, 『인 더 백』, p. 148)

♣ 그러고 나서 집으로 가면 설교 준비하는 남편과 두 아들을 위해 저녁 식사를 또 준비해야 했는데, 온몸이 <u>노곤해지는</u> 그 시각이면 나는 유달리 엄마가 그리웠다.

(한근영, 『나는 기도하기로 했다』, p. 65, 규장)

103. **노느다** : 여러 몫으로 갈라 나누다.

104. **노느매기** : 여러 몫으로 갈라 나누는 일

♣ 큰 굿이 들었을 때는 구경꾼에게 어른 아이 가리지 않고 떡이나 알록달록한 색사탕 같은 걸 <u>노느매기</u>해 줄 때도 있었다.(중략)

오빠와 나는 먼저 남대문통 작은숙부네에 들러서 송편 보따리를 끌러 두 집이 공평하게 <u>노느매기</u>를 하면서, 작은숙

부 내외가 큰숙모의 노고와 솜씨를 찬양하는 소리를 들어야 했다. 국민학교 마지막 수학여행은 이렇게 우울하게 끝났다.

(박완서, 『그 많던 싱아는 누가 다 먹었을까』, p. 83,140)

105. **노마디즘** : 기존 가치와 삶의 방식을 답습하는 것이 아니라 불모지를 이동해 가면서 새로운 것을 창조해 내는 것을 말한다. 한곳에 집착하지 않고 끊임없이 탈주를 감행하며 새로운 공간을 만들어 가는 것이다. (이진경, 『**노마디즘**』)

(**노마드**(nomad) : **유목민**)

♣ 저는 요즘 성경 읽기가 너무 재미있습니다. 지금까지 읽히지 않던 것이 읽힙니다. 예수님께서 '하늘 나는 새와 땅에 핀 백합화를 보라, 거두지도 않고도 먹고 길쌈하지 않고도 아름다운 옷을 만든다. 그런데 너희는 왜 먹을 것 입을 것 걱정하는가' 하셨습니다. 그런데 왜 주택 이야기는 안 하셨을까요? 우리 같으면 '새도 둥지도 있지 않느냐'고도 했을 텐데 말입니다. 아, 역시 예수님은 '**노마드**nomad(**유목민**)'셨구나. 사는 집은 별 문제가 없으셨던 것입니다.

(이어령, 『당신, 크리스천 맞아?』, p. 286)

106. **노혼**老昏 : 늙어서 정신이 흐림.

♣ 자아와 세계 사이의 경계가 흐릿해져서 나는 멍청해졌다. 이 멍청함을 **노혼**이라고 하는데, 똥도 노혼이 왔는지 날뛰지 않는다. (김훈, 『연필로 쓰기』, p. 45)

107. **노회하다** : 경험이 많고 교활하다.

♣ 얼굴에 **노회한** 번뜩임이 떠오르는 게 보였다.

(히가시노 게이고, 『라플라스의 마녀』, 현대문학)

♣ 전부를 잃느냐, 아니면 전부를 얻느냐의 게임. 그러나 다

잃더라도 다음날이면 어딘가에서 다시 도박판을 벌이고 있을 노회한 노름꾼. (양귀자, 『모순』, p. 158)

108. **노깨** : 체로 쳐서 밀가루를 뇌고 남은 찌꺼기.

♣ 입에는 달콤한 담배 향이 남아 있었다. 윗니로 혀를 긁자 밀가루 같은 노깨가 긁혀 나왔다. (차무진, 『인 더 백』, p.153)

109. **눅진하다** : ① 물기가 약간 있어 눅눅하고 끈기가 있다.
② 성질이 부드러우면서 끈기가 있다.

♣ 부엌으로 돌아서는데 엄마의 눅진한 말이 뒤통수에 따라붙었다. (고은경, 『숨비들다』)

110. **눈망울** : 눈알의 앞쪽의 두두룩한 곳. 또는, 눈동자가 있는 곳. 안주眼珠. [준말 : **망울**]

♣ 내가 박쥐를 연구하게 된 것도 순전히 우연한 일이었다. 나는 열대 정글에서 연구할 때 주로 바닥에 쓰러져 썩어 가는 나무 둥치를 뒤진다. 오랫동안 정글 바닥을 기다보면 허리가 뻐근해지기 때문에 이따금씩 일어서서 하늘을 올려다봐야 하는데, 바로 그때 나무 이파리를 변형해 텐트를 만들고 그 아래에서 비를 피하는 과일박쥐를 발견했다. 어디로 튈지 모르는 건 탁구공이 아니라 과학자의 눈망울이다. (최재천·안희경, 『최재천의 공부』, p. 192)

111. **눈물의 의미** : 간혹 울음으로만 감정을 표현하는 아이들이 있어요. 아이들이 울 때 왜 우느냐고 다그치기보다는 감정에 이름을 붙여주는 게 좋아요. "어떤 마음으로 울었어?"라고 묻는 거예요. 아이들에게도 여러 가지 마음이 있는데 그걸 잘 알아주는 게 중요해요. 「좋은생각」

♣ 사랑에까지 젖은 세상에의 울음소리로 여인이 흘리고 있는

눈물은 사별한 님에 대한 그리움이고 야속함이고 혼자 세상 살아갈 근심이 뒤얽힌 복잡한 감정의 산물이겠죠. 하지만 그 눈물은 로맨틱한 여성의 눈물, 흔히 남성을 사로잡는 여성의 무기라는 연애소설의 눈물과는 거리가 멀지요. 청상과부의 두 줄기 눈물이 가슴을 적셔 젖 맛이 짜다고 아이가 보챈다는 기막힌 상황은 달콤한 로맨스를 다룬 상황이 아니니까요.(……)
송강이 그린 청상靑孀의 눈물과 괴테가 보여준 하프를 타는 노인의 눈물이 어떻게 다른지를 모르면 우리는 40일을 굶고도 광야에서 빵만으로 살아갈 수 없다고 말한 예수님의 말씀을 영원히 이해할 수 없을 것입니다. 내가 일제 강점기에, 그리고 6·25전쟁 때 눈물과 함께 먹었던 그 밥은 그런 빵이 아니었던 것입니다. 단지 원죄 의식 없이 육체의 고통에서 나오는 노동의 눈물, 그리고 가난을 원망하는 물질적 결핍에 대한 억울함이었지요. 정철은 대문호지만 그가 알고 있는 한의 눈물과 괴테가 흘린 원죄의 눈물 사이에는 동과 서 만큼 큰 거리가 있습니다. 크리스천의 **눈물**은 남을 위해 울어주는 **사랑의 눈물**이고 죄에 대한 **참회의 눈물**입니다. 그것이 눈물과 함께 먹는 빵의 의미, 원죄를 짓고 '모틀mortal'로 살아가는 **인간의 눈물**인 것이지요. (이어령, 『빵만으로는 살 수 없다』, p. 55-56)

♣ 예수님이 우리를 위해 흘리신 것은 **눈물**만이 아닙니다. 그 눈물이 짙어지면 피가 됩니다. 눈물을 분석한 과학자들의 보고를 보면 피와 눈물의 주요 성분은 거의 같다고 합니다. 땀도 마찬가지고요. 여기까지 와보니 앞에서 이야기한 빵과 눈물, 땀이 어떻게 이어지는지 알 것 같습니다. 앞 장에서 빵은 지상의 양식이자 예수님의 몸으로 육화된 하나님 말씀

이라고 했습니다. 그렇다면 괴테의 눈물 젖은 빵이란 뭘까요? 회개하면서 어금니로 꼭꼭 씹는 하나님의 말씀입니다. 예수님은 우리를 위해 가장 슬프게 울었습니다. 유일하게 사람만이 다른 사람을 위해 슬퍼하고 웁니다. 그것이 바로 예수님이 말하는 사랑입니다. (앞의 책, p. 59)

♣ 건축을 놓고 전교인이 기도회

성전을 건축하는 일에 마귀의 방해가 많았습니다. 그래서 우리 오병이어교회에서는 매일 새벽과 저녁에 모여서 기도하고 24시간 릴레이 기도를 하고 각 구역마다 기도하였습니다.

그렇게 하나의 문제가 해결되면 또 다른 어려운 일이 생겨 난관에 부딪쳤습니다. 그러면 또 기도하고 이렇게 1년 반을 기도하였습니다. 성전 건축은 그냥 되는 것이 아니라 성도들의 기도와 **눈물**로 지어지는 것을 느꼈습니다.

(권영구, 『사람을 살리는 52 스토리』, p. 58-59, 십자가선교센터)

♣ 요한이 울음을 터뜨립니다. 요한이 누구 때문에 웁니까? 교회 때문에 웁니다. 교회 때문에 **눈물** 흘리는 성도들이 있습니다. 정확하게 표현하자면, 교회인 성도들이 성도들인 교회를 위해 통곡하는 일이 있습니다.

스펄전 목사는 우리가 통곡의 자리를 건너지 않으면 하나님의 보좌로 나아갈 수 없다고 말합니다. 이스라엘 백성이 벧엘로 올라가기 위해서는 반드시 보김의 자리, 즉 통곡의 자리를 통과해야 했듯이 모든 성도는 구원의 자리, 구원의 보좌 앞으로 나아가기 위해서 이런 눈물의 자리를 건너가야 합니다. "주님, 애가 탑니다. 이 통곡하는 마음을 살펴 주십시오. 저희 눈물을 기억해 주십시오, 저희 눈물을 눈물병에 담아 주십시오." 하는 통곡이 있어야 합니다. 사실 통곡이 없는 메마른 신앙이 문제 아닙니까? 언제 눈물을 흘렸습니까? 날마다 하나님께 예배드리면서 이 땅을 향한 눈물과 통곡이 있기를 바랍니다. 저는 그 눈물이 하나님께 계수되는 눈물이라고 믿습니다.

(조정민, 『사후대책』, p. 121)

♣ 오후 11시 50분

쉐리는 침대에 누워 극도의 외로움과 피곤을 느꼈다. 그녀는 갑자기 무슨 결심이라도 한 것처럼, 침대 곁 탁자 위에 놓인 성경을 들고 신약 성경을 펼쳤다.

그녀는 소리 없이 기도했다. 주님, 제게 소망의 말씀을 주세요. 그녀는 마태복음 5장 3~5절에 나와 있는 그리스도의 말씀에 주목했다.

심령이 가난한 자는 복이 있나니 천국이 그들의 것임이요 애통하는 자는 복이 있나니 그들이 위로를 받을 것임이요 온유한 자는 복이 있나니 그들이 땅을 기업으로 받을 것임이요.

하지만 주님, 저는 벌써 당신의 말씀처럼 느끼고 있는 걸요! 쉐리는 항의하듯 말했다. 저는 심령이 가난합니다. 내 인생과 결혼과 자녀들로 인해 애통하고 있어요. 저는 온화한 모습을 보이려고 애쓰지만, 항상 혼란스러운 감정의 소용돌이에 휘말립니다. 주님의 약속은 어디에 있습니까? 주님이 말씀하시는 소망은 어디에 있습니까? 도대체 주님은 어디 계신 겁니까 쉐리는 어두운 방에서 응답을 기다렸다. 아무런 응답도 없었다. 성경 위에 떨어지는 **눈물** 소리만 들릴 뿐이었다

(헨리클라우드 외, 『NO!라고 말할 줄 아는 그리스도인』, p. 29-30, 좋은씨앗)

♣ 이반 일리치는 울고 싶었다. 사람들이 자신을 어루만져주고 자신을 위해 **눈물**을 흘려주었으면 하고 바랐다. 그러나 직

장 동료인 세백 판사가 찾아오자 눈물과 토닥거림에 대한 소망을 감추고 대신 진지하고 엄숙하며 깊이 사색하는 표정을 지었다. 이어서 타성에 따라 대법원의 판결이 가지는 의미에 대한 자신의 의견을 말하고 확고한 입장을 취했다. 그러나 무엇보다도 바로 이러한 그 자신과 그 주위의 거짓이 그의 생애의 마지막 날들을 망쳤다. (레프 톨스토이, 『이반 일리치의 죽음』, p. 82)

112. **눈시울** : 눈언저리의 속눈썹이 난 곳.

♣ 오개남은 이마가 깨지고 <u>눈시울</u>이 찢어졌다.

(김훈, 『저만치 혼자서』, p. 101)

♣ 짐작과 달리 그녀의 손은 붕대에 완전히 감싸여 있지 않았다. 잘렸다가 봉합된 검지와 중지의 첫 마디들이 붕대 위로 노출돼 있었다. 흘린 지 얼마 되지 않은 듯 아직 선홍색을 띤 피와 검게 산화된 피가 뒤섞여 수술 자국들을 덮고 있었다. 나도 모르게 움찔 <u>눈시울</u>이 떨렸던 모양이다.

(한강, 『작별하지 않는다』, p. 37)

♣ 콜랭은 벽난로 옆의 의자에 주저앉듯이 앉았다. 리진의 검은 눈과 처음 마주쳤던 순간, 자신도 모르게 주머니 속의 카메라 끈을 잡아당겼던 옛일들이 솟구쳐 오르듯 떠올랐다. 무심코 봉주르! 하고 인사를 건네자 자연스럽게 봉주르! 하며 인사를 받던 그녀. 아주 오래 전부터 자신을 알고 있는 듯이 다정하게 바라보던 조선 여인의 검은 눈. 관리의 재촉으로 걸음을 빨리 옮기다가 뒤가 당기는 것 같아 콜랭이 뒤돌아보았을 때 동시에 뒤돌아보던 그녀를 향해 또다시 주머니 속의 끈을 잡아당기면서 평생 잊지 못하리라 여겼던 바로 그 눈. “당신 울어요?” 부인이 놀라서 <u>눈시울</u>이 젖

은 콜랭의 눈을 들여다보았다.(신경숙, 『리진2』, p. 306, 문학동네)

113. **눈썰미** : 한두 번 보고 곧 그대로 해내는 재주.

♣ 밀가루를 푸는 국자 무게를 제외하고 밀가루 반 파운드를 정확히 달아서 가루가 날리지 않게 얇은 종이 봉지에 담는 일은 나에게는 단순한 모험이었다. 나는 은색 국자에 밀가루, 엿기름, 호밀가루, 설탕, 옥수수 등을 얼마를 담으면 정확히 8온스나 1파운드씩 담을 수 있는지 **눈썰미**를 갖게 됐다. 내가 아무런 오차 없이 정확하게 담으면 손님들은 감탄하곤 했다.

(마야 안젤루, 『새장에 갇힌 새가 왜 노래하는지 나는 아네』, p. 25)

114. **눅치다** : 마음 따위를 풀어 누그러지게 하다.

♣ 기피 부서만 주어진 것도, 그런 상사를 만난 것도 내 팔자려니 했지만, 그렇게 **눅치기엔** 최선을 다했던 시간이 생각나서 억울했다. (나규리, 『빈 세상을 넘어』)

♣ 엄마는 심각한 상황을 웃음으로 **눅치는** 재주가 뛰어났지만, 그 아이 통신부의 기러기는 유머 감각이라기보다는 내 자식만 제일로 치고 남의 자식을 얕잡아보기 잘하는 엄마의 교만의 좋은 예가 아니었던가 싶다. 그걸 다 눅우칠 만큼 엄마의 낙담은 심각했다.

(박완서, 『그 많던 싱아는 누가 다 먹었을까』, p. 94)

♣ 우리 때 선생같이 교무실에서 은근히 따돌림 당하는 사람은 능글맞게 **눅쳐가며** 건성으로 대하면 좋은 관계를 유지할 수 있다. 큰 물건이나 마음을 줄 필요도 없다. 하는 말에 가끔 맞장구 쳐주고 학교 앞 카페에서 아메리카노를 사서 한 번씩 건네주기만 해도 아마 귀찮을 정도로 나를 추겨

세워줄 게 뻔하다.(김동식 외 9인, 『당신의 떡볶이로부터』 p. 283-284)

115. **뇌의 예측성** : 당신이 목이 말랐을 때 물 한 잔 마셨던 경험을 떠올려 보라. 마지막 한 방울까지 마시고 나서 몇 초 이내에 갈증이 줄어들었을 것이다. 이 현상은 당연하게 보일 수 있지만 실제로 물이 혈류에 도달하려면 20분 정도가 걸린다. 그러니 물을 마시고 몇 초 만에 갈증을 해소할 수는 없을 것이다. 그렇다면 무엇이 당신의 갈증을 해소했을까? 바로 예측이다. 뇌는 마시고 삼키는 행위들을 계획하고 실행하는 동시에 물을 마시면 느끼게 되는 결과를 예상해서 수분이 혈액에 직접 영향을 끼치기 훨씬 전에 갈증을 덜 느끼게 한다.(리사 펠드먼 배럿, 『이토록 뜻밖의 뇌과학』, 더퀘스트)

116. **느즈러지다** : 졸린 것이 느슨하게 되다.

117. **는적는적** : 물체가 힘없이 자꾸 축 처지거나 물러지는 모양.

♣ 종수는 내 대답을 듣기도 전에 건너편 상가를 향해 걸어가기 시작했다. 상가 이층에 '88탁구클럽'이란 간판이 보였다. 교복을 입은 아이 한 명이 자전거를 타고 지나가다 멈춰 서서 종수에게 허리 굽혀 인사를 했다. 종수는 짧게 한 손을 들어주었다. 나는 **는적는적** 종수의 뒤를 따라 탁구장 안으로 들어갔다.(이기호, 『누구에게나 친절한 교회 오빠 강민호』, p. 215)

118. **늦덕** : '늦게 어떤 분야의 팬이 된 사람'을 뜻함.

119. **늙숙하다** : 약간 늙고 점잖은 태가 있다.

나이 듦

1. 힘든 것을 남이 알아주길 바라지 마라. 이것이 바로 나이든 자의 자존심이다.
사랑도 능력이다. 타고나는 것이 아니라 이 세상을 살아가면서 터득하고 학습하고 실천하면서 길러진다. 나이 들어 외롭지 않으려면 무엇보다 사랑하는 능력을 갈고 닦아야 한다. 나이 먹었다고 다른 사람에게 대접받고 그가 내게 먼저 다가오기를 바란다면 점점 더 외로워질 뿐이다.

『나는 죽을 때까지 재미있게 살고 싶다』 <이근후>

2. 노년기. 항해에서 아주 멀고 높은 곳에 이르렀기에, 우리는 우리의 삶 전체를, 우리의 온갖 기벽과 지인들의 기벽을 내려다볼 수 있었다. 또한 호의와 통찰력을 가지고 그것들을 헤아릴 수 있었고, 자기 자신과 타인들에게 용서해야 할 것을 용서할 수 있었고, 하찮은 물건들이나 헛된 말다툼, 어리석은 야심들을 어느 정도 좋게 평가할 수 있었다. 나이가 들다 보면 청소년기의 취약함과 노년기의 지혜가 한데 어우러지기도 한다.

『아주 사소한, 그러나 소중한』 <피에르 쌍소>

3. "그런데 나이를 한참 먹다가 생각한 것인데 원래 삶은 마음처럼 되는 것이 아니겠더라고요. 다만 점점 내 마음에 들어가는 것이겠지요. 나이 먹는 일, 생각보다 괜찮아요."

『운다고 달라지는 일은 아무것도 없겠지만』 <박준>

4. 진실하게 맺어진 부부는 젊음의 상실이 불행으로 느껴지지 않는다. 왜냐하면, 같이 **늙어가는** 즐거움이 나이 먹는 괴로움을 잊게 해주기 때문이다. <앙드레 모루아>

5. **나이 먹는다는** 사실을 두려워하는 사람에게 노년기는 발견의 시간이라고 말해주고 싶다. 만약 그가 무엇을 발견하라는 말이냐고 묻는다면 나는 "혼자 힘으로 발견하셔야 합니다. 그렇지 않으면 발견이 아닐 테니까요."라고 대답할 수밖에 없다.

<데이비드 P. 맥스웰>

6. '**노년이 되면** 죽음이 머지않다'는 주제에 대해서는 이렇게 적는다. "농부들이 봄여름을 보내고 가을이 오는 것을 바라보는 것 이상 죽음을 슬퍼할 이유는 없다. 자연에 의해 이루어진 모든 것은 좋은 것이다. 죽는 것만큼 자연의 순리에 따르는 일이 또 무엇이 있겠는가."

『노년에 관하여』 <키케로>

7. 한국 추상화의 원로인 유영국 화백은 일흔이 넘어서도 그림을 그렸다. 그는 "**나이가 들면** 생활 속의 가벼운 흥분이 필요하다"고 말한다. 그는 자신이 원하는 것을 한다. <좋은생각>

<ㄷ>

120. 닦달하다 : 남을 단단히 윽박질러서 혼을 내다.

♣ 빚쟁이처럼 사랑을 내놓으라고 <u>닦달하지</u> 말고 서로를 가엾이 여기면서 살아라. (김훈 『연필로 쓰기』, p. 84)

♣ 퇴근 후에도, 주말에도, 시도 때도 없이 부하 직원에게 업무를 지시하며 <u>닦달하는가</u>?(성격까지 변하기 시작한 것이다.) (우종민, 『우종민교수의 심리경영』, p. 57, 해냄출판사)

♣ 할머니가 베 보자기를 풀었다. 그 안엔 다시 작은 보따리가 세 개 들어 있었다. 송편이었다. 필경 며느리를 <u>닦달질해</u> 밤새 빚어 새벽에 쪄 가지고 달려오신 듯 말랑한 송편에선 솔내와 참기름내가 물씬 났다. (박완서, 『그 많던 싱아는 누가 다 먹었을까』, p. 139)

♣ 아이가 배고프다고 엄마 젖을 무한대로 먹는 건 아닌 것처럼 인간의 물질적 욕망은 한계가 있어요. 욕망을 물질로 채우지 말고 정신으로 채워야 합니다. 욕망이라는 게 정신의 허기거든요. 아이들 키우는 것만 해도 그래요. 가만히 내버려두면 충분히 행복한데 '엄친아'니 뭐니 해서 자꾸 남과 비교하니까 불행해지는 거예요. 왜 아이들이 커서 모두 의사, 변호사가 돼야 합니까. 하워드 라인골드라는 미국 테크놀로지 분야의 대가는 자신의 책 서문에서 '내가 어려서 그림에 색칠을 할 때 선 바깥으로 나가도 야단치지 않았던 우리 어머니께 감사한다'고 했습니다. 부모가 자녀에게 어떤 존재여야 하는지를 보여주는 상징적인 이야기죠. 엄마들이 자녀가 일류 대학 좋은 과에 들어가라고 <u>닦달하지</u> 않고

밥을 굶든 말든 자신이 좋아하는 일을 하도록 내버려둔다면 우리나라가 세계 최고의 나라가 될 수 있을 것 같아요.

(이어령, 『지성에서 영성으로』, p. 347)

♣ 당신도 마찬가지다. 자신에게는 아무 문제가 없으며 늘 옳다고 생각하는 사람보다 문제가 있다고 생각해 그것을 고치고 싶어하는 당신은 지극히 건강하다. 잘못한 것에 대해 후회하고 반성하며 내일을 그러지 말아야지 하면서 당신은 어떻게든 성장해 나갈 것이기 때문이다. 그러니 더 이상 스스로를 <u>닦달하지</u> 말고, 매사에 너무 심각하지 말고, 너무 고민하지 말고, 그냥 재미있게 살았으면 좋겠다. 지금껏 열심히 살아온 당신은 충분히 즐겁게 살 자격이 있다. 그리고 나는 그런 당신을 늘 응원할 것이다.

(김혜남, 『만일 내가 인생을 다시 산다면』, p. 9, 메이븐)

121. **닦아세우다** : 꼼짝 못 하게 휘몰아 나무라다.

♣ 촘촘히 걸려 있는 빨래들에 눈길을 주자니 어제 나를 <u>닦아세우던</u> 엄마가 얼마나 엉성했는지 믿기 어려웠다.

(고은경, 『숨비들다』)

122. **단초** : 일이나 사건을 풀어나갈 수 있는 첫머리.

♣ '공자가 죽어야 나라가 산다'는 이 거친 타이틀에 대해 나는 진지하게 답변하고 싶다. 나는 한국사회의 발전, 아니 한국이라는 문화의 테두리 안에 살고 있는 사람들의 생존권과 삶의 아름다움을 누릴 수 있는 인간적 권리가 질식되고 있는 이유를 유교에서 찾아냈다. 나는 우리 사회 곳곳에 검은 곰팡이처럼 자라고 있는 유교의 해악을 올바로 찾아내고 솎아내지 못한다면 우리의 미래는 없다고 단언하고

싶다. 때문에 나는 이 글에서 우리가 미처 눈치채지 못했던 **단초**들, 말하자면 우리의 본래적인 삶이 영위해야 할 아름다움을 끝내는 망가뜨려 버리고야 마는 우리 문화 속의 독소와 같은 요소들을 가능한 한 많이 꺼내 펼쳐 보이고자 한다.

(김경일, 『공자가 죽어야 나라가 산다』, p. 84-85, 바다출판사)

♣ 어떤 사람들은 의구심이 생길 때면 무작정 성경책을 펼친 다음, 눈길이 처음 머무는 성경구절을 판단의 **단초**로 삼으려고 합니다. 신중하지 못한 태도입니다. 성경을 모르는 이방인들도 자신들이 좋아하는 책을 그런 식으로 사용하기는 마찬가지입니다. …… 성경 본문의 문맥이나 자신의 상황을 고려하지 않고, 또 성경의 전체적인 취지와 비교하지도 않은 채, 우연히 눈길이 머문 구절을 판단의 근거로 삼는다면, 비록 하나님의 말씀을 손에 들고 있다 해도 상식에 조차 어긋나는 터무니없는 실수나 잘못을 저지를 가능성이 매우 높습니다. 예를 들어, 성경책을 펼쳐 드니, "여호와께서 왕과 함께 계시니 무릇 마음에 있는 바를 행하소서"(삼하 7:3)라는 구절이나 "여자여 …… 네 소원대로 되리라"(마 15:28)는 말씀이 나왔다고 합시다. 그 말씀이 과연 마음에 품고 있는 간절한 소원을 곧장 실행에 옮기라는 뜻일까요? 중대한 영향을 미치게 될 문제에 직면한 상황에서 단지 성경구절을 잠시 찾아보는 것만으로 자신감과 확신을 이끌어 내는 것은 결코 바람직하지 않습니다.

(제임스 패커 외, 하나님의 인도, p. 341-342)

♣ 사도행전 2장에서 '마음에 찔려 우리가 어찌할꼬' 물었던 사람들은 베드로의 충고를 받아 그 문제를 가지고 하나님 앞

으로 나아갔다. 그 결과 초대교회 부흥운동의 **단초**를 제공하는 사건이 되었다.

오늘날도 이런 일이 다반사로 일어난다. 마음의 찔림을 받았을 때 그 문제를 하나님 앞으로 가져가지 않으면 더 나빠진다. 안으로는 열등감과 피해의식에 빠지게 되고, 바깥으로는 누군가를 향해 분노와 울분을 터뜨리게 된다.

따라서 우리가 부끄러움을 자각하는 것이, 그저 내 양심이 흔들리는 것이 최종 목적지가 되어 버리면 큰일난다. 마음의 찔림은 하나님 앞으로 나아가는 통로가 되어야 한다. 지금 당신의 마음에 찔림이 있는가? 부끄러움이 자각되는가? 그렇다면 그 문제를 양심에 맡기지 말고 십자가를 지신 예수 그리스도에게로 가져가길 바란다. 、 (이찬수, 『오늘 살 힘』, p. 112)

123. **단출하다** : 인원이 적거나 차림이 간편하다는 뜻. (**단촐하다x**)

♣ 집안 곳곳에 짐이 가득 든 보자기가 **단출하게** 놓여 있었다.

(김수온, 『( )』)

♣ 그렇게 주님만을 바라는 예배자들이 모였기 때문일까. 반주라고는 목사님이 치는 **단출한** 기타가 전부였음에도, 마치 웅장한 오케스트라 반주에 맞춰 수천 명이 찬양하는 듯한 성령의 감동이 그 자리에 임하기도 했다.

(한근영, 『나는 같이 살기로 했다』, p. 284)

♣ 진선생의 아반떼에서는 클래식 음악이 흘렀고 낡은 빌라 아파트 안은 꼼꼼하게 손질한 닭처럼 **단출했다**.

(이휘빈, 『닭집 여자』, 신춘문예당선소설집, 2018)

♣ 보리밥 한 그릇에 엄마가 키운 푸성귀와 된장, 미역국과 계란찜으로 **단출히** 차린 밥상이었다. (고은경, 『숨비들다』)

♣ 처음 들어와 본 아저씨의 집은 아주 **단출했다**. 선방같이 널찍한 거실엔 통나무로 만든 탁자 하나뿐이었다. 여기저기 보던 책들이 쌓여 있었다. 아저씨는 내가 들어서자 방으로 들어가더니 방석을 가지고 와서 내밀었다.

(공지영, 『즐거운 나의 집』, p. 319, 해냄)

♣ 대부분은 형이 확정되어 민간교도소로 이송가기도 하였고 또 개중에는 원심이 파기되어 사단군법회의로 환송되어 사단 영창으로 가는 사람도 있었고, 예비사단으로 가서 사형 집행되기도 하였다. 지금은 **단출한** 네 식구다. 우리가 덮는 이불은 모포임은 물론이다. 솜이불이 그립지만 네 명이 한 이불을 덮는다. 이것은 담요 다섯 겹이기 때문에 거의 추운 줄을 모른다. 밑에는 매트리스 위에 또 담요 두 장을 깐다. 우리는 대개 잠자리에 들면 30분 정도 실없는 이야기를 나누는 버릇이 있는데 나는 금세 곯아떨어지는 잠꾸러기이다. 다른 녀석들처럼 낮잠을 자는 일이 없기 때문이다. (신영복, 『감옥으로부터의 사색』, p. 54)

124. **달갑다** : 거리낌이나 불만이 없어 마음이 흡족하다.

♣ 장마가 빠르게 번지는 유월에는 손등과 뺨 위로 착륙하는 빗물이 퍽 **달갑습니다**. 물웅덩이 밟으며 쌩쌩 달리는 자동차 소리와 온종일 윙윙거리는 제습기 소리, 변함이 없기에 귀를 더욱 편하게 만들어 주는 빗소리가 모여 조화를 이룹니다. 여름의 향연 심장부에는, 또 하나의 계절인 듯 당신이 곤히 잠들어 있습니다. 잠결에 내뱉는 편안한 숨은 저를 완벽하게 사로잡죠. 몸둘 바를 모르는 저는 당신의 옆에 가만히 앉아 있기만 할 뿐입니다. 그러고는 비가 제

멋대로 그려지는 창과 당신의 얼굴을 감격스럽게 번갈아 지켜볼 밖에요. (하태완, 『나는 너랑 노는 게 제일 좋아』, p. 120)

♣ 어머님께서 염려하시는 겨울이 또 시작됩니다. 겨울 추위가 그리 **달가운** 것이 못됨은 물론입니다만, 저희들은 추위를 견디는 법에 관하여 풍부한 경험들을 가지고 있습니다. 심동深冬보다는 입동立冬 부근의 추위를 더 조심해야 한다든가, 감기는 어깨에서 오는 것이며 건포마찰이 혈액 순환에 좋고 동상을 예방한다는 등, 오랜 징역살이를 통하여 얻은 층층의 경험들이 이론으로 종합·정리되고, 이렇게 정리된 이론들은 다시 각양各樣의 습관의 형식을 통하여 생활화되고 있는 것입니다. 징역살이만큼 각별히 건강에 유의하는 곳도 아마 드물 것이라는 것을 의심치 않습니다.

(신영복, 『감옥으로부터의 사색』, p. 89)

♣ 그들 남매 중 누나, 그러니까 내가 혜자 이모라고 부르게 된 그녀는 대단히 아름다운 여자였다. 할머니는 뒷방에 사람을 들일 생각을 할 때와는 달리 막상 혜자 이모네가 이사를 오자 그다지 **달갑잖은** 눈치였는데 그것은 순전히 혜자 이모의 뛰어난 미모 때문이었다. 서글서글한 눈매에다 몸매가 가냘프고 전화교환수를 해서인지 말을 할 때 약간 비음을 내는 혜자 이모는 어딘지 그늘이 있어 보여서, 좋게 말하면 우수가 깃들었다고도 할 수 있겠으나 솔직하게 말하면 청승맞아 보이는 구석도 있었다.

할머니 말로는 얼굴도 그냥 고운 것이 아니라 눈가에 웃음 잡히는 모양을 보아 남자 여럿 잡을 상이며 손목이 가는 것만 봐도 색기가 있는 거라고 했다. 할머니는 이모에게 어째 그렇게 사람 보는 눈이 없냐고, 저들 남매를 집에 끌어들여 시끄러운 일이 분명 한 번쯤은 있을 거라고 통박을 주었다. 그러면 이모는 이모대로 볼멘소리를 했다. (은희경, 『새의 선물』, p. 279, 문학동네)

♣ 경주에 간 우리는 한 유스호스텔에 도착해서 열 명씩 한 방에 들어갔다. 어떤 애가 팩 소주를 몇 개 가져와서 우리는 술을 돌려 마셨다. 팩 입구에 입을 대고 한 입씩 마시는 식이었다. 내 몸에는 알코올을 분해할 수 있는 효소가 없었고 나는 그전까지 내가 그런 사람인 줄 몰랐다. 나는 혼자 걷지 못할 정도로 취했다. 유나는 나를 부축해서 화장실에 데려갔고 토하는 내 등을 두드려줬다. 메스꺼움이 가시자 어쩐지 무척 기분이 좋아졌다. 나를 무겁게 짓누르던 감정이나 생각이 깃털처럼 가벼워지는 느낌이었다. 곁에 있는 유나에 대한 사랑이 쿵쿵거리는 내 심장 소리와 함께 피부로 느껴졌다. 평생을 함께한 쑥스러움과 부끄러움이 힘을 잃었고 알 수 없는 용기가 마음 깊은 곳에서부터 피어올랐다. 내가 늘 꿈꾸던 내 모습, 우물쭈물하지 않고 하고 싶은 말을 하는 용기 있는 모습이 겨우 소주 몇 모금에 이렇게 쉽게 주어지는 것이었나. "유나야."

나는 비상구 계단에 앉아서 내 곁에 앉은 유나의 어깨에 머리를 기댔다. 유나는 나를 받아줬지만 그 상황을 **달가워하는** 것 같지는 않았다. 작은 배에 올라탄 것처럼 어지러운 와중에도 나는 유나가 나와 단둘이 있는 상황을 견디고 있다고 추측했다. 그런 유나가 나와 단둘이 있는 상황을 견디고 있다고 추측했다. 그런 유나가 내게 바라는 건 뭘까. 나는 고개를 들어서 유나의 얼굴을 봤다. 공기가 꼭 물처럼 일렁이고 있었고 유나의 얼굴도 또렷하게 보이지 않았다. (최은영, 『애쓰지 않아도』, p. 21-22, 마음산책)

125. **달구치다** : 무엇을 알아내거나 어떤 일을 재촉하려고 꼼짝 못하게 몰아치다.

♣ 내게는 두 살 터울 남동생이 있다. 부모님이 일하시느라 둘이 껌처럼 붙어 다닐 수밖에 없던 시절이 있었는데 뭣 때문인지 기억나지 않지만 티격태격했다. 내가 잘잘못을 따졌지만 말귀를 알아듣는지 못 알아듣는지 무조건 아니라고만 해서 복장 터지게 만들었고, 급기야 내 입에서 쏟아져 나온 말들이 동생을 <u>**달구치기에**</u> 이르렀다. 그때 동생 모습이 지금도 선하다.

열여섯, 열여덟이라면 모를까, 여섯 살이 여덟 살을 말로 이기기란 여간해서 힘들다. 키 차이도 꽤 나서 동생 정수리가 내 가슴께밖에 오지 않았다. 커다랗게 치켜 뜬 동생의 까만 눈에 그렁그렁 물이 차오르기 시작했다. 뭐라고 반박하고 싶어도 말발이 턱도 없고 일방적으로 말에 꼬집히고 두드려 맞는 게 분해 부들부들 떨면서도 악착같이 눈물을 참고 있었다. 어린이의 눈시울에는 눈물을 가둘 힘이 없는 법이다. 이내 눈물을 주룩 주룩 쏟는데 그 품이 너무 웃기고 귀여워 배시시 웃음이 새버렸고 동생은 엉엉 울음을 터트렸다. 그때 동생의 울음은 자기 속에 정체모를 연기처럼 꽉 들어찬 미지의 언어를 향한 분노였으리라. (유선경, 『어른의 어휘력』, p. 77)

126. **달콤하다** : 감칠맛 나게 알맞게 달다.

<여린 느낌 - **달곰하다** / **달금하다** - 달곰하다의 큰말>

♣ 씁쓸하고도 <u>**달콤한**</u> 입맞춤이었다. (양귀자, 『모순』 p. 278)

♣ “동양 사람에게 꿈은 깨야 하는 것이고 이룰 수 없는 헛

된 것이고 악몽이지. 서양은 **달콤해**. 드림이잖아. 무지개를 좇아서 식민지 만들고 나노테크놀러지를 만들고 로봇을 만들었지. 전부 꿈이 이룬 거야. 나는 두 가지 꿈을 다 꾸네. 깨어나는 꿈도 있고 목마름의 꿈도 있어. 목마름의 꿈은 계속꿔. 이뤄지면 또 꾸지." (김지수, 『이어령의 마지막 수업』, p. 201)

♣ 여든에서 아흔이 되기까지의 10년 동안 내가 전성기로 들어선 후에는 기념할 만한 **달콤한** 기억들이 많다. 내 인생을 통틀어 가장 긴 장편인 80만 자에 달하는 저서 《당사》를 집필한 것은 매우 소중한 추억이다. 2년 동안 날마다 비가 오나 눈이 오나 도서관에 출퇴근하며 원고에 몰두했다. 그동안 계절이 몇 번이나 바뀌었고, 교정의 풍경도 새록새록 옷을 갈아입었다. 봄에는 붉디붉은 꽃이 피고, 여름에는 연꽃 향기가 연못을 감돌았으며, 가을에는 교정 전체가 붉게 물들고, 겨울에는 순백색이 대지를 뒤덮었다. 인간 세상의 신선경이 바로 이곳이 아니던가. 하지만 그 2년 동안 나는 거의 날마다 이 아름다운 풍경을 보고도 못 본 척했다. 아니 아예 눈길조차 주지 않았다. 내 마음속을 가득 채운 것은 도서관 서가를 빽빽이 채운 책들이었고, 후각마저 책 냄새에 점령당하고 말았다. (지셴린, 『다 지나간다』. p. 232)

♣ 이렇듯 쇼펜하우어가 말하는 사랑은 **달콤한** 환상 뒤에 이 세상에 영원히 남으려는 의지가 강하게 작동한다. 우리는 그런 사실을 전혀 알아채지 못한다. 이런 점에서 생식의 목적은 죽음을 넘어서 영원한 삶에 대한 욕망을 실현하는 데 있다. 또한 그것은 개인의 살려는 의지를 실현한 것이 아니라 종족의 의지를 실현한 것이다. 예를 들어, 사람은 자신의 취향대

로 상대방을 골라서 자유롭게 연애를 하고 결혼을 해서 아이를 낳는다고 착각한다. 하지만 실제로는 자기 집안의 대를 이은 것에 불과하다. 쇼펜하우어의 주장대로라면 상대방에게 프러포즈를 해서 차이는 경우는 개인의 슬픔이 아니라 그 집안의 대가 끊길 수 있다는 점에서 큰 상처가 된다. 실연은 개인의 아픔이 아니라 그 집안의 생명이 끊기느냐 이어지느냐의 중대한 일인 것이다. 그 바탕에는 영원히 죽지 않고 존재하려는 삶에의 의지가 있다. (강용수, 『마흔에 읽는 쇼펜하우어』, p. 146-147)

♣ 과일 가게 앞을 지날 때는 **달콤한** 과일 향이 솔솔 났어요. "슝슝아, 어디 가니?" "엄마 찾으러 가요." "바나나 사고 저쪽으로 가셨어." "네, 점프, 점프. 통통."

(글 고현숙, 그림 고유진, 『슝슝이가 하는 말』, p. 12-13)

♣ 우리 인생에서 가장 모순되지 않은 것이 있다면, 그것은 인생 자체가 모순투성이라는 것이다. 인생에 일어나는 일련의 사건들은 분명하게 구분 지을 수 없다. 그것은 좌절과 승리, 추악함과 순결함, 절망과 희망을 뒤섞어 버무린 샐러드와 같다. 당황스럽게도 불행은 행복과 너무나 밀접한 관계에 있으며, 악 역시 선과 아주 가까운 곳에 있다.

삶은 어떤가? 그것은 죽음의 겨우 한치 앞이 아닌가? 역설적이지만 악 역시 선 바로 가까이에 있다. 그것은 마치 투명하고 얇은 커튼 한 장으로 둘을 분리하고 있는 것과 같다. 정확한 시기에 적당한 유혹이 약한 부분을 향해 제대로 겨냥되었을 때는, 어떤 사람도 커튼을 열지 않은 채 견뎌낼 수 없을 것이다.

삶의 모순. 그것은 **달콤한** 승리와 무너지는 실패를 동시에 가져다 줄 수 있다. 한날에 재결합과 분리라는 두 가지 상반된 일이 일어날 수 있으며, 똑같은 출생도 고통과 평화 이 둘을 동시에 가져다 줄 수 있다. 진리와 반(半)만의 진리가 같은 자리에 종종 앉아 있기도 한다. 이러한 맥락으로 야고보 역시 한 입에서 선과 악, 찬송과 저주가 나올 수 있다고 했다.
'삶이 조금만 더 단순하다면!' 그러고는 이렇게 결론을 내린다. '그러면 좀 더 추측하기가 쉬울 텐데.'

(맥스 루케이도, 『구원자 예수』, p. 231-232)

♣ 바로 그다음 날, 1691년 2월 12일 월요일 오전 9시, 전혀 괴로워하지 않는 모습으로, 맑은 정신을 유지한 채, 아무런 요동 없이, 로렌스 형제는 이 세상을 떠나 주님의 품에 안겼습니다. 마치 편히 잠든 사람처럼 평화롭고 고요하게 자기 영혼을 하나님께 올려드렸습니다. 로렌스 형제의 죽음은 마치 **달콤한** 꿈나라로 빠져드는 것처럼 이 고달픈 세상살이에서 저 복되고 행복한 천국으로 살며시 들어갔습니다. 앞서 거룩한 삶을 살다가 이 세상을 떠난 사람에게 과연 무슨 일이 기다리고 있을 것인가를 어림짐작해 본다면, 도대체 어떻게 로렌스 형제에게 이처럼 편안한 천국행 말고 다른 일이 일어났다고 감히 생각할 수 있을까요?

진실로 하나님께서는 로렌스의 죽음을 소중히 여기셨으며, 숨을 거두자마자 곧바로 영원한 상급을 허락하셨으며, 로렌스 형제는 다른 성도들과 함께 지내면서 지금 이 순간에도 하나님의 영광을 마음껏 누리고 있다고 분명히 말씀드리고 싶습니다. 이것은 고인을 향한 입에 발린 칭송이 전혀 아닙니다. 하나님과 더불어 로렌스 형제는 믿음으로 천국을 분명히 보는 상급을 누렸으며, 소망으로 천국을 영원히 소유하는 상급을 누렸으며, 이 세상에서 보여주었던 사랑으로 천국에서 온전한 사랑으로 거듭나는 상급을 누렸습니다. (로렌스 형제, 『하나님의 임재연습』, p. 177)

127. **달큼하다** : 감칠맛이 있게 꽤 달다. 달보드레하다.

♣ 피가 뚝뚝 떨어지는 고무장갑 손에 올려진 검붉은 인육. <u>달큼하고</u> 비릿한 냄새가 동민에게까지 전해졌다.

(차무진, 『인 더 백』, p. 37)

♣ 넉살 좋은 여름이 팔랑이며 눈앞을 날고 불쑥 뒤따라 뭍으로 나온 신선한 순간들. 그 미끄덩한 것을 집어 들어 한입에 넣고 오물거리면 이곳은 알알이 <u>달큼하기만</u> 한 때로 둔갑하고 맙니다. 슬픔에 힘입어 과거를 애써 드러내지 않고 불안에 떠밀려 괜히 미래를 넘보지 않으며 오직 지금 이 순간에 머무를 줄 아는 것. 여름의 선명한 흥분 속에서만 수확할 수 있는 귀하디 귀한 초록빛 배움입니다.

(하태진, 『나는 너랑 노는 게 제일 좋아』, p. 52)

128. **달싹이다** : 가벼운 물건이 떠들렸다 가라앉았다 하다. 또는 그렇게 되게 하다.

♣ 유진은 경자 씨의 허리께에 묶인 앞치마끈을 향해 소리 없이 <u>달싹였다</u>.

(이휘빈, 『닭집여자』, 신춘문예당선소설집, 2018)

♣ 위녕, 시험은 잘 보았니? 내가 물으면 너는 언제나처럼 태연한 목소리로 '아니' 하고 짧게 대답하고 씨익 웃겠지? 엄마는 약간 어이가 없는 얼굴로 무슨 말이라도 좀 지당한 말을 하고 싶어서 입술을 <u>달싹이다가</u> 그냥 널 따라 웃고 말겠지. '시험 못 보고 불행해하는 것보다 시험

못 보고 웃기라도 하니 참 다행이다.' 아마 이렇게 말하면서 우리는 마주보고 한바탕 웃을지도 몰라. 함께 복숭아 맛이 나는 차가운 아이스티를 마시면서 너의 친구들의 자잘한 일을 듣고 있겠지. (공지영, 『네가 어떤 삶을 살든 나는 너를 응원할 것이다』. p. 112, 해냄)

129. **담배꽁초** : 포르투갈의 한 남성이 담배꽁초 무단 투기 반대 시위를 벌였다. 그가 광장에 쌓은 담배꽁초 65만 개는 시위에 참여한 1,400여 명이 일주일 동안 주운 것이었다. "많은 사람이 **담배꽁초에 미세 플라스틱이 있다**는 사실을 모릅니다. 담배꽁초가 해양 오염과 기후 위기에 일조하고 있어요." (「좋은생각」, 9월호, 2023)

130. **담지하다** : 어떤 이론이나 사상 따위를 담고 있다.

♣ 워낙 옛날부터 역사를 좋아했고 또한 소설도 좋아했습니다. 둘을 동시에 소화할 수 있는 게 역사소설일 겁니다. 이 역사소설을 멋지게 써보자는 생각은 등단 초기부터 있었습니다. 그런데 기존의 역사소설, 혹은 과거의 역사를 소재로 한 소설들을 꾸준히 검토해오면서 지양해야 할 점들이 몇 가지 눈에 띄었습니다. 이것은 영화 <박하사탕>에서 극명하게 나타납니다. 한 인물이 온전히 역사를 <u>담지하는</u> 형태, 즉 역사의 굴곡, 시련 또는 상징, 이 모든 것을 한 인물을 통해서 드러내고 그 인물이 여러 주변 인물들과 얽히면서 굴곡의 역사를 표상하는 방식입니다. 홍명희의 『임꺽정』부터 무수한 역사소설들이 이른바 이 역사적 전형에 기대고 있습니다. 그런데 저는 하나의 인물이, 비록 소설 속이라 할지라도, 역사를 체현하는 것이 가능한가에 대해서 회의적입니다. (김영하, 말하다, p. 193)

♣ 내가 갖고 있는 변화에 대한 생각이 아직도 근대적 관점을 벗어나지 못했다는 것이었습니다. 변화는 결코 개인을 단위로, 완성된 형태로 나타나는 것은 아니다. 모든 변화는 잠재적 가능성으로서 그 사람 속에 **담지되는** 것이다. 그러한 가능성은 다만 가능성으로서 잠재되어 있다가 당면의 상황 속에서, 영위하는 일 속에서, 그리고 함께하는 사람과의 관계 속에서 발현되는 것이다. 자기 개조와 변화의 양태는 잠재적 가능성일 뿐이다. 그러한 변화와 개조를 개인의 것으로, 또 완성된 형태로 사고하는 것 자체가 근대적 사고의 잔재가 아닐 수 없는 것이다.

(신영복, 『담론』, p. 242-243)

131. **답세기** : 짚 따위의 잘게 부서진 것.

♣ 아들을 시체가 있는 자리에 앉혔다. 그도 들어와 문을 닫았다. 아들 입에 산소마스크를 대주었다. 움직일 때마다 등받이에서 **답세기**가 흩날렸다. (차무진, 『인 더 백』, p. 70)

132. **대거리** : 일을 서로 번갈아 가면서 하는 것.

♣ 그러자 또 다른 여성 노인이 **대거리**를 하는데, 이제는 월경도 진작 끝났고 젖 먹일 아이도 없고 남편도 늙어서 마누라를 속썩일 힘이 없어졌으니, 늙음을 복으로 알고 살아야 한다면서, 약을 먹어서 병이 낫는다면 죽을 놈이 누가 있겠느냐, 어차피 이약 저약 먹어봐야 다 마찬가지니까 병원을 바꿀 필요가 없다는 것이었다.

(김훈, 『연필로 쓰기』, p. 32)

♣ 마을 늙은이들은 어이없어했다. 두 여자는 밭을 매다가 호미를 동댕이치고 싸웠고 논의 김을 매다가 흙 묻은 손으

로 서로 할퀴며 싸웠다. 그러나 이해관계에서는 언제나 그들 공동의 이해로써 합심하게 되는 데는 놀랍고 신기로움을 금할 수 없었다. 도부꾼이 와서 곡식과 해물을 바꿀 때 약간의 셈이 잘못되었다 하여 시비가 벌어졌을 때도 두 여자가 한꺼번에 **대거리**를 하는 바람에 도부꾼은 달아나다시피 했고 두 여자는 한꺼번에 덤볐으며 봉기가 물꼬를 막으면 트고 하여 밤을 꼬박이 지새다시피 두 여자는 함께 분투했다.

(박경리, 『토지 1부 3권』, p. 130-131)

♣ 살아계실 때 "왜 자네 학위 논문 안 쓰나?" 하고 꾸짖듯이 여러 차례 물으시던 박홍규 선생님 영전에 이 책을 바칩니다.
"못 쓰나?"하고 물으셨다면 "실력이 없어서요."하고 **대거리**나 할 수 있었을 텐데……. 쩝쩝.(못난 제자)

(윤구병, 『윤구병의 존재론 강의, 있음과 없음』, p. 5, 보리)

133. **대척점** : 어떤 사물이나 형상을 비교해 볼 때 서로 정반대가 되는 지점.(지구의 중심에 대하여 지구상 한 지점의 반대 측 지점)

♣ 아마도, 이승복 피살의 **대척점**에 인혁당 재건위 사건의 도예종(1924~1975)과 그의 동지 7명의 죽음이 있을 것이다. '대척점'이라고 썼지만, '연장선상'이 맞을지도 모르겠다. 두 죽음 사이의 관계를 이해하는 일은 나의 시대의 고통의 중심부이다. (김훈, 『연필로 쓰기』, p. 160)

♣ 나의 룸메이트인 경애는 정원과는 다른 의미에서 친절하고 부드럽고 예의발랐다. 정원처럼 자유나 해방 같은 것에 열광하지는 않았고 오히려 규칙적인 일상을 지키려고 노

력하는 편이었다. 자기 얘기를 별로 하지 않고 존재감을 드러내지 않아 처음에는 선뜻 가까워지기 어려웠지만 침착하고 인내심이 강한데다 나의 퇴폐적이고 불규칙한 생활을 가능한 한 용인해주고 내 괴벽도 잘 받아주는 편이라 같이 사는 데 큰 문제가 없었다. 그럼에도, 아니 그래서인지 몰라도 어느 순간, 얘가 나를 참아주고 있구나, 묵묵히 견디고 있어, 하는 느낌이 강하게 엄습할 때면 나는 숨이 막힐 만큼 높고 단단한 벽을 느끼곤 했다. 하지만 당시의 나는 무턱대고 믿었다. 뭐니 뭐니 해도 우리는 룸메이트인데다, 어쩌면 경애와 **대척**되는 나의 엉망진창인 삶의 방식이 경애의 높고 단단한 외벽을 뚫고 부영과 정원은 모르는 경애만의 어떤 내밀한 지점으로 파고들어가는 치트 키가 될 수도 있다고 말이다. 예를 들어 나는 경애가 두 손을 꼭 잡고 입가를 천천히 올려 미소 짓는 게 엄청난 당황의 표식인 것도 알았고, 웬만하며 놀란 티를 내지 않는 경애가 진심으로 놀라면 표정은 굳은 채로 두 눈썹만 들썩들썩, 누가 보면 기분 좋은 일이라도 있는 듯이 기묘하게 춤추는 것도 알았다. 무엇보다 좋지 않은 일을 당했을 때면 면벽을 하고 약간 돌출한 입을 오물거리면서 집요하게 자기만을 탓하고 용서를 비는 기도를 하는 것도 알았다. 누가 봐도 경애는 남에게 나쁜 짓을 하지 않을 애였지만, 그래서 나는 혹시라도 경애가 나쁜 짓을 하게 되면 절대 스스로 인정하지 않을 것도 알았던 것 같다.

(권여선, 『각각의 계절』, p. 12-13, 문학동네)

134. **더치다** : 낫거나 나아가던 병세가 다시 더하여지다.

135. **더껑이** : ① 몹시 찌든 물건에 앉은 거친 때. ② 걸쭉한 액체의 거죽에 엉겨 굳거나 말라서 생긴 꺼풀. (표준어: **더께**)

♣ 빡빡머리는 녹은 타이어에서 튄 <u>더껑이</u>가 자신의 워커에 묻자 부분을 콘크리트에 비벼대며 삐딱한 눈으로 동민을 쳐다보았다. (차무진, 『인 더 백』, p. 30)

♣ 여름에 등물을 좋아하는 것도 여전하다. 그들에겐 목욕탕에서 더운 물로 목욕한 역사보다 동물의 역사가 훨씬 더 길다. 어려운 집의 어린 신랑 각시로 만난 해부터였으니까. 새색시는 신랑의 넓은 등 전체에 시뻘겋게 <u>더께</u>가 앉다시피 한 땀띠와 떡 벌어진 어깨에 부풀어 오른 지게 자국을 얼마나 절절하게 가여워했던가. (박완서, 『노란집』, p. 52)

♣ 그런 것들한테 오염되기 이전의 모성은 얼마나 당당하고 넉넉하고 아름다운가. 이 판화 <젖먹이는 엄마>는 우리로 하여금 시간의 <u>더께</u>를 벗고, 박수근의 진국스러운 여성관과, 우리가 잃어버린 진정 소중한 것이 무엇인가를 뭉클하니 환기시킨다. (앞의 책, p. 266-267)

♣ 군대는 도피처였다. 그렇다는 것을 휴가 첫날 바로 깨달았다. 집은, 부모님은, 현실은, 그대로였다. 부모님은 셋방마저 잃고 손바닥만 한 가게의 쪽방에서 생활하고 있었다. 물건마다 <u>더께</u> 먼지가 쌓여 있어서 기침만 해도 온 집안이 자욱해지는 느낌이었다. 어머니의 머리와 어깨에도 먼지가 쌓여 있는 것 같았다. 휴가 내내 아버지의 얼굴을 한 번도 못 봤다. 담이 이모가 돌아가셨다고 어머니가 말했다. 병을 알고 죽기까지 반년도 채 안 걸렸다고 했다. 부대에서의 내 고민, 내 걱정, 내가 겁내었던 것, 나의 모든 예상이 하찮게 느껴졌다. 담이 혼자 이모를 잃었다. 그것도 모르고 나는 군대로 도망갔다. 도망간 곳에서 건강해진다는 기분에 취해 있었다. 쓸모

없는 자신감에 들떠 있었다. 명백해졌다. 내가 담을 버렸다. 버려놓고, 보고 싶었다고, 그리웠다고, 실은 늘 네 생각뿐이었다고 무책임한 고백을 하려는 것이었다. 다시 도망가고 싶었다. 당장 부대로 돌아가서 묵묵히 땅을 파고 나무를 뽑고 흙을 고르고 싶었다. 무장하고 연병장을 돌고 또 돌고 싶었다. 의식을 잃을 때까지 달리고 기고 밟히고 싶었다.

(최진영, 『구의 증명』, p. 131-132, 은행나무)

136. **덕질** : 특정 분야나 인물에게 열중하는 행동.

♣ 또 하나 필요한 것은 심취하는 것이다. 어떤 것에 빠지는 것은 일종의 중독이다. 그래서 사람들은 그에 대해 대부분 좋지 않게 말한다. 컴퓨터 게임이나 드라마, 모형비행기 날리기에 중독 된 청년 이야기를 꽤 듣게 되지만, 이런 '**덕질**'을 긍정적으로 평가할 시점이다. 어떤 것에 빠지면, 수천수만 시간을 한 가지 분야에 투자하게 된다. 빌게이츠는 젊은 시절 컴퓨터 프로그래밍에 빠졌고, 스티브 잡스는 켈리그래피와 디자인에 심취했다. 워런 버핏은 12세 때 처음 용돈으로 주식 투자를 한 뒤부터 거의 투자에 중독이 되었다. 그러나 오늘날 아무도 게이츠, 잡스, 또는 버핏이 젊은 시절을 허비했다고 말하지 않는다. 오히려 그렇게 무언가에 심취했기에 상당한 수준에 도달하기까지 필요한 수천 시간을 투자할 수 있었다. 한 분야에 빠지는 것이 바로 능력의 엔진이다. 이렇게 심취하는 것의 반대는 싫어하는 것이 아니라, '그다지 흥미가 없는 것'이다.

(롤프 도벨리, 『불행 피하기 기술』, p. 105, 인플루엔셜(주))

137. **덜름하다** : 입은 옷이 몸에 비하여 길이가 짧다.

♣ 어머니는 계절이 바뀌어 지난해 입은 옷을 꺼내 입히실 적마다 말씀하셨다. "작년에 산 옷도 **덜름하네**." 그래서인지 어렸을 적에 옷 입은 기억을 떠올리면 몸통이 째거나 하기보다 소매나 바짓단 아래로 팔목, 발목이 쑥 나와 있을 때가 많아 찬바람 불기 시작하면 꽤 시렸다.(유선경, 『어른의 어휘력』)

138. **데드 카피**(dead copy): 어떤 것이든 원형 그대로 가져 오는 것.

♣ 일본은 전통적으로 외국 문화를 그대로 들여오는 습성이 있습니다. 이를 '**데드 카피**dead copy'라고 하는데 어떤 것이든 원형 그대로 가져오는 겁니다. 개화기 때 일본 사람들의 공을 보면 알 수 있다고 합니다. 그들은 서양에서 기계만이 아니라 서양인들의 키에 맞춘 작업 의자까지도 모양 그대로, 크기 그대로 들여왔습니다. 그래서 작업할 때 보면 의자에 앉은 일꾼들의 발이 모두 동동 들려 있었다고 합니다.

(이어령, 『빵만으로는 살 수 없다』, p. 22)

♣ 그런데 한국은 어떻습니까? "사람이 떡으로만 살 것이 아니요." 일본처럼 **데드 카피**를 하지도, 중국처럼 추상화하지도 않았습니다. 빵을 한국 문화에 적용해 그 외형이 가장 비슷하다고 생각한 떡으로 번안한 것입니다. 한국인의 창의적 변용 능력의 예는 이뿐만이 아닙니다. 한자 문화가 한반도를 압도했을 때도 한국 사람은 그 한자말에 무조건 백기를 든 것이 아닙니다. 세 살 때 어머니에게 배운 토박이말을 갖다 붙였던 거죠. 그래서 한국인들은 고래 잡으러 동해東海로 가지 않고 '동해 바다'로 간다고 합니다. 역전이 아니라 역전앞, 처가가 아니라 처갓집, 황토가 아니라 황토흙, 모두가 그렇습니다. 그리고 중국에서 들어온 떡은 호떡이라

고 하고, 일본에서 들어온 것은 모찌떡이라고 합니다. 그래서 토박이 민중들은 서양의 빵 역시 빵떡이라고 부른 적도 있지요.

(이어령, 『의문은 지성을 낳고 믿음은 영성을 낳는다』, p. 28, 열림원)

139. **데면데면하다** : 사람을 대하는 태도가 친밀감이 없이 예사롭다.

♣ 그 무렵까지도 한가족이나 다름없이 좋은 일 궂은 일은 물론 물질까지도 공유해 온 두 숙부들 또한 우리 앞에서 숙모들을 대하는 태도는 **데면데면하기가** 이를 데 없었다. 숙부들의 그런 태도가 홀로 된 형수를 위한 당시의 법도에 맞는 배려였다는 걸 알게 된 것은 어른이 된 후였지만, 아기가 태어나기 위해서는 성관계가 있어야 된다는 걸 안 건 꽤 일찍부터였다고 생각한다.

(박완서, 『그 많던 싱아는 누가 다 먹었을까』, p. 189)

♣ 그런데 어떻게 살아야 꼼꼼하게 사는 것일까? 위 선생 부부는 글에서 이 뜻을 설명해주지 않았고, 내겐 이 문제가 아직도 수수께끼로 남아 있다. 무례를 무릅쓰고 내가 직접 해석해보자면, 아마도 꼼꼼하게 산다는 것은 조금 더 고상하게, 조금 덜 거칠게, 또 조금 더 부드럽게, 조금 덜 **데면데면하게** 사는 것이 아닐까. (지셴린, 『다 지나간다』, p. 269)

♣ 한탄을 하다가 욕을 하다가, 그러나 고약한 성미는 아닌 듯 싶었고 유족한 살림이나 언동으로 보아 행세하는 집안 같지는 않다. 손톱을 짧게 깎은 결벽증도 신체에 한한 것인 성, 일상에서는 **데면데면하여** 몸을 저미듯 울고 있는 영광 네에 비하면 감정의 농도는 훨씬 떨어진다.

(박경리, 『토지 4부 2권』, p. 297)

140. **데퉁스럽다** : 말과 행동이 거칠고 미련한데가 있다.

♣ 그날 밤 아버지는 내 방으로 건너와 넌지시 운동을 배워보고 싶냐고 물었지만, 영문도 모른 채 얻어맞아서 억울한 마음이 남았던 나는, 그딴 거 안 한다고 **데퉁스럽게** 말했다.

(나규리, 『빈 세상을 넘어』)

141. **도도록하다** : 가운데가 조금 솟아서 볼록하다.

♣ 벌어진 상처 주변으로 노란 고름이 엉겨있고, 주변은 **도도록하게** 부어올라 있었다.

(임채묵, 『야드』, 신춘문예당선소설집, 2018)

142. **도드라지다** : ① 가운데가 볼록하게 쏙 내밀다.

② 겉으로 뚜렷하게 드러나다.(큰말: **두드러지다**)

♣ 메어린의 흰자위는 튀어나올 듯 **도드라졌고** 실지렁이 같은 핏기가 맺혀 있었다. 두 사람의 힘이 총으로 몰리고 있었다. 동민이 찌른 총, 메어린이 잡은 총이 수평으로 바르르 떨며 둘을 하나로 연결했다. (차무진, 『인 더 백』, p. 342)

♣ 스타벅스의 세이렌 역시 인어로 그려져 있는데, 1971년 설립 당시 심벌마크는 훤히 드러난 가슴에 인간의 다리처럼 둘로 나뉜 꼬리를 양 옆으로 크게 벌리고 있어 인어 형상이 더욱 **도드라진다.**

(이랑주, 『THE NEW 좋아 보이는 것들의 비밀』, p. 40, 인플루엔셜)

♣ 이석우 카카오 전 대표는 어느 대학 강연에서 "사람 눈에 가장 **도드라지는** 색깔인 노란색과 검은색으로 카카오톡 로고를 디자인했다."고 말했다. (앞의 책, p. 66)

♣ 불그스름하고 얄팍한 입술, 쏘는 듯 강한 눈동자, **도드라져서** 모가 난 관골과 날카로운 콧날, 창백한 낯빛, 모두가 생시 그대로의 얼굴이었다. 화가 났을 때 뱅글뱅글 도는 것만

같이 보이던 입매조차 생생하게 느껴졌던 것이다.

(박경리, 『토지 1부 4권』, p. 130)

♣ 믿음은 로렌스 형제에게서 아주 **도드라진** 주요 덕목 가운데 하나였습니다. "오직 의인은 믿음으로 말미암아 살리라"(롬 1:17)는 말씀처럼 믿음은 로렌스 형제의 영에 자양분과 생명력을 불어넣었습니다. 믿음은 로렌스 형제의 영혼을 성장시켜 내적인 삶에 가시적인 커다란 진보를 이루어냈습니다. 로렌스 형제로 하여금 온 세상을 자기 발아래 두고서 거기에 냉담한 자세를 유지하면서 세상에 속한 것들을 조금이라도 마음속에 두지 않도록 한 것도 역시 믿음입니다. 믿음은 로렌스 형제를 하나님께로 인도하였으며, 만물보다 하나님을 더 높였으며, 오직 하나님만을 소유하는 데서 행복을 찾도록 하였습니다. 믿음은 훌륭한 스승이었으며, 오직 믿음만을 통해서도 이 세상의 모든 책을 다 읽어서 얻을 수 있는 것보다 훨씬 더 많은 배움을 얻었습니다.

(로렌스 형제, 『하나님의 임재연습』, p. 158)

143. 도사리 : 다 익지 못한 채로 떨어진 과실.

♣ 사람을 물건이나 상품으로, 사람의 감정이나 마음을 도구나 수단으로 취급하면서 자신이 무슨 말을 하는지 의식조차 못하는 이가 최악이다. 그런 사람들이 하는 말은 씨알머리가 없다. **도사리** 같다. 말의 힘은 말하는 사람의 인격으로 획득된다. 인격은 연출이 불가능하다.

(유선경, 『어른의 어휘력』, p. 104)

♣ 용이는 석이 때문인지 일손을 빨리하며 물었다. 연학이도 부지런히 손을 놀리며, "저승 염라대왕도 그런 악종은 마다

하는 가 부지요. 세상일 참말로 귀떡 맥히요. 살아서 좋은 일 할 사람은 모조리 잡아가고 천벌을 받아 마땅한 놈은 **도사리**겉이 살아남아서," "그놈, 또 없는 사람 피 많이 빨아묵겄나."

(박경리, 『토지 3부 3권』, p. 40)

144. **도저하다** : ① 학식이나 생각, 기술 따위가 아주 깊다.

② 행동이나 몸가짐이 빗나가지 않고 곧아서 훌륭하다.

♣ 황현산 선생의 대답도 비슷해서, 글쓰기로 더 나은 세상을 꿈꾼다 합니다. "나는 내가 품고 있던 때로는 막연하고 때로는 구체적인 생각들을 더듬어내어, 합당한 언어와 정직한 수사법으로 그것을 가능하다면 아름답게 표현하고 싶었다. 그 생각들이 특별한 것은 아니다. 존경받고 사랑받아야 할 내 친구들과 마찬가지로 나도 사람들이 자유롭고 평등하게 사는 세상을 그리워했다. 이 그리움 속에서 나는 나를 길러준 이 강산을 사랑하였다. 도시와 마을을 사랑하였고 밤하늘과 골목길을 사랑하였으며, 모든 생명이 어우러져 건강하고 행복하게 사는 꿈을 꾸었다. 천 년 전에도, 수수만년 전에도, 사람들이 어두운 밤마다 꾸고 있었을 이 꿈을 아직도 우리가 안타깝게 꾸고 있다. 아는 내 글에 탁월한 경륜이나 심오한 철학을 담을 형편이 아니었지만, 오직 저 꿈이 잊히거나 군소리로 들리지 않기를 바라며 작은 재주를 바쳤다고는 말할 수 있겠다."

나는 뭔가 싫었습니다. 문학이 인생이고 인생이 문학이라는 저 **도저한** 경지는 가늠조차 안 되고, 세상을 바꾸는 글쓰기, 사람들의 꿈을 지키는 글쓰기를 떠올리자니 그 언저리에도 미치지 못하는 것 같습니다. 그러하니 저는 선생들의 글을 읽으며 희망과 절망을 동시에 맛봅니다. 선생들의 명징한 생각 조각에 삶과 세상을 밝힐 희망을 보고, 그러나 그와 같은 글쓰기가 내게는 있을 수 없으리라는 절망을 느낍니다. 소설가인 제 은사님도 다른 듯 또 비슷한 이야기를 해준 적이 있습니다. 청년 시절, 동년배 친구였던 김승옥의 소설을 읽고 심각한 질투심에 사로잡혔었다고 말입니다. 당시 김승옥의 소설을 읽고 나서, 글쓰기를 포기해버린 사람들도 더러 있었다고까지 합니다. 글쓰기만 어디 그러할까요. 세상에는 우리가 가야 할 길을 앞서 밝혀주는, 명석한 머리와 같은 사람들이 있습니다. 또 열정어린 박동으로 삶을 고무하는 심장 같은 이들도 있습니다. 단호한 행동과 지치지 않는 끈기로 손과 발 노릇을 하는 이도 있습니다. 어디서나 걸출한 소위 '천재'들도 있습니다. 얼음판 위에서 휘리릭 도니 '트리플 악셀' 점프가 되고, 땅 위에서 성큼성큼 내달리니 금세 100미터 결승점이라 하는, 그런 사람들 말입니다. 물론 그들이 식은 죽 먹기처럼 그 대단한 성과를 획득하지 않았음을 누구나 압니다. 또 그러나 어릴 때부터 열심히, 더 열심히 노력한다고 해서 그들처럼 될 수 있는 건 아니라는 사실도 누구나 다 압니다. (김연숙, 『박경리의 말』, p. 276-278)

♣ 윤도집은 혜관의 말을 가로막는다.

"용운이 그 사람을 말하잘 것 같으면 학식이 <u>도저하고</u> 문장은 능히 종장의 영역이요 젊음과 패기 또한 늠름하지 않소이까? 민종식과 함께 의병을 일으킨 그의 부친이나 형을 보더라도 뼈대 있는 집안," 이번에는 혜관이 윤도집의 말을 가로막는다. (박경리, 『토지 2부 2권』, p. 348)

145. 독려하다 : 일이 잘못되지 않도록 살피며 격려하다.

♣ 구달 선생님과 음식점에 가면 반드시 벌어지는 일이 있다. 선생님은 사람 수에 맞춰 무작정 컵에 물을 따르려는 사람이 있으면 꼭 말리신다. 마시고 싶어 하는 사람에게만 따라 주라고 하신다. 그러고는 이 세상에 그 한 컵의 물조차 없어서 고생하는 사람들이 엄청나게 많다는 사실을 일깨워주신다. 구달 선생님은 채식을 할 경우에도 어떤 채소와 과일을 먹어야 하는지에 대해 구체적으로 명확한 지침을 주신다. 거대 다국적 기업이 생산하여 거대 슈퍼마켓 체인이 유통시키는 현실의 이면을 들여다보아야 한다고 강조하신다. 이제 막 열린 시퍼런 토마토들이 트럭이나 비행기 안에서 억지로 익은 다음 동네 가게에 진열된다. 그러기 위해 얼마나 많은 화석 연료가 사용되어 공기를 오염시키고 급기야는 지구온난화를 촉진하게 되었는가를 이젠 정말 심각하게 고민해야 할 때가 되었다. 신선도를 유지하기 위해 또 얼마나 많은 화학 물질이 뿌려졌는지도 알아야 한다. 그런 물질이 우리 식수를 오염시키고 있다.

구달 선생님은 이 책 『희망의 밥상』에서 나 한 사람이 과연 무슨 힘이 있겠느냐 하는 생각으로 주저앉지 말라고 <u>독려하신다</u>. 그리고 실제 우리가 할 수 있는 많은 일을 아주 구체적으로 말씀하신다. 그런 모든 지침에 나도 한마디 거들겠다. 바로 "소비자가 세상을 바꿉니다"라는 말이다. 소비자가 원하면 바뀔 수밖에 없는 게 상업이고 그러면 제조업과 농업도 변할 수밖에 없다. 이 책을 읽고 모두 나름대로 작은 혁명을 일으키기 바란다.(※ 『희망의 밥상』 <제인 구달 외>, 최재천교수 서평 중) (최재천, 『과학자의 서재』, p. 288-289, 움직이는서재)

146. **동어반복** : 한 단어나 문장에서 동의어나 유의어를 되풀이 해서 쓰는 것을 말한다.(유의어 반복)

♣ 10년 전에 할 말 다하고 **동어반복**하는 사람은 유언조차 할 수 없는 사람이라고, '죽음 전에 이미 죽어버린 사람'이라고, 스승은 일갈했다.(김지수, 『이어령의 마지막 수업』, p. 176)

♣ 색은 종잡을 수 없고 개념에 가둘 수 없다. 노란색을 '개나리색이다, 해바라기색이다'라고 말하거나 '빛이 프리즘을 통과할 때 전개되는 스펙트럼 중에서 세 번째 층위이다'라고 말해봐도 **동어반복**이고 하나 마나 한 말이고, 아무 말도 못한 말이다. (김훈, 『연필로 쓰기』, p. 352)

147. **되록거리다** : ① 크고 동그란 눈알이 힘 있게 자꾸 움직이다. 또는 그렇게 되게 하다. ② 성난 빛이 행동에 나타나다.

♣ **되록거리는** 동민의 눈에서 뻗어 나간 살기가 피로 번들거리는 식인자의 이마에 튕겼을 무렵, 동민이 한마디를 내뱉었다. (차무진, 『인 더 백』, p. 346)

148. **되우** : 아주 몹시, 되게, 된통.

♣ 글에 말을 보태야 한다면 실패한 원고다. 내 원고는 이미 실패했다. 그래도 의도는 설명해야겠다 싶어 무엇이 이해되지 않느냐 물었다. 그가 잔뜩 억울해하며 성토했다. "왜 나무한테 배우냐고요. 대나무! 소나무! 나무가 말해? 이상하잖아요!" 맙소사! 난 **되우** 놀라 할 말을 잃었다. 이런 대화를 옆에서 듣고 있던 PD가 냅다 일갈했다. "의인화라고, 의인화! 의인화 몰라? 너는 어렸을 때 동화책도 안 읽었냐?" 그 때 알았다. 세상에는 나무가 말하는 걸 상상하지 못하는 사람이 있구나. 나무가 말하면 이상한 일이라 하는

사람이 있구나. 그러고 보니 처음 겪은 일이 아니다. 까마득히 잊고 지낸 옛일이 떠오른다. 중학생이 되도록 일요일 아침마다 TV에서 하는 디즈니 만화 시청하는 게 낙이었다.

(유선경, 『어른의 어휘력』, p. 93)

149. **되작거리다** : 무엇을 찾느라고 이리저리 자꾸 뒤지다. **되작대다.**
[큰말] **뒤적거리다.** [거센말] 뒤척거리다.

♣ 요즘 세상에서 '글 쓰는 판사'로 불리는 문유석도, 『쾌락독서』에서 '쾌락/재미'를 아주 중요하게 내세웁니다. 그는, 독서란 재미와 기쁨을 찾는 일이 되어야 한다고 합니다. 더 나아가 인간은 끊임없이 새로운 즐거움을 찾고자 쾌락을 좇아 모험을 했고, 그로 인해 풍요로운 문화가 이루어졌다고 말합니다. 상상력과 재미, 그것이 인간 세계를 만든 근원이라는 거지요. 『토지』의 천민 목수(윤보)와 대한민국 판사가 사는 모습은 그야말로 천양지차이겠지만 이 둘이 묘하게도 '재미'라는 말로 공명합니다.

또 『쾌락독서』의 저자도 책 속만이 아니라 삶의 매순간마다 '사는 재미'가 중요함을 '재미있게' 보여줍니다. 그가 두 딸을 데리고 유럽 여행을 떠났을 때입니다. 아빠는 많은 것을 하고 싶었습니다. 박물관과 미술관으로 가득한 유럽 문화, 문명의 자산을 아이들에게 보여주고 싶었습니다. 하지만 그의 익살스러운 표현처럼 그 유명한 곳들에는 "인류의 보물이 가득했지만, 인류도 가득"했습니다. 바티칸 미술관을 다녀온 날 밤, 아빠는 지쳐 쓰러진 아이들의 머리맡에 앉아 자신을 되돌아봅니다. 어린 아이들을 이끌고 '유럽에 원수 진 것도 아닌데 생전 다시는 안 오는 걸 목표'로 삼은 양 비장하게 관광 명소를 훑고 다녔습니다. '미션 클리어(mission complete)'를 수행하는 비밀 요원처럼 말입니다. 그런데 큰딸이 묻습니다. "아빠, 무너진 돌무더기를 왜 자꾸 봐야 해?" 돌아보니 두 아이가 모두 볼이 빨갛게 익고 머리는 산발이 되어 있더랍니다. 이후 아빠는 일정을 모두 바꿉니다. 미리 예약했던 숙소를 취소하고, 계획했던 여행 경로도 지워버렸습니다. 다음 날부터 아이들이 원하는 곳에서, 머무르고 싶은 대로 머무르고, 놀고 싶은 대로 노는 여행을 시작했습니다. 아이들은 길거리에서 그곳 아이들 틈에 끼어들어 종일토록 모래 쌓기를 하고, 동네 놀이터 미끄럼틀을 타느라 한나절을 보내기도 했습니다. 결국 그들의 유럽 여행은 "내가 사랑한 유럽 시골 놀이터 톱 10" "유럽 미끄럼틀 어디까지 타봤니"를 작성해도 될 지경이 되어버렸답니다.

'사는 재미'를 **되작거려보던** 제가 와락 웃음을 터뜨렸습니다. 저 또한 그렇게 여행이 달라졌던 경험이 있었기 때문입니다. 저도 유럽이었습니다. 엄마와 함께한 크로아티아 여행, 붉은 지붕을 이고 있는 하얀 집들이 해변에 늘어선, 아름다운 나라로의 여행이었습니다. 그 발단은 TV 프로그램이었습니다.

(김연숙, 『박경리의 말』, p. 69-70)

150. **되직하다** : 죽이나 풀 따위가 묽지 않고 조금 되다.

♣ "우리 아빠는 군수참모야."

"우리 아빠는 작전참모."

아버지들의 계급도 중령으로 같았다. 버스는 논과 밭을지나 군인 가족용 관사촌에 아이들을 내려놓았다. 인아가 먼저 자기 집으로 들어가면서 무심하게 "안녕, 내일 또 보자"라고 인사를 했는데, 서진은 난생처음 설렌다는 게 무엇인지를 알았다. 마음이라는 <u>되직한</u> 크림을 주걱으로 깊게 휘젓는 느낌이었다. 둘은 학교에서는 별다른 대화를 나누지 않았다. 학교에서는 여자아이들은 여자아이들끼리, 남자아이들은 남자 아이들끼리만 어울렸기 때문이었다. 그러나 일단 하교하고 관사로 오면 시간이 많았다. 학원도 없고 텔레비전도 잘 나오지 않는 전방의 오지에서 둘은 자신들이 읽은 몇 안 되는 책 이야기를 자주 했다. 둘에게는 같은 출판사에서 나온 위인전 전집이 있었는데, 아는 어른이라고는 부모와 선생님밖에 없던 그들의 좁은 세계에서 주로 서양 사람으로 구성된 위인들이 자연스럽게 둘의 역할 모델이 되었다. 서진은 나폴레옹같이 정복욕이 강한 시골 출신의 인물에게 끌렸던 반면 인아는 퀴리 부인이나 나이팅게일처럼 과학이나 의학 쪽에서 성취를 한 여성들을 좋아했다.

(김영하, 『오직 두 사람』, p. 89, 문학동네)

151. **두방망이질하다** : (비유적으로) 가슴이 매우 크게 두근거리다.

♣ 대위는 한탄인지 측은함인지 알 수 없는 깊은 한숨을 내쉬었다. 가슴이 <u>두방망이질했다</u>. 아이는 멀건 눈으로 대위의 팔뚝만 보고 있었다. (차무진, 『인 더 백』, p. 203)

152. **두억시니** : 모질고 악한 귀신의 하나. (박완서 소설어사전)

♣ 종종머리란 계집애들이 댕기를 들여 길게 머리꼬랑이를 땋을 수 있게 되기 전까지 빗는 머리로, 정수리로부터 머리칼을 바둑판처럼 나누어 가닥가닥 땋다가 색실이나 헝겊오라기를 들여 끝마무리를 하는 머리였다. 손이 많이 가고 매일 손질해 주지 않으면 <u>두억시니</u>같이 돼 버리기 때문에 머리만 봐도 집에서 기르는 아인지 아닌지 알아볼 수가 있었다.

(박완서, 『그 많던 싱아는 누가 다 먹었을까』, p. 39)

153. **둔주증** : 특별한 목적지도 없이 여기저기를 배회하는 증상.

154. **둔중하다** : 부피가 크고 무겁다.

♣ 어두침침한 집 안, 그림처럼 **둔중하게** 늘어뜨려져 바깥세상을 차단하고 있는 기다란 거실 커튼, 이모는 바로 그 커튼 밑에 반듯이 누워 미동도 하지 않은 채였다.

(양귀자, 『모순』, p. 286)

155. **둥지내몰림** : 젠트리피케이션을 순화한 말. 중하류층이 생활하는 도심 인근의 낙후지역에 상류층의 주거지역이나 고급 상업가가 새롭게 형성되는 현상. 최근에는 외부인이 유입되면서 본래 거주하던 원주민이 밀려나는 부정적인 의미로 많이 쓰이고 있다.

♣ 학생들은 수업 시간 외에도 모여서 모의를 해요. 서로 다른 전공의 선후배가 함께 가르치고 배웁니다. 그 시간이 진짜 수업이죠. 지금은 아현동이 재개발되어 아파트가 들어서기 시작했는데요. 여러 해 전, 도시 재개발위원회 학생들이 온종일 거기 가서 있었어요. 졸업하고 나서도 **젠트리피케이션gentrification(둥지내몰림)**을 어떻게든 막아보겠다며 그 일에 뛰어든 학생이 둘이나 됩니다. 제가 가끔 겁나요. '남의 인생을 너무 휘저어놓는 건 아닌가' 하고요. 지난 15년 동안 제 수업을 듣고 진로를 정한 아이들이 제법 많습니다. 그래도 저는 '이런 게 교육이지. 다른 게 있을까' 라고 생각합니다. (최재천·안희경, 『최재천의 공부』, p. 70-71)

156. **들척하다** : 맛이나 냄새가 들큼하다.

♣ 노인의 방 안에서 무언가를 삶는 것 같은, 고소하고 **들척한** 냄새가 났다. (차무진, 『인 더 백』, p. 296)

157. **들척지근하다** : 약간 들큼한 맛이 있다.

♣ 해물은 싱싱하지 않았고 토마토소스는 <u>**들척지근했다**</u>.

(양귀자, 『모순』 p. 232)

♣ 아카시아꽃도 처음 보는 꽃이려니와 서울 아이들도 자연에서 곧장 먹을 걸 취한다는 걸 알게 된 것도 그 꽃을 통해서였다. 잘 먹는 아이는 송이째 들고 포도송이에서 포도를 따 먹듯이 차례차례 맛있게 먹어 들어갔다. 나도 누가 볼세라 몰래 그 꽃을 한 송이 먹어 보았더니 비릿하고 <u>**들척지근했다**</u>. 그리고는 헛구역질이 났다. 무언가로 입가심을 해야 들뜬 비위가 가라앉을 것 같았다. 나는 불현듯 싱아 생각이 났다. 우리 시골에선 싱아도 달개비만큼이나 흔한 풀이었다. 산기슭이나 길가 아무데나 있었다. 그 줄기에는 마디가 있고, 찔레꽃 필 무렵 줄기가 가장 살이 오르고 연했다. 발그스름한 줄기를 꺾어서 겉껍질을 길이로 벗겨 내고 속살을 먹으면 새콤달콤했다. 입 안에 군침이 돌게 신맛이, 아카시아꽃으로 상한 비위를 가라앉히는 데는 그만일 것 같았다.(박완서, 『그 많던 싱아는 누가 다 먹었을까』, p. 76-77)

♣ "아버지의 아우가 되시니까 여기 담배보다 좀 좋은 걸 드리겠어요." 그러면서 그가 아편 병을 열었더니 <u>**들척지근한**</u> 냄새가 나고 끈끈한 물건이 담겨 있었다. 왕룽의 작은아버지가 그것을 집어 냄새를 맡아보고 웃으면서 기분이 좋아져 말했다.

"이런, 이거 너무 귀한 것이어서 지금까지 조금 피워보기는 했지만 별로 즐기지는 못했는데, 좋아하기는 퍽 좋아하지." 그러자 아무렇지도 않은 척하며 왕룽이 대답했다.

"이건 아버님이 늙으신 다음 밤에 잠이 안 온다고 그러셔서 언젠가 조금 사두었던 것인데, 사용하지 않고 둔 것이 오늘 어쩌다 눈에 띄자 이런 생각이 들더군요. '아버님의 아우 되시는 분이 계신데, 나이가 젊어 아직 필요도 하지 않는 나보다 그분께 먼저 드려야 하지 않을까? 그러니까 가지고 가셔서 피우고 싶으시거나 통증이 좀 느껴질 때면 피우도록 하세요."
냄새도 달콤한데다가 돈 많은 사람들이나 피우는 물건이라서 왕룽의 작은 아버지는 그것을 탐욕스럽게 집어 들고 가서는 물부리를 사서 하루 종일 침대에 누워 아편을 피워댔다. 그런 다음에 왕룽은 물부리를 여러 개 사다가 일부러 여기저기 내버려 두어 자기도 아편을 피우는 체했지만, 물부리를 방으로 가지고 들어가면 쓰지도 않고 그냥 놓아두기만 했다. 그리고 집안에서 두 아들과 렌화에게는 너무 비싼 물건이라는 핑계로 절대로 아편에 손을 대지 못하게 하면서도 작은아버지 내외와 그들의 아들에게는 자꾸만 피우도록 부추겼다. 집 안이 달콤한 연기 냄새로 가득했고, 평화를 찾기 위해 들어가는 돈이었으므로 왕룽은 아편을 사느라고 쓰는 은화를 아까워하지 않았다.

(펄 벅, 『대지』, p. 373-374, 문예출판사)

158. 들큼하다 : 맛이 조금 달다.(작은 말 : **달콤하다**)

159. 들큰하다 : '들큼하다'의 사투리.

♣ 늘 부드러운 스웨터 차림에 모자와 돋보기 목걸이를 걸치고 나타나는 그에게는 죽음의 **들큰한** 냄새가 아닌 달콤하고 고급스러운 캐러멜 향기가 풍겼다.

(김지수, 『이어령의 마지막 수업』, p. 45)

160. **등갑** : 거북과 같은 동물의 **등껍데기**나 **등딱지**.

♣ 악어거북. 좁은 수조에 몸을 구겨 넣은 녀석의 온몸에 녹조가 끼어 있었다. **등갑**에 난 세 개의 융기, 새의 부리처럼 생긴 턱이 독특했다.

(이혜정, 『피비』, 신춘문예당선소설집, 2023)

161. **디지털 노마드** : '인터넷 접속을 전제로 한 디지털 기기(노트북, 스마트폰 등)를 이용하여 공간에 제약을 받지 않고 재택·이동 근무를 하면서 자유롭게 생활하는 사람들'을 말한다.

♣ 3학년이 되자 모든 게 시시하게 느껴졌다. 차츰 전주에서의 삶이 무료해졌다. 내가 큰돈을 벌자 주위 사람들은 오히려 나를 멀리했다. 사람들은 성공한 사람에 대해 부정적인 감정을 먼저 가진다는 걸 이때 깨달았다. 나는 학교를 그만두고 제주도 한달살이를 떠났다. 오피스텔에서 지내면서 상담도 하고 여행도 하는, **디지털 노마드** 생활을 했다. 겉으로 보기엔 영화처럼 살고 있었다. 하지만 내 삶은 늘 쪼들리고 있었다. (자청, 『역청자』, p. 53)

162. **디폴트값** : 프로그램에서 사용자가 값을 지정하지 않아도 컴퓨터 시스템 자체에서 저절로 주어지는 값.

♣ 그제야 그는 이번 건을 맡으면서 **디폴트값**처럼 깔려 있던 꺼림칙함의 정체를 분명히 알 수 있었다.

(이현석, 『참』, 중앙신인문학상, 2017)

163. **뒤살피다** : 이모저모 두루 자세히 보다.

♣ 느리더라도 낱말에 들어 있는 뜻과 맛, 넓이와 깊이를 음미하자. '시가를 읊조리며 그 맛을 감상하다'라는 뜻인 '음미'가 요즘은 시나 노래보다 커피나 와인 등에 자주 어울려

쓰인다. 넓게는 '어떤 사물 또는 개념의 속 내용을 새겨서 느끼거나 생각하다'는 뜻이니 커피나 와인에 써도 틀리지 않다. 그렇다면 한갓지게 커피 한 잔 음미하듯 낱말을 음미해보자.
음미하면 친숙해진다. 내가 가진 유일한 재산인 시간을 내주었기 때문이다. 시간은 진짜 주인의 시간일 때만 살아 있는데 음미하는 시간이야말로 진짜 주인인 나의 시간이다. 낱말을 **뒤살피고** 음미하면 뇌의 뉴런이 새로운 연결망을 생성한다. 그 낱말에 어울리는, 혹은 너무 어울리지 않아 아이러니한 경험이나 생각이 떠오른다. 붙잡아 글로 앉혀보자. 글로 쓴 어휘는 자전거 타기나 수영처럼 장기 기억이 되어 필요할 때 수월히 활용 할 수 있다. (유선경, 『어른의 어휘력』, p. 248)

164. **따상** : 주식에서 시초가가 공모가의 배(따블)로 형성된 상태에서 상한가까지 오르면 **따상**이라고 한다.

(박영옥, 『주식투자 절대원칙』, p. 186, 센시오)

165. **떠벌림 효과**(Profess Effect) : 자신이 달성하고자 하는 목표를 공개적으로 알림으로써 주위 사람들의 지원을 얻는 방법을 말함.

166. **뜨악하다** : 마음이 선뜻 내키지 않아 꺼림칙하고 싫다.

♣ 엄마는 어울리지 않는 데는 선수였다. 근지 있는 집 아이라는 엄마의 세뇌가 먹혀 들어갔는지 나도 동네 아이들이나 안집 아이들이 **뜨악했고**, 그 애들 또한 즈이들이 다니는 학교를 우습게보고 타동네 학교를 다니는 내가 눈꼴이 시었을 것이다. 해는 길고 집안에서고 집 밖에서고 도무지 마음 붙일 데가 없었다.

(박완서, 『그 많던 싱아는 누가 다 먹었을까』, p. 84)

♣ 따라서 작가와 독자가 만나서 책 이야기를 하다보면 언제나 다소 <u>뜨악한</u> 분위기로 흘러가게 된다. 이렇게 어긋나는 일에는 익숙해져 있었지만 사장과의 대화는 유독 엇갈렸다.

(김영하, 『오직 두 사람』, p. 128)

♣ 식구들은 <u>뜨악한</u> 눈으로 용대를 봤다. 아무도 용대에게 인사를 건네거나 안부를 묻지 않았다. 용대는 비틀비틀 어머니 빈소로 향했다. 그러고 상주인 형이 만류하기도 전에 "엄마!"하고 외치며 영정 사진 앞에 자빠졌다. 사진 속 노모에게 안기기라도 할 모양새였다. 그 바람에 앞에 있던 향로가 엎어졌다. 아직 다 타지 않은 향불과 모래가 바닥에 어지럽게 쏟아졌다. 용대는 그 자리에 주저앉아 눈물과 콧물을 쏟아내며 아이처럼 울어댔다. 장정들이 그를 일으켜 세우려 했지만 용대는 몸을 비틀고 떼를 쓰며 진상을 떨었다. 다음 날, 큰형은 그에게 싸늘한 목소리로 말했다. "내가 너라면 여기 안 왔다."

(김애란, 『비행운』, p. 151)

167. **뜬금없이** : 갑작스럽고도 엉뚱하게. **'뚱금없이'**는 방언이다.

♣ <u>뚱금없이</u> 병원에 가야 한다고 말하는 선생님 눈에 눈물이 맺혀 있는 것 같았다.

(김중미, 『괭이부리말 아이들1』, p. 140)

♣ 미스터 구와 그 일행이 이 여행을 위해 일부러 조악하게 만들어 놓은 것이 아닐까. 갯벌에 높이가 다른 구조물들이 우뚝 솟아 있는 게 영 <u>뜬금없었다</u>.

(이강, 『플라스틱 러브』)

♣ 스튜디오 안은 생각보다 어수선했다. 한국의 달인 무대를 제외한 주변 공간은 온갖 잡동사니들로 채워져 있었다. 주위에서 퀴퀴한 지하실 냄새가 났다. 하루에도 몇 번씩 세트를 세웠다 부순다 하니 그럴 만했다. 발소리를 죽여 녹화장

안으로 들어갔다. 입구 한쪽에 **뜬금없이** 방치된 그리스 신전 기둥이 보였다. 그리스 철학을 배우며 겸사겸사 공부한 바로는 끄트머리가 구부러진 이오니아 양식이 틀림없었다. 기둥은 조악한 스티로폼으로 만들어져, 얕게 파인 홈마다 때가 끼어 있었다.

(김애란, 『비행운』, p. 30-31)

♣ 그런 이야기를 듣고 있노라면 잠깐씩 노마와 구를 잊을 수 있었다. 노마와 구에 상관없이도 나는 불행해졌다. 기이했다. 노마가 죽었는데, 노마의 죽음을 망각하고도 불행해진다는 것이. 구를 만나지 못하고 있는데, 그것과 별개로 불행감에 빠질 수 있다는 것이. 대신, 이모 생각을 많이 했다. 이모는 언제까지 일을 하며 내게 사랑을 표현해야 하는가. 내가 짐짝처럼 느껴졌다. 나의 미래를 돈에 연결시키니 그런 결과가 나왔다. 이모 돈 벌기 힘들지. 그렇지. 미안해. 뭐냐. 그 **뜬금없는** 사과는. 이모 나 간호사가 될까. 간호사 되면 일찍 돈 벌 수 있대. 그래 봤자 앞으로 삼사 년은 더 있어야 하잖아. 그렇지. 그럼 나 대학 가지 말까. 니가 대학에 가든 안 가든 아는 적어도 이십 년은 더 일해야 해. 어째서? 그럼 놀고 먹냐. 덜 힘든 일을 할 수도 있잖아. 남의 돈 벌어오는 일은 다 힘들어. 안 힘든 일이 어딨어. 미 안해. 니가 왜 미안하냐. 이모 힘들게 해서. 담아. 응. 나는 이 나이 되어서 부모도 서방도 자식도 없는데 니가 있어서 참 다행이다. (최진영, 『구의 증명』, p. 93-94)

♣ 역사학자 린 헌트(Lynn Hunt 1945~)는 한 발짝 더 나아가 프랑스 혁명 이후에 나타난, '형제애'라는 **뜬금없는** 구호는 절대군주제를 대체하는 오이디푸스적 해결이라고 주

장한다. 아버지를 살해한 형제들끼리의 '신사협정'인 것이다. 오늘날 전혀 다른 언어와 인종이 유럽연합EU이라는 이름하에 모일 수 있는 근거는 바로 이 형제애 때문이라는 해석까지 가능하다. 물론 이런 평화적 통합에는 독일이 가장 중요한 역할을 했다. 독일의 전후 세대는 나치 세대의 부모들을 절대 인정하지 않는다. 주말마다 TV에서 틀어대는 할리우드식 전쟁영화에서 그들의 부모들은 연합군에 의해 처절하게 살해된다. 그러나 오늘날의 독일인들은 자신들의 부모를 살해하는 연합군편이다. 끊임없는 상징적 친부 살해다. 이 고통스러운 독일의 오이디푸스적 자기부정이 있었기에 오늘날의 유럽이 가능했던 것이다. 유럽연합은 독일이라는 친부 살해의 주동자가 이끄는 형제애로 얽혀있는 것이다. (김정운, 『가끔은 격하게 외로워야 한다』, p. 197-198)

168. **뚱기다** : ① 눈치채도록 슬며시 일깨워주다.

② 팽팽한 줄 따위를 퉁기어 움직이게 하다.

♣ 엄마가 서울 간 후 할머니가 때때로 "가에다 기역 하면 각, 니은 하면 간." 하는 식으로 <u>뚱겨</u> 주시지 않았으면 그나마 아주 까먹었을 것이다. 엄마는 무슨 배짱인지 혹은 교만인지 아주 조금밖에 안 가르쳐 주시고 다 알기를 바랐고, 또 그렇게 믿으려 들었다. 나로서는 깨쳤다기보다는 깨친 척할 수밖에 없었다.

(박완서, 『그 많던 싱아는 누가 다 먹었을까』, p. 31, 웅진)

두려움

1. 프로도 **두려움**을 느낀다.
대중 강연가로 명성을 떨친 마크 트웨인은 이런 말을 했다.
"강사의 종류는 두 가지다. 떨린다는 사람과 안 떨린다고 거짓말하는 사람이다."
두려움이라는 감정이 인간에게 정상적인 반응임을 알면 심리적으로 한결 편안해진다. 게다가 모든 일의 시작은 누구에게나 어렵다. 그렇다면 한 번 정도는 용기를 내볼만하지 않을까? 뭐라도 연결되려면 뭐라도 있어야 하기 때문이다.

2. '새로운 일'을 하면서 **두려움**이 많았다. 내가 잘할 수 있을까? 이런 질문은 나를 작아지게 했다. 하지만 막상 시작하자 조금씩 상황이 달라졌다. 어떻게든 할 수밖에 없는 상황이 되자 최선을 다해보자는 생각이 들었다. 모르면 물었고 알면 실천했다.
그렇게 한발씩 앞으로 나아가면서 두려움은 조금씩 사라졌다. 결국 하면 되겠다는 느낌이 생겼다. **그것이 나의 글쓰기였다.**

『안상헌의 생산적 책읽기』 <안상헌>

3. 그는 증오(비난)받기는 할망정 경멸만은 받으면 안 된다고 하였다. 또한 정치에서는 사랑보다 **두려움**의 대상이 되는 쪽을 택해야 한다고 말했다. 인간은 자기를 사랑해 주는 사람은 쉽게 떠날 수 있지만 두려워하고 있는 상대한테는 쉽게 떠날 수 없기 때문이라는 것이다.

<마키아벨리>

4. 자신의 마음을 장악하지 못하는 사람은 예측 불가능하고 때로는 원치 않는 생각과 충동의 소용돌이에 빠져든다. 그는 미성숙하거나 미덥지 않아 보이고, 무의식의 진공이 공포로 차오르면서 자기 의심이나 사회적 절망에 빠져들고 만다.

우리는 자기 인생의 관리자가 되어야 한다. 자기 관리의 실패로 파괴적인 생각과 행동의 잡초가 자라나고 있다면 책임감 있게 그것들을 뽑아내고 더 자유롭게 더 행복한 삶의 기반이 될 새로운 습관들을 심고 길러야 한다. 생각하는 방식과 세상과 상호작용하는 방식을 바꾸어야 한다.
사람들은 **두려움**에 말하기를 꺼린다. 왜냐하면 실질적인 위험이 아닌 우리 자신으로부터 도망가는 경우가 더 많다는 진실이 드러날 것이기 때문이다.

내 삶에서 결국 직면하고 고쳐야 할 것은 무엇인가? 당장 시작하자. 두려움에 끌려다니지 말고 움츠러들지도 말자.

『두려움이 인생을 결정하게 하지 마라』 <브렌든 버처드>

5. **두려움**이 인생의 현자다. 상처를 입는 이유는 두려움 때문이 아니라 두려움을 피하려고 무리하게 움직이기 때문이다.

『두려움의 기술』 <크리스틴 울머>

6. 도스토옙스키는 "**내가 두려워하는 이유는 오직 하나, 내가 고통을 겪을 만한 가치조차 없는 존재가 되지 않을까 하는 점**"이라고 했다.

<ㄹ>

169. **라이터스 블록**(Writer's block) : 글이 써지지 않는 슬럼프 기간
('**작가의 장벽**'으로 번역)

♣ 사실 나야말로 어려서부터 작가가 되고 싶었습니다. 대학도 제대로 못 가고 소 뒷걸음질 치다 쥐 잡듯 생물학자가 되었는데, 생물학자로서 쓴 글들을 작가들이 좋아해 주었습니다. 덕분에 작가 친구들이 많이 생겼습니다. 공지영, 은희경, 김영하, 김형경 선생님 같은 분들이 책을 내면 자필 사인을 해서 내게 보내줍니다. 서문에서 가끔 내 글을 읽고 영감을 얻었다는 내용을 읽기도 합니다. 그때마다 작가는 못 되었지만 내가 좋아하는 동물행동학도 하고 대단한 작가들과 친구가 되었으니 이만하면 성공했다 싶습니다.
그런데 이렇게 작가들과 친해지기 전에 내 책 《생명이 있는 것은 다 아름답다》의 서문에 조금 건방진 이야기를 쓴 적이 있습니다. 영어로는 '**작가의 장벽**writer's block'이라고 하는데, 글이 안 떠올라서 애를 먹는 것을 말합니다. 원고지를 북북 찢고 구겨서는 휙 집어던지고 하는 것 말입니다. 그런데 나는 그런 괴로움을 겪지 않는다고 썼습니다. 왜냐하면 글의 소재가 마르는 적이 별로 없기 때문입니다. 늘 저 광활한 자연에서 소재를 퍼 오니까 끊임없이 쓸거리가 생깁니다. (최재천, 『손잡지 않고 살아남은 생명은 없다』, p. 88, 샘터)

♣ **더 깊이 모든 것을 사랑하라**
내가 가진 모든 언어가 사라져버린 느낌이 들 때가 있다. 당황하

고 불안하고 우울할 때, 내가 배우고 읽고 써온 모든 언어가 낯설어진다. 그 많은 책을 읽고 그 많은 글을 썼는데도, 아직도 머릿속이 하얘지고 아무것도 쓸 수 없을 것 같은 느낌에 사로잡힌다. 다행히 나에게는 그럴 때 뜬금없이 전화해도 마치 엄청나게 중요한 전화인 것처럼 받아주는 선배가 있다. 내가 정말 존경하는 작가님이기도 하다. 그야말로 뜬금없이 전화해서 선배의 안부를 묻는 척하면서 불평을 늘어놓았다. "아무리 붙들고 있어도 글이 잘 써지지 않아요." 선배는 대수롭지 않다는 듯이 이렇게 받아쳤다. "너는 잘 안 써지는 정도지? 나는 이제 전혀, 전혀 안 써져." 너무 어이가 없어 너털웃음이 나왔다. 선배는 내 마음을 편하게 해주기 위해 자기를 형편없이 망가뜨리는 것을 주저하지 않는다. 아무리 씩씩하고 강인한 작가라도, 글이 전혀 안 써지는 상황이 즐거울 수 있겠는가. 그런데 그 어려운 상황을 시트콤으로 만들어버리고, 넌 좀 쉬어도 된다고, 좀 놀아도 된다고 위로해준다. 나는 깔깔웃으며 비로소 '나'로 돌아왔다. 작가들의 무서운 적, <u>**라이터스 블록**</u>(writer's block, 글이 전혀 써지지 않는 상황)이라는 것은 이렇게 치유되기도 한다. (정여울, 『1일 1페이지, 세상에서 가장 짧은 심리 수업 365』, p. 24)

170. **레드오션** : 이미 잘 알려져 있으며 경쟁이 치열해서 포화 상태에 있는 시장.

- **블루오션** : 아직 발견되지 않았거나 개척되지 않은 시장.

♣ 유전자 오작동 개념이 실제 어떻게 적용되는지 알려주고 싶어 나의 이야기를 가져왔다. 2019년 4월, 나는 거의 6개월 간 유튜버가 되는 것을 망설였다. '촬영장비가 없어서', '욕먹을 까 봐', '이미 <u>**레드오션**</u>이라서' 등 수만 가지 이유로 미루고 미뤘다. 이미 너무 늦어버린 것 같았고, 포기 직전이었다. 나는 이때 '유전자의 오작동' 개념을 적용했다.

(자청, 『역행자』, p. 136)

171. **레드퀸 효과**Red Gueen Effect : '내려가고 있는 에스컬레이터에서 위로 올라가려고 빨리 뛰어도 어지간히 빠르지 않으면 제자리에 있을 수밖에 없는 현상'을 말한다.

172. **레버리지**(leverage) : 타인의 자본을 이용하여 자기 자본의 수익률을 높이는 행위.

♣ 2020년 4월, 스물한 살의 청년이 갑자기 내 계좌로 1000만 원을 입금했다. "자청님 덕분에 2개월 만에 5000만 원을 벌었습니다"라며, 챕터6에서도 잠깐 언급했던 이 친구는 내 블로그에 있는 '무자본 창업으로 일요일 하루 만에 창업하여 경제적 자유 얻기'라는 글을 보고나서 그대로 실행에 옮겨 성공을 거두었다.(……) 이 친구는 디자인은 전혀 모르던 사람으로서, 관련 분야에 별다른 지식도, 도와줄 사람도 없었다. 그저 내가 알려준 방식대로 충실히 실천했을 뿐이다. 그는 홍대 미대 출신 직원들을 고용하여 **레버리지**를 했다. (자청, 『역행자』, p. 264)

173. **로드레이지**Road Rage : '도로 위의 분노'라는 뜻으로 도로에서 벌어지는 난폭한 행동.

♣ 언덕을 좀 더 수월히 올라 보겠다고 전기 자전거를 장만했다. 자전거치곤 탱크만큼이나 무거운 축에 들었지만 순풍이 불 때면 모패드도 거뜬히 추월하고 남았다. 전기 자전거는 실로 오랜만에 생긴 호사였다. 덕분에 여기서 저기까지 삽시간에 내달릴 수 있었다. 난 자전거를 타고 속도를 냈다. 무턱대고 차 앞문을 열어젖히는 자가용 운전자들에겐 소리를 지르고 욕설을 퍼부었다. 기꺼이 **로드레이지**에

사로잡혔다. 그래, 전기 자전거에 올라타는 순간 운전 중에 분노하는 단계로 진급하고 만 것이다. 달리 말하면 지난 삶에서 쌓인 분노가 도로 위에서 분출되기에 이른 셈이었다. 무거운 장바구니와 과일 상자를 뒤쪽 받침대에 싣고서 언덕 위로 페달을 밟았다. 전기 자전거 덕에 지난 몇 달간 이어진 우울감으로부터 짧은 휴가를 얻은 기분이 들기 시작했다.

(데버라 리비 저/백수린 글/이예원 역, 『살림 비용』, p. 54, 플레이타임)

♣ 넷플릭스 드라마 '성난 사람들(이성진 감독)'은 '**로드레이지**'를 코믹하게 풀어가면서도 한국계 미국인의 이민 경험과 사회적 적응 과정을 진지하게 다룬다. 스티브 연(재미교포)은 세계적으로 가장 권위 있는 텔레비전상 중 하나인 에미상(제75회) 남우주연상을 받았다. 스티브 연의 연기는 그의 이민자로소의 경험에서 온 고독과 외로움이 바탕이 되었다. 그는 과거 인터뷰에서 "두 곳 모두에서 받아들여 지지 않았을 때의 슬픔을 극복하면 결국 힘이 생긴다."고 말한 바 있다. (2024. 01. 26 by 김호민 기자)

174. **루프스병**(Lupus Symptoms) : 인체 외부로부터 몸을 보호하는 면역의 체계에 이상이 와서 면역계가 자신의 몸을 공격하는 병.

175. **리플리 증후군**(Ripley Syndrome): 자신의 현실을 부정하면서 실제로는 존재하지 않는 허구의 세계를 진실이라 믿고 상습적으로 거짓된 말과 행동을 반복하는 반사회적 인격 장애.

(이찬수, 『아는 것보다 사는 것이 더 중요하다』, p. 108, 규장)

♣ 마리의 속눈썹이 떨리고 있었다. 눈물을 참고 있는 것이 분명했다. "**리플리 증후군**…… 알지?" 마리는 지훈의 대답을 기다리고 있지 않았다. 마리의 말은 점점 빨라졌다.

"맞아. 나…… 허구의 세상에 나를 마음껏 상상하고 그게 진실이라고 믿고 살았어. 거짓말을 한다는 느낌은 안 들었어. 내가 원하는 내 모습이 나라고 말하는 게 뭐가 잘못된 건가 싶었지. 아니 그게 진짜 나라고 믿었어. 그런데 2년 전에 복잡한 사건이 있었고…… 결국 나는 **리플리 증후군** 진단을 받았어. 처음에는 당연히 인정하지 않았어. 난 내가 만든 세상이 진짜로 존재한다고 믿고 살았거든. 내가 거짓말을 하고 있는 거라고 인정하기까지 시간이 많이 걸렸어. 사실 아직도 상담 받으면서 치료하는 중인데…… 그게 …… 받는 중인데…… ."

지훈은 마리에게 고개를 천천히 끄덕였다. 괜찮다고 느릿하게 말하는 것처럼. 지훈은 더 이상 뭘 묻지 않았다. 그저 덜덜 떨고 있는 마리의 손을 꼭 잡아줬을 뿐이었다. 지훈은 마리의 마음이 어떤 건지 알 수 있을까 해서 심리학을 전공했다. 지훈은 마리도 자신의 마음이 왜 이런 건지 궁금해서 심리학을 배우게 된 게 아닐까 하는 생각이 들었다. 지훈과 마리는 손을 꼭 잡은 채 오솔길의 끝자락에 접어들었다. 소양리 북스키친이 환하게 불을 켠 채 서 있었다. (이지혜, 『책들의 부엌』, p. 162-163, 팩토리나인)

<ㅁ>

176. **마닐마닐하다** : 음식이 씹어 먹기에 알맞도록 부드럽고, 말랑말랑하다.

♣ '<u>마닐마닐하다</u>'는 우리말이다. '음식이 씹어 먹기에 알맞도록 부드럽고 말랑말랑하다'는 뜻이다. '고슬고슬하다'라는 말도 있다. 되지도 질지도 않아 딱 알맞은 상태를 일컫는다. 여기서 물기가 적어 된밥이 되면 '구들구들하다'가 된다. 밥 먹는 한국인은 앞서의 어휘들이 생소해도 뜻을 설명하면 알아 듣는다. 밥을 먹어본 적이 없는 사람은 이해하기 어렵다.
'알맞다'의 기준이 미궁에 빠져서다.

(유선경, 『어른의 어휘력』, p. 190-191)

177. **마른세수** : 물기 없는 손으로 얼굴을 문질러서 씻어내는 일.

♣ 실장은 오전 중으로 일을 해결하지 못하면 정말 그만두는 걸로 알겠다고 했다. 수이는 <u>마른세수</u>를 했다.

(이경란, 『오늘의 루프탑』)

178. **마음의 면역체계** : 시간이 지나고 나면 웬만한 것들은 다 사소하게 보이는 법이다.

179. 마하트마 간디

♣ <u>마하트마 간디</u>는 어떤 외적 권위의 뒷받침도 받지 않은 대중의 지도자. 성공을 위해 술책이나 인위적인 책략을 사용하지 않고 인격을 설득하는 데 힘쓴 정치가. 폭력을 늘 경멸했던 승리의 투사. 지혜와 겸양의 인간. 결단과 비타협적인 일관성으로 무장하고, 자신의 모든 힘을 다해 대중을

향상시키고 그들의 운명을 개선하기 위해 헌신했던 사람. 단순한 인간 존재의 위엄으로 유럽의 야만성과 대결했던, 그래서 모든 시대 위에 우뚝 선 인물. 어쩌면 다가올 세대는 이러한 인물이 우리와 같은 평범한 모습으로 이 땅을 밟았다는 사실을 믿지 못할지도 모른다. (아인슈타인, 『나의 노년의 기록들』, p. 305)

180. **만만하다** : 부담스럽거나 무서워할 것이 없어 쉽게 다루거나 대할 만하다.

♣ 메밀은 아시아 북방의 풀이다. 메밀의 원산지는 바이칼호, 아무르강변인데, 한반도 북부 지방으로 넓게 퍼졌다. 가뭄과 추위를 잘 견디고 땅 위에 돋아나서 두어 달 지나면 낟알이 영글고, 사람이 돌보지 않아도 고원이나 야산, 허름한 빈터에서 스스로 자라니, 메밀은 구하기 쉽고 **만만한** 곡식이다.

(김훈, 『연필로 쓰기』, p. 393)

♣ 인간은 왜 이렇게 비도덕적인가. 왜 아무런 가책도 없이 타인에게 해를 끼치는가. **만만하고** 유약해 보이던 나는 골목길에서 깡패를 자주 만났다. 얻어맞고 돈을 뜯기고 나면 그들을 죽여 버리겠다는 복수심에 시달렸다. 소년범이어서 교육형으로, 처분은 가정 훈육으로, 이딴 글을 보면 화가 머리끝까지 났다. 내가 골목 안 어둠 속에서 만난 그놈들은 환경에 모든 탓을 돌릴 수 있는 가여운 소년범이 아니라, 웬만한 성인보다 물정에 밝은, 닳아빠진 악마였다. 책상 위에서만 거룩한 척하는, 당신들은 뒷골목 어두운 가로등 밑에서 그들의 맨얼굴을 본 적이 있는가. 엽기적인 살인, 강간 같은 기사를 읽으면 머릿속에서 하얀 폭발이 일어났다. 어떻게 인간이 이럴 수가 있을까. 반면에 사랑과 인정이 넘

치는 훈훈한 미담에는 그다지 마음이 움직이지 않았다. 그 이면에 어른거리는 위선 같은 것이 보이기도 하였다. 내 반응이 균형적이지 못했다는 걸 인정한다. 아무래도 난 태생적으로 사랑보다는 증오가 친숙한 인간이었던 것 같다.

(도진기, 『합리적 의심』, p. 161, 비채)

♣ 아주 적은 금액으로 주식투자를 직접 해 보는 것은 바람직하다. 왜냐하면 이 게임이 그렇게 **만만한** 것이 아니라는 사실을 조만간 배우게 될 것이기 때문이다. 그 사실을 배웠다면 일단은 한 걸음 뒤로 물러나야 할 터인데 수많은 사람들은 빚까지 내가면서 계속 투자를 시도한다. 주식투자는 늪지와 같이 움직이면 움직일수록 계속 깊이 빠져 들어가게 하는 속성을 갖고 있다. 특히 투자 자금을 언제까지 얼마로 만들어야 한다는 목표를 갖고 있다면 틀림없이 그 자금은 큰손들의 수중으로 흘러 들어가게 된다. 다시 한 번 명심하라. 주식투자는 경제를 보는 눈이 커졌을 때 여유자금을 갖고 해야만 돈을 벌 수 있는 게임이라는 것을.

(세이노, 『세이노의 가르침』, p. 413-414)

♣ 진리에 대해 묵상함

우리는 어떻게 이 일을 해야 하는가? 어떻게 하나님에 대한 우리의 하나님을 아는 지식으로 바꿀 수 있는가? 이렇게 하는데 필요한 규칙은 간단하지만 **만만치 않은** 것이다. 그것은 우리가 하나님에 대해 배운 각각의 진리를, 하나님 앞에서 묵상하는 내용으로 바꾸어 하나님을 향한 기도와 찬양으로 이어지도록 하는 것이다. 아마도 우리는 기도가 무엇인가에 대해서는 어느 정도 이해하고 있을 것이다. 하지만 묵상에 대해서는 그렇지 않다. 우리가 묵상이 무엇인지를 물어 보는 것은 당연하다. 묵상은 오늘날 잃어버린 기술이며, 그리스도인들은 그것을 모름으로 해서 통탄할 만큼 괴로움을 당하고 있기 때문이다.

묵상이란 하나님의 사역과 도 그리고 목적과 약속들에 대해 자신이 아는 여러 가지 것을 상기하고, 숙고하고 깊이 생각해보고, 자신에게 적용하는 활동이다. 그것은 하나님의 임재 안에서, 하나님이 보시는 가운데, 하나님의 도움에 의해, 하나님과 교통하는 수단으로서, 의식적으로 수행하는 거룩한 사고 활동이다.

묵상의 목적은 하나님에 대한 우리의 정신적·영적 시야를 밝히는 것이며, 하나님의 진리가 우리의 마음과 뜻에 충분하고도 적절히 영향을 끼치도록 하는 것이다. 묵상은 자신에게, 하나님과 자기 자신에 대해 말하는 것이다. 그것은 종종 자신과의 싸움, 의심과 불신의 풍조에서 벗어나 하나님의 능력과 은혜를 분명하게 이해하도록 스스로를 설득하는 것이다.

(제임스 패커, 『하나님을 아는 지식』, p. 25-26, IVP)

♣ 정유정의 종의 기원에 보면 이런 묘사가 나온다. "후각이 개같이 예민해진다. 머리는 그 어느 때보다 기민하게 돌아가고, 생각 대신 직관으로 세상을 읽어들인다. 내가 내 인생은 지배하고 있다고 느낀다. 인간이 **<u>만만해진다</u>**." 사이코패스 묘사가 너무 생생해서 작가가 진짜 사이코패스가 아닐까 의심이 들 정도지만, 작가가 그런 시선을 포착한 덕분에 우리는 사이코패스의 머릿속을 들여다보게 된다.(……)

삶이 내 뜻대로 풀려가지 않아도 포기가 안 되면 하나님의 뜻이 있는 것이고, 넘어져도 다시 일어설 수 있다면 실패한

게 아니다. 이런 혼돈의 느낌이 쌓여야 삶에 대한 통찰이 깊이를 가진다. (이정일, 『소설 읽는 그리스도인』, p. 127)

181. **만연하다** : 전염병이나 나쁜 현상이 널리 퍼져있다.

♣ 하나님의 인도와 안내

하나님의 인도를 따르면 만사가 형통하여 비기독교인들과 달리 시련이나 고난을 당하지 않는다는 생각은 터무니없는 공상이자 근거 없는 속설에 불과하다. 하나님의 인도를 받으면 모든 문제에서 해방될 수 있다는 생각은 전적으로 잘못이다. 이런 생각이 **만연한** 현실은 앞서 인용한 달라스 윌라드의 말대로 많은 사람들이 인격이 성숙하지 못한 상태에서 미신적인 관점으로 삶을 바라보고 있다는 증거다. 윌라드에 다르면, 극적인 일을 구하는 이유는 신앙 인격이 성숙하지 못했기 때문이다. "하나님의 인도를 받는 사람은 고난과 역경을 당하지 않는다."는 주장은 성경은 물론, 일상의 경험에 비추어 볼 때도 전혀 허무맹랑하다.(중략)

모세 오경에 보면, 이스라엘 백성이 구름기둥과 불기둥의 인도를 받으며 살아가는 동안 온갖 어려움(음식과 물의 부족, 간간이 일어났던 갈등 등)을 겪었던 과정이 자세히 기록되어 있다.(중략) 오늘날, 하나님의 인도를 받으면 괴로운 결정을 내려야 할 상황을 모면할 수 있다는 생각이 **만연하다**. 하지만 그렇지 않다. 달라스 윌라드는 설득력 있는 어조로 이렇게 말했다.

"최근에 하나님의 말씀을 전하는 사람들 가운데 하나님과 성경을 잘만 이용하면 건강과 성공과 부를 보장받을 수 있다며 여러 가지 방법을 제시하는 이들이 많다. 많은 사람이 성경을 방법론을 다루는 책, 즉 서구사회에서 성공적인 인생을 살아갈 수 있는 방

법을 소개하는 안내서로 간주한다. 사람들은 성경의 방법을 따르면 경제적으로 성공하고, 암은커녕 감기조차 안 걸리며, 교회가 분열되지도 않고, 목회사역에 성공을 거둘 수 있다고 믿는다.

……하나님의 말씀은 고난이 없는 삶을 약속하지 않는다. 물론, 때로 그런 경우도 없지 않지만, 그렇다고 우리가 원하는 대로 모든 것이 이루어지고, 늘 편안하고 쉽게 살아갈 수 있는 것은 결코 아니다. ……

우리는 헛된 소망을 품어서는 안 된다. 우리도 다른 사람들처럼 인생의 고난을 겪기 마련이다. 제자인 우리가 남들과 다른 이유는 역경과 시련을 면제받았기 때문이 아니라 지극히 고귀한 생명(질적으로 다른 영적인 생명과 영생)을 부여받았기 때문이다."

……하나님의 인도는 그분의 보호와 마찬가지로 보편적으로 적용되는 원리다. 하지만 신자들 개개인이 모두 다르듯이 각자에게 주어지는 하나님의 인도도 제각기 다르다. 또한, 하나님의 인도와 보호는 그 자체로 참으로 영광스럽지만, 타락한 세상에서 인간이 겪어야 할 온갖 고통과 문제에서 우리를 자유롭게 해주지는 못한다.

와오라니 학살 현장을 취재하여 「라이프」지에 게재한 바 있는 사진작가 코넬 캐퍼의 말로 2장을 마무리하고자 한다. 그는 약 50년 전에 이렇게 썼다.

"베티(엘리자베스 엘리엇)는 아우카 족의 손에 남편 짐(짐 엘리엇)을 잃었다. 하나님은 짐을 그들로부터 보호하시지 못했다. 나는 그녀가 그런 아픔을 어떻게 극복할 수 있었는지 궁금했다. 그녀는 나의 질문에 조금도 망설이지 않고 '나는 짐의 목숨을 지켜 달라고 기도했어요. 하지만 주님은 내가 바라던 것 이상의 응답을 주셨어요. 주님은 짐을 불순종으로부터 보호하셨을 뿐 아니라 그의 죽음을 통해 장차 영원한 세상에서만 알 수 있는 놀라운 역사를 이루셨답니다' 라고 대답했다."

오늘날 와오라니 부족 가운데는 기독교를 믿는 이들이 많다. 엘리자베스의 이야기는 수많은 사람들에게 많은 영감을 불어넣었다. 하나님이 그 마음을 인도하고 보호하시는 사람의 삶은 누구도 상상할 수 없는 놀라운 역사를 일으킨다.

(제임스 패커 외, 『하나님의 인도』, p. 58, 59, 63, 64, 69)

♣ 나는 무력하지만, 나는 전기 충격에 어쩔 줄 몰라 하는 강아지처럼 무기력한 존재지만 일하시는 하나님이 계시기에 소망이 있다.
마틴 루터 킹 목사님은 아마도 이 사실을 아셨을 것이다. 그래서 자신에게 주어지는 집요한 사탄의 공격에도 불구하고 그 공격에 무릎 꿇는 대신 "나에게는 꿈이 있습니다"라고 당당히 외칠 수 있으셨던 것이다.
우리도 다 이 말씀을 가슴에 새겨 마틴 루터 킹 목사님처럼 사탄의 공격 앞에 노출됨으로 **만연해** 있는 '학습된 무력감'을 떨쳐버리는 은혜가 있기를 바란다.

(이찬수, 『오늘 살 힘』, p. 91)

182. **말본새**: 말하는 태도나 모양새.

♣ "생각이 언어를 오염시킨다면 언어도 생각을 오염시킬 수 있다." 조지 오웰이 한 말이다. 가격을 매길 수 있는 상품이나 가축 등에 쓸 어휘를 사람에게 쓰지 않는지, 사람이 하는 일을 도구나 수단으로 취급하고 있지 않는지, 늘 **말본새**를 점검해야 한다. 많은 속어나 욕설 등이 가축과 관련한 어휘라는 사실은 주목할 만하다. 그때는 가축이 흔했고 지금은 물건이 흔하다. 이 대목에서 "존중할 만해야 존중하지."라고 할 수도 있겠다. 악머구리 끓듯 악한과 파렴치한이 적지 않으니 심정이야 이해하나 경계한다. 그 옛날 양반이 백정에게, 백인

이 흑인에게, 남성이 여성에게, 부자가 빈자에게, 어른이 어린이에게 같은 말을 했다. '사람에 대한 존중'은 내가 옳다고 느끼면 옳은 것이라는 식으로 서로 달리 해석할 수 있는 상대주의가 아니라 절대적 가치다. 어떤 상황에서도 최우선에 두는 것이 인격이며 인격은 타고 나는 게 아니라 - 타고 나는 것은 인성이다 - 배움과 습관을 통해 갖출 수 있다. 사람을 존중하는 자세는 생각보다 훨씬 우리에게 배어 있지 않아 자기도 모르게 적절치 못한 어휘를 쓸 수 있다. 아직 배우지 못했거나 잘못 알아 그렇다. 문제는 다음이다. 모르거나 잘못 아는데 올바로 알려 하지 않는 것은 분명 잘못이다. (…) 평가가 해악인 이유는 사람을 물건이나 상품, 가축처럼 등급을 매기는 것이기 때문이다.
등급을 왜 매기겠는가? 물건이나 상품, 가축 등과 별반 다르지 않다. 비싼 값에 팔기 위해서다. 무엇이 쓸모 있을지 계산하는 것이다. 평가는 필연적으로 차별로 이어진다. 사람은 혼자서 살 수 없다. '*관종'이라는 말로 놀림 받지만 인정받고 싶고 사랑받고 싶은 욕구는 생존과 직결돼있다. 그러나 그 욕구를 충족하기 위한 방법이 앞서의 조건들을 채워야 하는 거라 주장한다면 사람을 수단화하는 것이다. 이런 환경에서 사람에 대한 존엄이라니, 턱도 없다. 사람을 평가하면서 세를 과시하는 어휘를 쓰지 않도록 조심하자. 인간의 도구화를 피할 길 없는 세상이라지만 이것만 지켜도 영혼을 다치는 사람들이 한결 줄어들 것이다.(*관종: 관심을 받고 싶어 하는 사람. '관심종자'의 줄임말) (유선경, 『어른의 어휘력』, p. 106-109)

183. **말휘갑** : 이리저리 말을 잘 둘러맞추는 일.

♣ 그곳에 오래 머물기가 죄스러워 **말휘갑**으로 형님의 안부만 묻고 밖으로 나와 버렸다. 아마 이렇게 남의 말휘갑으로나

마 여러 사람 앞에서 소리를 질러 본 것은 난생처음이었을 것이다.

(송기숙, 『암태도(岩泰島)』, 창비)

184. **망연히** : 매우 넓고 멀어서 아득한 정도로.

♣ 사람들이 하나둘씩 벤치 주위로 모여들었다. 나는 **망연히** 광장을 두리번거렸다. (도재경, 『피에카르스키를 찾아서』)

♣ 다 읽었으면 돌려달라는 말, 그 말을 할 때의 경서의 굳은 얼굴과 쭈뼛한 말투 속에서 이제야 나는 깊은 고통과 두려움을 읽어낸다. 그러나 당시의 나는 어어, 놀라는 시늉을 하면서 그거 아직 다 안 읽었는데, 다시 돌려줘야 하는 거였느냐고 물었다. 그때 경서가 할 말을 잃은 듯 나를 **망연히** 바라보던 얼굴을 생각하면 지금도 뼈가 저릴 듯 부끄럽다. 당시의 나는 정말 아무것도 모르는 사물, 과장된 연기만 하도록 태엽 감긴 무無였다. (권여선, 『각각의 계절』, p. 235)

♣ 노인의 수염이 흔들렸다.
저녁을 끝낸 뒤 인실은 **망연한** 모습으로 벽에 기댄 채 땡전 한 푼 없어도 왜놈의 짐은 안 진다는 노인의 말을 되새기고 있었다. 오가타를 의식한 때문이겠지만 그 말은 심장을 헤집고 들어오듯 아팠다. 대일본제국의 판사 검사 되어 보겠다고 최고학부를 나와서 또 머리 싸매고 고문高文 패스를 목표하는 수재들은 차별이 자심한 식민지정책을 원망하며 영광의 길이 멀고 먼 것을 한탄하는 데, 낫 놓고 기역 자도 모르는 노인이 삼강오륜을 앞세우며 땡전 한 푼 없어도 왜놈의 짐은 지지 않는다……. (박경리, 『토지 4부 2권』, p. 359)

185. **맞닥뜨리다** : 좋지 않은 일 따위에 직면하다.

♣ 하버드생에게 피드백은 그저 일상입니다. 자신이 쓴 글을 피드백 받고 고쳐 쓰면서 완성도를 높이는 것은 글의 수준을 최상으로 끌어올리는 작업입니다. 피드백 받아 고쳐 쓰면 주제에 더 많이, 더 깊이 생각하게 되고 피드백해 주는 이의 영향으로 다르게 생각할 수도 있습니다. 피드백은 잘잘못을 가려 지적받는 것이 아니라 글을 쓰며 **맞닥뜨린** 어려움을 다른 사람의 도움을 받아 해결하는 방법입니다. 글을 잘 쓰게 되는 기술은 글쓰기 수업에서가 아니라, 쓰면서 피드백 받고 고쳐 쓰면서 늡니다. 쓸거리를 만들고 에세이로 담아내는 전 과정을 셀 수 없이 많이 수행하면서 경험을 쌓아야 글쓰기 기술이 요구하는 감각과 안목을 가질 수 있습니다.

(송숙희, 『150년 하버드 글쓰기 비법』, 297, 유노북스)

♣ 여러분은 매일매일 다양한 상황에 **맞닥뜨릴** 것이다. 각각의 상황을 기쁘게 받아들여라. 이 모든 것이 말하기 연습을 할 수 있는 절호의 기회이다. 가정에서, 친구들 사이에서, 직장을 비롯한 그 어느 곳에서라도 사람들을 만나면 먼저 말하고 소통하라. 상대의 반응을 주의 깊게 살피고 내가 말하고자 하는 바를 전달하라. 연습이 충분할수록 당신은 상대의 호감을 보다 쉽게 얻고, 협상에서 수월하게 주도권을 차지할 수 있으며, 함께 일하는 사람들의 사기도 높이게 될 것이다. 소통과 공감 능력은 오로지 반복 훈련을 통해서만 발달한다.

(빌 맥고완, 『세계를 움직이는 리더는 어떻게 공감을 얻는가』, p. 332)

♣ 수천 년 전 일단의 호모사피엔스가 아프리카에서 걸어 나온 이후 그들의 사회적 특성과 그들이 정착한 자연환경은 서로 달랐고, 이런 이질성이 낳은 효과는 시간이 흘러도 지속됐다. 어떤

사회는 처음부터 경제 발전에 도움이 되는 인적다양성 수준과 지리적 특성으로 축복을 받았지만, 다른 사회는 그 후 줄곧 성장과정에 해를 끼친 비우호적인 초기 조건에 **맞닥뜨렸다**. 우호적인 초기 조건은 기술 진보에 기여했고, 포용적 제도와 사회적 자본 그리고 미래 지향적 사고방식을 비롯해 성장 활력을 높이는 제도와 문화의 특성을 채택하도록 했다. 이는 다시 기술 진보를 더욱 자극하고 정체기에서 성장기로 옮겨 가는 속도를 높였다. 이와 대조적으로 비우호적인 기본 조건은 더 느린 성장 궤도로 사회를 이끌었으며, 그런 효과는 성장을 가로막는 제도와 문화적 특성을 채택하면서 다시 강화됐다. (오데드 갤로어, 『인류의 여정』, p. 269-270, 시공사)

♣ 이후로 서너 번쯤 소개팅을 했고, 그중에는 몇 번 더 만나 영화를 보고 밥을 먹은 남자도 있었다. 소개팅 상대들은 모두 김지영 씨보다 나이가 훨씬 많았고, 직급이 높았고, 아마 연봉도 많았을 것이다. 그들은 예전의 김지영 씨가 했던 것처럼 밥을 사고, 영화나 공연 티켓을 사고, 크고 작은 선물을 주었다. 하지만 누구와도 어느 선 이상으로 가까워지지 않았다. 회사에 기획팀이 꾸려진다고 했다. 그동안 영업을 통해 고객을 확보한 후, 고객이 의뢰하는 일을 위주로 해 왔는데, 반대로 회사 쪽에서 프로젝트를 먼저 기획하고 함께할 기업들을 섭외하겠다는 것이다. 물론 일회성 이벤트가 아니라 장기적인 사업을 진행할 계획이다. 대행사의 특성상 항상 을일 수밖에 없고, 업무가 거의 수동적이라 한계에 **맞닥뜨린** 시점이었다. 당장 수익을 낼 수는 없더라도, 이런 업무 방식이 잘 자리를 잡는다면 오히려 고객과의 관계를 주도하면서 안정적인 수입과 성장을 기대할 수 있으리라는 전망이었다. 직원

대부분이 이 새로운 일에 매력을 느꼈고, 김지영 씨도 마찬가지였다. 마침 김은실 팀장이 기획팀을 맡게 되어 김지영 씨는 팀장에게 합류하고 싶다는 뜻을 전했다.
"그러게, 김지영 씨라면 잘할 것 같네요."
팀장의 대답은 긍정적이었지만, 김지영 씨는 결국 기획팀에 합류하지 못했다. 일 잘한다고 꼽히는 과장급 세 명과 김지영 씨의 남자 동기 두 사람이 기획팀으로 옮겨갔다.

(조남주, 『82년생 김지영』, p. 120-121, 민음사)

♣ 목숨을 위협하는 혹독한 시련을 **맞닥뜨린** 상황에서 그리스도의 용기를 본받으라는 권고는 하나님께 대한 믿음과 충성을 강조하는 히브리서 11, 12장에서 절정에 달한다. 히브리서 11장은 구약시대의 신앙 위인들을 차례로 열거한다. 그 안에는 아벨, 에녹, 노아, 아브라함, 이삭, 야곱, 요셉, 모세, 라합, 기드온, 바락, 삼손, 다윗, 사무엘을 비롯해 여러 선지자들과 이름 없는 여인들이 포함된다. 유대인으로 성장한 사람들은 이들의 이름과 사건을 언급한 순간, 부모에게 전해 들었던 옛 이야기가 떠올랐을 것이 분명하다. 왜냐하면 하나님이 역사의 우여곡절에도 불구하고 끊임없이 이스라엘 백성을 보호하시고 인도하셨다는 이야기를 어렸을 때부터 익히 들어왔을 것이기 때문이다. 부모들의 이야기는 그들의 마음에 하나님의 백성이라는 선민의식과 믿음을 심어 주었다. 히브리서 11장과 언급된 신앙 위인들은 우리의 본보기이기도 하다. 그들은 어떤 상황에서도 믿음으로 살았다. 물론, 그들 가운데 완전한 사람은 없었다. 구약성경에 기록된 그들의 이야기를 읽어 보면, 온갖 약점과 실패와 죄를 발견하게 된다. 하지만 그들은 큰 믿음을 지니고 있었다. 그들이 본보기가 될 수 있었던 것은 바

로 그러한 믿음 때문이었다.(제임스 패커 외, 『하나님의 인도』, p. 234)

♣ 행동하는 과학자

요즈음 과학자는 야생 상태의 동물을 연구하는 것만으로 할 일을 다했다고 할 수 없습니다. 동물과 환경을 보호하기 위한 노력도 해야 합니다. 제인 구달 연구소는 1977년 미국에서 설립되었습니다. 처음에는 곰베에서 연구를 계속할 기금만 모았지만, 할 일이 많다는 것을 차츰 깨달았습니다. 1960년 내가 처음 곰베에 갔을 때는 탕가니카 호숫가에 몇 킬로미터씩 숲이 뻗어 있었습니다. 그러나 지금은 달라졌습니다. 48평방킬로미터의 곰베 국립공원은 아직 괜찮아 보이지만, 공원 밖에서는 나무를 찾아보기 힘듭니다. 부룬디와 콩고 동부에서 수백 명의 난민이 들어와 계속 인구가 늘면서 나무를 마구 베어냈기 때문입니다. 폭풍우가 칠 때마다 토양이 호수로 씻겨 내려가 푸르던 산비탈도 사막이 되어가고 있습니다. 곧 우리는 중요한 문제와 **맞닥뜨렸습니다**. 국립공원 밖의 사람들과 그들이 살고 잇는 환경이 어려움에 처해 있는 마당에, 과연 곰베 숲에 남아 있는 백여 마리의 침팬지는 안전할 수 있을까요? 이 문제 때문에 곰베 국립공원 주위에 사는 사람들의 생활을 개선하는 사업을 시작했습니다. 이 지역 33개 마을에 묘목 밭을 만들어 헐벗은 산비탈에 나무를 심고 맑은 물이 나오는 우물을 만들었습니다. 여자에게 교육 받을 기회를 주며, 어린이에게 자연보호를 가르칩니다. 이곳의 생활은 나아지고 있으며, 사람들은 곰베의 숲이 중요하다는 사실을 이해합니다. 이러한 사업들을 보호구역 주위에서 늘려나가고 있습니다. (제인 구달, 『내가 사랑한 침팬지』, p. 68, 두레)

186. **매동그리다** : 매만져서 뭉쳐 싸다.

♣ 영두는 봉득이가 번번이 앞질러서 넌덕스럽게 말휘갑을 치는 바람에 여간해서 말의 졸가리를 **<u>매동그릴</u>** 수가 없었다.

(이문구, 『산 넘어 남촌』)

187. **매몰 비용의 오류** : 이미 지불한 비용이 아까워서 다른 합리적인 선택에 제약받는 심리를 말함. 극장에서 재미없는 영화를 끝까지 보고 있는 심리가 대표적이다. 이 경우는 과감히 극장을 나와 다른 대안을 찾는 게 훨씬 합리적이다.(리처드 탈러가 제시함)
(**매몰 비용**sunk cost : 이미 지출해서 회수할 수 없는 비용)

♣ 온라인 결제를 하면, 아무래도 **<u>매몰비용</u>**이 생기게 된다. '나는 투자 혹은 사업 강의에 돈을 쓴 사람'이라는 정체성이 생긴다. 무의식적으로 사업과 투자에 대해 생각하게 된다. 자신도 모르는 사이에 관심도가 높아지고, 관련 영상을 보게 되고, 자료를 찾게 된다. 강의를 통해 구체적인 정보를 얻는 것 못지않게 이것도 중요하다. (자청, 『역행자』, p. 241-242)

188. **매조지다** : 일의 끝을 단단히 단속하여 마무리하다.

♣ "오늘 승리는 기쁘고 행복하지만 우리 목표는 우승입니다." 손에 땀을 쥐는 승부차기의 순간에 침착함을 잃지 않고 정확한 슈팅으로 클린스만호의 승리를 **<u>매조진</u>** '황소' 황희찬(울버햄프턴)은 들뜨지 않고 오직 '우승을 향한 전진'만 머리에 떠올렸다. 황희찬은 31일(한국시간) 카타르 알라이얀의 에듀케이션 시티 스타디움에서 열린 사우디아라비아와의 2023년 아시아축구연맹(AFC)아시안컵 16강전 승부차기에서 팀의 4번째 키커로 나서 득점에 성공하며 한국의 4-2 승리에 마침표를 찍었다.

(안종석 기자의 스토리, <연합뉴스>, 2024. 01.31)

189. **멀끔하다** : 지저분하지 않고 훤하게 깨끗하다.

190. **메타언어** : 대상을 직접 서술하는 언어 자체를 다시 언급하는 한 차원 높은 언어.

♣ 사전에는 집이라는 표제어 다음에 설명이 있지 않습니까? 집은 언어고 그걸 설명해주는 것이 **메타언어**입니다. 그처럼 여기서 살고 있는 존재를 설명해주는 존재, 그게 메타존재입니다. 그것을 체험이라고도 하고, 영성이라고도 하고, 믿음의 세계라고도 하는 데, 그것을 증폭시키면 신이라는 존재에 이릅니다. (……) 저 역시 이십 대 때 실존주의 철학, 사르트르, 카뮈 등에 탐닉했습니다. 키르케고르 같은 유신론적 실존주의도 공부했고 감명을 받았는데, 이제 내가 신자가 된다고 했을 때 달라진 것은 아무 것도 없습니다. 단지 차원이 달라진 것이지요. 내가 해온 것을 바라볼 줄 아는 또 하나의 시선이 생긴 것입니다. 내 언어를 설명할 수 있는 또 하나의 언어가 생긴 거죠. 그것이 바이블의 언어들이죠. 그 메타언어를 일반 언어로 읽으면 무슨 소리인지 전혀 감이 잡히지 않는데, 그 메타언어를 알면 사전을 보는 것과 같아요. 집이 뭔지 모르는 상태에서 집을 풀이한 말을 보면 아, 이게 집이었구나, 하고 알 듯이 신을 나의 존재의 메타언어로 보면 깨달음이 오는 것이지요.

(이어령, 『당신, 크리스천 맞아?』, p. 26-27)

♣ 제가 기호학을 했지만, 성서를 '**메타언어**'로 읽으면 노아의 방주는 '제2의 창조'를 하셨다는 말씀입니다. 먼저 만드시고 안 되니까 쓸어버리고 다시 새 질서(코스모스)를 세우신 것이지

요.(앞의 책, p. 282-283)

191. **명멸하다** : ① 불이 켜졌다 꺼졌다 하다.

② 먼 곳에 있는 것이 보였다 안 보였다 하다.

♣ 모든 공은 차이고, 또 차인 모든 궤적들과 더불어 태초의 공이었다. 공을 차면서 나는 생의 신비에 놀랐고 공은 그 신비 속에서 **명멸했다**. 그러다가 무릎 뼈를 다쳤다. 나는 한동안 목발을 짚었다. 내가 부러워하던 네발을 모두 회복했지만 나는 한걸음도 달릴 수 없었다. 개는 쭈그리고 앉아서 목발 짚은 내 꼴을 골똘히 들여다보았다.

(김훈, 『연필로 쓰기』, p. 358)

♣ 이게 뭐지? 나는 제자리에 쪼그리고 앉았다. 안개는 함부로 잣나무줄기와 가지들을 지우며 돌아다녔고, 나뭇가지 부러지는 소리와 잎사귀들이 한쪽으로 쏠리면서 내는 소리가 연이어 들려왔다. 나는 조금 이상한 기분에 사로잡혔다. 무언가 희미하게 떠오르는 것들이 있었다. 나는 나의 모든 감각을 집중하려고 두 눈을 감았다. 감은 두 눈 위로 조금 전 보았던 불빛들이 빠르게 **명멸했고**, 소리들은 더 크게 양각한 판화처럼 다가왔다.

(이기호, 『누구에게나 친절한 교회 오빠 강민호』, p. 227)

192. **명민하다** : 총명하고 민첩하다.

♣ 나는 또한 큰아들을 낳고서도 아들의 남다른 **명민함**을 사람들에게 자랑하기 바빴다. 그 자랑을 듣는 이들 중에 불임 문제로 애태우거나 자녀의 장애로 힘들어하는 이들이 섞여 있음을 고려하지 못한 태도였다. 그런 내게 과연 하나님의 사랑이 있었다고 말할 수 있을까.(한근영, 『나는 기도하기로 했다』, p. 78)

♣ 잘생기고 **명민한** '영광', 그는 우등생인 것은 물론 곧은 의지와 용기로 독립운동에도 앞장서는 인물이었습니다. 심지어 '서희'의 아들 '환국'의 눈에 비친 '영광'은 '섬세하고 화사한 감수성'을 지녔고, '굽힐 줄 모르는 내면'을 가졌으며, 그 밖에도 천성적으로 타고난 인간적 매력이 넘치는 사람이었습니다. 하지만 그의 어떠한 장점에도 백정이라는 신분의 꼬리표는 붙어 다녔고, 그것은 '영광'과 그의 가족을 언제 어디서나 짓눌렀습니다. 할아버지가 백정일 뿐이다. 어머니가 백정의 딸일 뿐이다. 내 아버지는 백정도 아니며 독립운동가다. 아무리 외쳐봐야, 그래도 백정의 핏줄은 백정이라는 멸시와 억압이 계속되었습니다. 천한 백정과는 함께 학교 다닐 수 없다는 소란에 아버지는 입술을 깨물며 남몰래 아들을 대처 학교로 보냈고, 어머니는 '잘난 애 아들'에게 백정의 피를 물려줬다는 죄책감으로 평생 가슴앓이를 해야만 했습니다. 백정은, 또 백정의 핏줄이라면 누구든 제대로 살아갈 수 없었습니다. (김연숙, 『박경리의 말』, p. 192)

♣ 그 당시 내게 경서를 향한 특별한 감정과 욕망이 결여되어 있었던 건 맞다. 경서에 대한 연애 감정이나 욕망이 없었던 건 어쩔 수 없다. 문제는 내가 지키는 줄도 모르고 결사적으로 지키려 했던 무내용이다. 아무것도 없는 개미굴 같은 폐광을 절대 굴착 당하지 않으려고 철통같이 지켜내려 했던 그때의 내 헛된 결사성은 그의 입장에서 볼 때 얼마나 끔찍한 모순이며 기망인가. 나는 경서를 존중하지도 예의를 지키지도 않았다.

그러니 두려웠던 것이다. 내가 그렇게 비열하고 무심한 인간이라는 걸 **명민한** 그가 읽어낼 까봐. 내가 집요하게 수박을 원할 때 경서는 수박을 사주는 대신 등을 돌리고 모른 척했어야 했다. 하지만 그도 짐작은 하고 있었을 것이다. 수박을 사준데 대한 내 감사의 눈길을 그렇게 한사코 피했던 건 어쩌면 잘못 엮인 노끈처럼 나와 엮이는 것이 그도 무섭고 불안해서였을 것이다. (권여선, 『각각의 계절』, p. 236-237)

♣ 현실주의의 필요성

다시 한 번 질문해 보자. 하나님이 우리에게 지혜를 주신다는 것은 무슨 의미인가? 그것은 어떤 종류의 은사인가?

또 다른 예를 들자면, 그것은 마치 운전하는 법을 배우는 것과 같다. 운전을 할 때 중요한 것은 당신이 사물에 반응하는 속도와 적절성 그리고 어떤 상황이 어떤 기회를 제공하는가에 대한 건전한 판단이다. 당신은 왜 길이 좁아졌는지 혹은 그처럼 심하게 구불구불한지 묻지 않는다. 또 왜 저 자동차는 바로 저 곳에 주차하고 있는지, 왜 내 앞에 가는 운전자는 도로의 턱을 그렇게 사랑스럽게 껴안고 가는지 묻지 않는다. 당신은 단지 나타나 있는 실제 상황을 제대로 보고 행하려고 애쓸 뿐이다. 신적 지혜는 우리가 일상생활의 실제 상황에서 바로 그와 같이 할 수 있도록 해주는 것이다.

운전을 잘 하기 위해서는 눈을 크게 뜨고 앞에 무엇이 있는지를 정확하게 지켜보아야 한다. 지혜롭게 살기 위해서는 냉정할 정도로 **명민하고** 현실적으로 인생을 있는 그대로 보아야 한다. 지혜는 위안을 주는 환상들, 그릇된 감상 또는 장밋빛 안경을 쓰는 것과는 어울리지 않는다. 그러나 대부분의 사람들은 머리는 구름 속에 파묻고 발은 땅에서 뗀 채 꿈의 세계에 살고 있다. 우리는 결코 세상이나 세상에 처한 우리의 삶을 실제 있는 그대로 보지 않는다. 죄로 말미암은 이러한 고질적인 비현실주의는 우리에게 - 심지어 우리 중 가장 건전하고 가장 정통적인 사람들에게도 - 지혜가 없는 한 가지 이유이다. 우리의 비현실주의를 고치기 위해서는 건전한 교리만으로는 부족하다. 그러나 성경에는 명백히 우리가 현실주의자가 되도록 하기 위해 기록된 말씀이 있는데, 바로 전도서다.

(제임스 패커, 『하나님을 아는 지식』, p. 148-149)

193. **명징** : ① 분명한 증거, ② 사실이나 증거에 의거하여 분명하게 하는 일. '**명징하다**'는 형용사로서 '**깨끗하고 맑다**'로 쓴다.

♣ 밤을 낮과 같이 **명징한** 정신으로 견디는 것은 쉬운 일이 아니었다. (이화정, 『천사의 손길』, 신춘문예당선소설집, 2018)

♣ **명징**한 지성이 감싸고 있는 사유와 상상의 소설 언어가 매혹적이다. 말과 사물은 서로를 단단히 껴안고 흘러가 세상이라는 책, 세상이라는 도서관을 짓는다. 한국 소설에서는 보기 드문 공중전의 상상력이 일품인데, 진공의 책장에 숨을 불어넣는 언어의 힘만으로도 이 소설의 성취는 뚜렷하다. 소설의 문장들이 이끄는 미세한 떨림과 번짐의 흐름을 따라가다 보면, 기발한 확장과 펼침의 백과사전적 상상이 우리 내부의 이야기로 이미 접하고 연결되는 문턱을 즐겁게 만나게 된다.- 정홍수(문학평론가)

(오수완, 『도서관을 떠나는 책들을 위하여』, p. 257, 나무옆의자)

♣ 그날 이후 열 번의 낙엽이 더 졌다. 그 이후로 나는 종신서원을 하여 수도원의 식구로 자리매김하고 신부로서 수도

원의 사제가 되는 길을 걸었다. 나는 신성하고 **명징하며** 단순해서 아름다운 통찰들이 가득 찬 서적들을 읽는 밤의 기쁨들을 누렸다. 그럴 때 한없이 고요하고 푸르게 내려앉던 평화를 깊이 베어 물었고, 가끔은 눈을 들어 높고 아득하나 환했던 창공으로 나의 동경憧憬을 우러렀다. 결국 내 것이 아니었던 허망했던 사랑 말고 나는 더 넓고 따스한 사랑을 찾아낸 것이었다.

(공지영, 『높고 푸른 사다리』. p. 362, 해냄)

♣ 나는 우리가 처음 만난 여덟 살을 기억하지 못했고 구 역시 그랬다. 하지만 우리가 서로를 향해 '너'라고 부른 그 순간만큼은 구도 나도 **명징하게** 기억했다. 그날, 노곤한 한낮의 햇살과 온기처럼 허공에 깃든 라일락 바람도, 그때 구는 군청색 잠바를 입고 있었다. 잠바에서 어렴풋이 연탄난로 냄새가 났다. 손바닥을 허벅지에 슥슥 비비면서 넌 왜 여기 있어 묻더니 발부리로 땅바닥을 툭툭 쳤다. 땅에서 내 대답을 캐낼 것처럼. 이모만을 사랑하던 나는 그날 이후 이모를 사랑하듯 구를 사랑했다. 내 사랑이 나뉘자 이모도 좋아하고 구도 좋아했다. 그때 이모는 여름을 만들고 있었다. 여름을 만든다는 이모의 말만 기억날 뿐, 여름이 무엇이었는지는 까먹었다. (최진영, 『구의 증명』, p. 27-28)

♣ **잎새보다 가지를** (아버님께)

벌써 중추中秋. 저희 공장 앞에는 밤새 낙엽이 적잖게 쌓입니다. 낙엽을 쓸면 흔히 그 조락凋落의 애상에 젖는다고 합니다. 저는 낙엽이 지고 난 가지마다에 드높은 가지들이 뻗었음을 잊지 않습니다. 아우성처럼 뻗어나간 그 수많은 가지들의 합창 속에서 저는 낙엽이 결코 애상의 대상이 될 수 없음을 알겠습니다.

잎새보다는 가지를, 조락보다는 성장을 보는 눈, 그러한 눈의 <u>**명징**</u>明澄이 귀한 것이라 믿습니다.
가을에 읽을 책은 형님께 몇 권 부탁하였습니다. 가을이 독서의 계절이고 독서가 사색의 반려라면 가을과 독서와 사색은 하나로 통일되어 한 묶음의 볏단 같은 수확을 안겨줄 듯도 합니다.

(신영복, 『감옥으로부터의 사색』, p. 72)

♣ 어느덧 어둠이 그들까지도 감쌌다. 하지만 또 하나의 어둠도 분명 가까이 다가와 있었다. 그때 프랑스 전역의 수많은 첨탑에서 <u>**명징하게**</u> 울려 퍼지는 교회 종소리는 틀림없이 천둥 같은 대포 소리에 녹아들리라. 그날 밤 북소리는, 힘과 풍요로움과 자유와 생명을 외치는 함성만큼이나 절박하게 외치는 어떤 가련한 목소리가 파묻혀 들리지 않도록 요란하게 울려 퍼지리라. 어둠은 뜨개질을 하고 있는 부인들 옆으로 가까이 다가와 있었다. 아직 지어지지 않은 건축물 주위에 둘러앉아 뜨개질을 하며 잘려 나가는 머릿수를 셀 날이 가까이 와 있었다.

(찰스 디킨스, 『두 도시 이야기』, p. 266-267, 펭귄클래식코리아)

194. **모멸감** : 나의 존재 가치가 부정당하거나 격하될 때 갖는 괴로운 감정. 한국인의 일상을 지배하는 감정의 응어리를 뜻함.

♣ 모멸은 <u>**모멸감**</u>을 낳는다. 억울해 죽겠어, 무시하지 마, 지가 뭔데, 회사가 우리를 우롱했다…… 한국인에게 익숙한 이런 말들에서 모멸감의 짙은 흔적을 확인하게 된다. 그런데 그 감정은 객관화하기 힘든 속성을 지니고 있다. 모멸감에 휩싸인 심경을 조용히 응시하거나 누군가에게 그것을 토로하기가

쉽지 않다. 예를 들어 슬픔이나 외로움은 곧잘 표현되고 종종 위로도 받는다. 불안이나 분노도 쉽게 드러낼 수 있고 쉽게 공감을 얻는 편이다. 그런데 모멸감은 다르다. 가령 학력이나 외모로 인해 멸시를 당한 경우, 그 울적한 심경을 적나라하게 내비치면 그 자체가 또 다른 모멸감을 유발하기 쉽다. 그래서인지 모멸감은 표정으로도 잘 드러나지 않는다. 그렇지만 그 숨겨진 감정 안에는 수치심, 열등감, 자기혐오, 분노, 두려움, 외로움, 슬픔 등이 뒤섞인 채 억눌려 있다.

'의식되지 않은 무의식은 곧 운명이 된다.' 카를 융의 말이다. 자각되지 않은 감정도 마찬가지가 아닐까. 마음을 휩싸고 흔드는 힘을 직시하여 객관화하지 않으면 계속 붙잡혀 살 수밖에 없다. 다행히 최근에는 개인과 가족의 차원에서 내면의 상처를 발견하여 치유하는 프로그램이 다양하게 개발되어 실행되고 있다. 하지만 사회적인 차원에서는 이론과 방법 모두 빈약한 실정이다. 집합적으로 공유되는 정서나 충동을 규명해내는 안목과 그것을 적절하게 제어할 수 있는 도구가 절실하다. 나는 이 책에서 한국인의 마음속에 얽혀 있는 응어리의 실체를 개인의 내면과 사회의 지평에서 두루 탐구하려 한다. **'모멸감'**이라는 감정을 프리즘 삼아 한국 사회의 다양한 현상들을 조명하면서 삶과 마음의 문법을 추적하려는 것이다.

(김찬호, 『모멸감』, p. 7-8, 문학과 지성사)

195. 모지락스럽다 : 보기에 억세고 모질다.

♣ 젖은 돌길이 가팔랐다. 울퉁불퉁하다 못해 <u>**모지락스러웠다**</u>.

(고은경, 『숨비들다』)

♣ "나는 이대로가 좋다! 나는 이렇기 사는 것이 몸에 맞은 옷 입은 것 겉이 좋단 말이다."
『토지』 속 인물 '김강쇠'의 말입니다. 『토지인물사전』에 따르면, 그는 지리산에서 숯 굽는 천민으로 덩치가 크고 사팔눈이며 순박하고 의리 있는 사람입니다. 그의 어머니는 '강쇠'가 사팔눈이 된 사연을 이렇게 말해줍니다. 그는 쌍둥이 중에서 살아남은 아들이라는군요. 갓난아기 적에 <u>**모지락스럽게**</u> 우는 한 놈을 업고서 나무도 하고 보리방아도 찧고 그러다 보니 다른 한 놈은 방에 혼자 누운 채 늘 밝은 방문 쪽만 쳐다보아서 '사팔뜨기'가 되어버렸다 합니다. 곤궁한 살림에 아들 하나를 잃고 또 다른 아들 하나는 사팔눈이 되었다니, 그 어머니의 마음은 어떠했을까요. 할머니가 된 '강쇠'의 어머니는 지금껏 만나는 누구에게나 그때 그 이야기를 한다니, 그 가슴에 맺힌 아픔이 짐작되는 듯합니다. (김연숙, 『박경리의 말』, p. 99)

196. **모질음** : 어떠한 고통을 견뎌 내려고 모질게 쓰는 힘.

♣ <u>**모질음**</u>을 쓰며 3미터쯤 움직인 뒤, 그는 미끄러지듯 피아노 다리에 기대앉았다. 허벅지 주변은 배어 나온 피로 질척거렸다. 한 바가지쯤 쏟아낸 것 같았다.
(차무진, 『인 더 백』, p. 152)

197. **모집다** : 모조리 집다.

♣ 마흔 넘으면 '내가 왜 이럴까' 싶은 게 도대체 한두 가지가 아니다. 변화라곤 나이 먹은 거밖에 없으나 부정적인 변화의 원인을 나이 탓으로 <u>**모집었다**</u>.
(유선경, 『어른의 어휘력』, p. 23)

198. **몰입**flow: 삶이 고조되는 순간에 물 흐르듯이 행동이 자연스럽게 이루어지는 느낌을 표현하는 말이다.

(미하이 칙센트미하이, 『몰입』, 한울림)

♣ "마음이 없으면 보아도 보이지 않고, 들어도 들리지 않고, 먹어도 그 맛을 알지 못한다." 이 구절은 마음과 몸의 연관성을 말하고 있다. 흔히 이 문장을 따로 떼어서 '사람은 자신이 보고 싶은 것만 본다'는 인지심리학이나, **몰입**과 집중의 중요성을 설명하기도 한다. 마음을 집중하지 않고 설렁설렁 일을 대하면 그 실상을 제대로 알지 못하고, 그 의미도 제대로 파악하지 못해 결과를 만들어내지 못한다는 것을 말하기 위해 이 구절을 인용하는 것이다.

(조윤제, 『다산의 마지막 공부』, p. 131, 청림출판)

♣ 스티븐 킹은 미국의 작가 지망생들이 꿈꾸는 최고의 성공을 거둔 사람이다. 그의 소설은 전개가 빠르지 않은데도 독자들을 집중시키는 **몰입**도가 엄청나다. 그 비밀 중 하나는 플롯을 짜지 않는 데 있다. 킹은 인생에 각본이 없듯이 소설에도 각본이 없다고 생각한다. 그래서 플롯을 짜지 않는다. 대신 등장인물들이 자유롭게 행동하도록 상황을 만든 다음, 그 인물들이 벌이는 반응을 관찰하고 *표사한다 (* 표사表辭 : 표지에 실려 책을 소개하고 추천하는 글).

킹은 자신을 소설의 창조자가 아니라 첫 독자라고 여긴다. 그래서 플롯보다는 직관에 의지하며, 관찰자로서 예기치 않은 사건들을 따라가면서 판단하고 결정한다. 그는 또 규칙적으로 글을 쓰는데, 규칙적으로 쓰다 보면 영감이 알고서 찾아온다고 말한다. 하루에 쓰는 분량이 2천 단어이고, 한 달이면

18,000개의 단어로 책 한 권 분량이다. 이 바쁜 창작의 와중에도 일 년에 70~80권의 소설을 읽는다고 한다. 어느 작가나 그렇듯 뛰어난 작가가 되는 길은 두 가지뿐이다. 많이 읽고 많이 쓰는 것, 지름길은 없다. 하지만 킹은 한 가지 다른 것을 이야기한다. "이야기는 이미 존재하고 있으나 아직 발견되지 않은 유물과 같다."

(이정일, 『문학은 어떻게 신앙을 더 깊게 만드는가』, p. 342-343)

♣ 칙센트미하이라는 요즘 잘나가는 학자가 있습니다. 그가 이야기한 몰입flow이론은 무엇인가에 열정을 갖고 몰입함으로써 행복해지는 길을 이야기합니다. 그에 따르면 고통도 불행도 창조적 상상력을 통하면 행복으로 변합니다. 세계에서 가장 추운 아이슬란드에 시인이 제일 많다고 해요. 길고 추운 겨울날의 고통을 아름다운 이야기로 바꿔놓은 사례죠. 이 긍정의 심리학을 이미 2천년 전에 예수님이 하셨던 것입니다.

(이어령, 『빵만으로는 살 수 없다』, p. 157)

♣ 감각이 무딘 동물이 현재에만 몰입하기 때문에 행복한 반면, 상상력으로 만든 미래의 환영에 갇혀 사는 인간은 불행하다. 미래에 대한 지나친 기대나 희망은 행복의 바탕인 마음의 안정을 해칠 수 있다. 과거와 미래는 실재하지 않는다. 따라서 우리가 살아가는 현재에만 충실해야 한다. 쇼펜하우어는 말했다. "미래가 행복을 가져다준다는 생각으로 급히 쫓아가는 반면에 현재는 거들떠보지도 즐기지도 않고 지나쳐 버리는 사람들이 있다. 현재만이 진실하고 현실적이고 확실한 것을 결코 잊어서는 안 된다."

(강용수, 마흔에 읽는 쇼펜하우어, p. 201-202)

♣ 황농문 교수는 저서 《몰입》에서 몰입 자체가 주는 긍정적 효과와 행복감에 대해 설명했다. 몰입을 하면 할수록 뇌의 시냅스가

활성화되고 도파민이 분비되면서 창조성과 의욕이 증가되고 각성과 쾌감을 경험하게 된다. 그러면서 재미의 강도가 세지고 역량과 성과도 높아진다고 한다.
어떤 것에 미친다는 것은 열정을 가진다는 뜻이다. 그리고 그 열정을 행동으로 옮긴다는 뜻이다. 미칠 듯한 열애는 무모한 젊은 시절에나 가능한 것일지 모르겠지만 그것을 제외하고 무엇엔가 미쳐 보는 것은 언제든 가능하다. 그러니 한 번쯤은 일이든, 취미든 인생에 의미를 부여할 수 있는 일에 당신을 다 던져 보라. 미치도록 무엇엔가 열중했던 경험은 당신이 훗날 무엇에든 도전하고 성취할 수 있도록 도울 것이다. 또한 살아 있음의 환희를 당신에게 안겨줄 것이다. (김혜남, 『만일 내가 인생을 다시 산다면』, p. 255-256)

♣ 2000년도부터 세상을 향해 글을 쓰고 나서 세월이 웬만큼 지난 후 종종 이런 질문이 담긴 메일을 받곤 했다. "아직도 부자인가? 지금 행복한가?" 내 짐작에는 "당신 지금쯤에는 망했을 거야… 불행할 거야"라는 기대감에 메일을 보내지 않았을까 싶다. 그 답은 지금 여기에 쓴다. 아직도 부자가 아니라 훨씬 더 부자가 되었으며, "충분히 행복한 운 좋은 사람"으로 살고 있다. "충분히 행복한 운 좋은 사람"이라는 표현은 심리학 교수 다니엘 카네만이 한 말이다(노벨 경제학상을 받았음을 고려하면 그의 책 《생각에 관한 생각》은 읽어 볼 만한 책이 아니겠는가). 그는 행복을, 순간기억과 관련지으며 "가장 행복한 사람은 행복해지고 싶어 하는 열망이 크지 않았던 사람"임을 지적한다. 기를 쓰고 행복을 찾아 나서는 사람이 오히려 행복해지기가 힘들다는 말인데 나도 그 말에 동의한다. 윌리엄 데이먼의 《무엇을 위해 살 것인가》를 보면 그 말이 이렇게 표현된다. "가장 행복한 사람은 행복하기

위해 노력하는 경우가 드물다."—맞다. "진정한 행복은 사람들로 하여금 **몰입**하게 만들고, 도전하게 만들고, 빠져들게 만드는 흥미로운 것들과 관련이 있다."—맞다. 나 역시 여전히 어딘가에 몰입하고 도전하며 빠져드는 것을 아주 좋아하는데 그것이 무슨 커다란 사업 프로젝트를 의미하는 것은 전혀 아니다. 아내가 사온 너무나도 특색 없는 유니클로 셔츠를 내가 좋아하는 색상으로 직접 염색하는 것에서도, 우연히 발견한 책에서 무릎을 탁 치게 하는 글을 발견하는 것에서도, 루도비코 에이나우디의 피아노 연주를 듣는 것에서도 나는 충분히 몰입하고 빠져든다. 행복은 우연히 찾아오는 것이 아니며 외부 요인에 의하여 좌우되는 것도 아니고 순간순간 충분히 몰입할 때 찾아온다.—미하이 칙센트미하이가 <**몰입**flow>에서 강조하는 내용이다. (세이노, 『세이노의 가르침』, p. 330-331)

♣ <한없는 기쁨>

일생 처음으로 나는 이 외로운 라나오(Lanao)에서 무슨 일을 해야 하는지를 알았습니다. 하나님께서 왜 이렇게 가슴을 에는 공허함을 주셨는지 깨닫게 된 것이지요. 하나님은 친히 내 마음을 채워 주시려는 것입니다.

이 산에서 나는 다음 세 가지를 행해야 합니다.

첫째, 하나님의 뜻을 추구하며 이 발견의 항해를 떠나야 합니다. 세상이 나를 필요로 하기 때문에 그 일을 해야 하는 것입니다. 둘째, 강력한 중보 기도의 실험에 **몰입**해야 합니다. 하나님이 다른 사람들을 향한 그분의 뜻을 이루시는 데 나의 도움을 필요로 하시며, 나의 기도로 인해 하나님의 능력이 나타난다는 가정을 시험해 보기 위해서입니다.

셋째, 모로족들이 하나님의 사랑을 접하도록 해야 합니다. 비록 그리스도의 이름을 사용하지 않더라도 그 사랑은 그들에게 그리스도를 전해 줄 것입니다. 그들은 내 안에 계신 하나님을 보아야 하며, 나는 그들 안에 계신 하나님을 보아야 합니다. 그들의 종교의 이름을 바꾸기 위해서가 아니라, 그들의 손을 잡고 "오세요, 우리 하나님을 바랍시다."라고 말하기 위해서입니다.

(프랭크 루박, 『프랭크 루박의 편지』, p. 36-37)

♣ 재림을 기다리는 삶은 어떠해야 합니까? 일상을 버리거나 세상을 도피하는 것이 아닙니다. 오히려 오늘 오시건 내일 오시건 반드시 오신다는 믿음과 긴박함을 갖고 일상에 **몰입**하는 삶입니다. 왜 몰입합니까? 주님을 증거하고 주님을 전파하기 위해서입니다. 어떻게 몰입합니까? 온 마음과 뜻과 정성을 다해 내 안에 주님을 모시고 사는 것입니다. 그러나 먹거나 마시거나 깨어 있거나 잠들거나 일하거나 쉬거나 다 주님 안에서 주님을 위하여 주님의 힘으로 사십시오. 그런 인생을 살기를 바랍니다.(조정민, 『사후대책』, p. 383)

199. **몸맨두리** : 몸의 모양과 태도.

200. **무감하다** : 관심이나 감각이 없다.

♣ 차 안에서 가까운 이의 부고 전화를 받는 강사의 모습을 떠올리던 홍주는 **무감한** 얼굴로 선 남자와 여자가 어떤 종류의 죽음을 상상하고 있을지 궁금해졌다.

(양수빈, 『낮에 접는 별』,신춘문예당선소설집, 2023)

♣ 책을 읽어도 머리에 들어오지 않고 나중에 기억나지 않는 것도 나이 먹어 그런 거라 **무감하게** 대꾸했다. 책을 펼치고 딴 생각으로 빠지기는 모든 세대에 공통이나 중년에 접어들면 딴 생각의 범위가 광활해진 의무와 책임만큼이나 공활해진다. 나

이 탓이 영 허튼소리는 아니다.(공활 : 텅 비고 매우 넓다)

(유선경, 『어른의 어휘력』, p. 23)

201. **무람없다** : 예의를 지키지 않고 삼가고 조심하는 것이 없다.

♣ 제 행동이 다소 버릇없고 **무람없더라도** 용서하세요.

202. **무렴하다** : 염치가 없음을 느껴 스스로 마음에 겸연쩍다.

♣ 그날, 나영규의 키스를 순순히 받아들인 것은 모두 그가 **무렴해질** 것을 염려한 나의 배려가 시킨 일이었다.

(양귀자, 『모순』, p. 161)

♣ 최근의 한국 사회는 모욕을 받는 것에 대단히 예민하다. "날 무시하느냐."며 욱하고 격분하는 사례가 흔하다. 쉽게 모욕을 주는 사회도 위험하지만 쉽게 모욕감을 느끼는 마음도 못지않게 아슬아슬하다. 걸핏하면 욱하는 것이다. "왜 이렇게 화를 내세요? 이게 화를 낼 일은 아닌 것 같은데요"라며 해결할 수 있다는 제스처를 취하면 팽팽했던 고무풍선에서 바람이 푸쉬식 빠지듯 "아니 그게 ……." 어쩌고 하다가 **무렴한지** "내가 좀 성격이 다혈질이라서……."라고 변명 아닌 변명을 한다.

'목소리 큰 사람이 이긴다'는 인식이 팽배한 사회적 분위기 탓도 있지만 자기가 다혈질이라고 말하는 사람이 꽤 많다. '다혈질: 감정의 움직임이 빨라서 자극에 민감하고 곧 흥분되나 오래 가지 아니하며, 성급하고 인내심이 부족한 기질.' 이렇게 사전적 풀이를 풀어놓고 보니 우리가 그토록 싫어하는 이 낱말과 비슷하지 않은가? 한국인을 비하하는 표현으로 자주 거론되는 '냄비 근성'.

(유선경, 『감정어휘』, p. 200-201, 앤의서재)

203. **무명**無明 : 진리의 빛이 비추어지지 않는 혼란한 상태.

204. **무색하다** : ① 본래의 특색을 드러내지 못하고 보잘 것 없다. ② 겸연쩍고 부끄럽다. ③ 아무 색깔이 없다.

♣ <한국 전통 육아법 포대기: 세계를 매료시키다>라는 제목으로 올라온 어느 기자의 글이다. 인터넷 숲 속에서 호미 대신 마우스를 들고 찾아낸 산삼이다. '기저귀학'을 넘어 '포대기학'으로 발전시켜야 한다고 농담 반 진담 반으로 했던 내 이야기가 무색해지는 순간이다. 그 어떤 미디어도 관심을 보이지 않던 '포대기'가 젊은 세대의 한국 엄마들 사이에 인기를 끌며 세계적으로 '포대기 한류 바람'을 일으켰던 거다. 포대기를 판매하는 쇼핑몰이 생겨나고 직접 만들어 파는 사람들도 있다. 포대기 매는 법이나 포대기 활용법에 대한 사진을 찍어 자신의 블로그에 올리는 사례도 볼 수 있다. 영문 표기는 포대기의 한국어 발음을 그대로 옮긴 'Podaegi'다.

(이어령, 『너 어디에서 왔니 한국인이야기-탄생』, 216-217, 파람북)

♣ 일본인 사이에서도 교토 사람들은 남에게 속마음을 내보이지 않는 것으로 유명합니다. 그만큼 차갑고 배타적이라는 평이지요. 어쩌다 함께 식사를 나눈 사람이라고 해도 이 정도면 가까워졌다고 생각해 반갑게 인사하면 처음 대하듯 깍듯이 인사하는 바람에 그만 무색해지는 경우도 여러 번 경험해 본 일입니다.

(이어령, 『지성에서 영성으로』, p. 81)

♣ 그들이 의지 없을 때에 내가 미소하면 그들이 나의 얼굴빛을 무색하게 아니하였느니라. (욥기 29장 24절, 『성경』)

205. **무연하다** : ① 아득하게 너르다.(너르다: 공간이 두루 다 넓다)
② 크게 낙심하여 허탈해 하거나 멍하다.

♣ 오래 기다리셨어요?
노인이 **무연한** 눈길을 돌려 나를 바라본다.
버스 올 때가 다 되었어요?
두 손을 가지런히 모아 지팡이를 짚고 있던 그가 한 손을 천천히 들어올린다. 자신의 귀를 가리키며 눈을 빛낸다. 체머리를 떨며 고개를 젓는 노인의 얼굴에 엷은 미소가 어린다. 열릴 것 같지 않던 얇은 입술이 마침내 열린다.

(한강, 『작별하지 않는다』, p. 98)

♣ 구름 한 점 없이 맑은 겨울 하늘, 바람은 스산하게 불지만 산천은 얼음덮개를 쓰고 사진 한 톨 없는 쾌적한 공기다. 두만강을 그냥 달려갈 마차, 여정은 한결 빨라지겠지. 마차 바퀴는 빙판 위에서 매끄럽게 달려간다. 멀리 구릉진 곳에 회갈색 수 노루 한 마리가 뛰어가는 것을 볼 수 있고 잎 떨어진 백양나무는 연방 연방 마차 창밖에서 달아난다.
끝없이 끝없이 회백색으로 펼쳐진 벌판, 나직한 구름이 가끔씩 나타났다간 사라진다.
서희는 변함없는 자세, 돌덩이로 굳어버렸는지 고개 한 번 돌리려 않는다. 만주벌판의 겨울 풍경은 그에게는 **무연한** 것인가 보다. 그는 오로지 그 자신의 심중만을 골똘히 들여다보고 있는 성싶다. 다만 다물려진 입매에 어떤 결의가 엿보일 뿐이다. 용정이 멀어지면 질수록 입매를 감도는 결의가 굳어지는 것 같기도 하고, 도대체 서희는 무슨 결의를 하고 용정을 떠났을까.

(박경리, 『토지 2부 2권』, p. 92)

206.무위 : ① 아무것도 하지 않음. ② '아무것도 안 한다'는 뜻이 아니라 '억지로 하지 않는다'는 뜻이다.

(강상구 『그때 장자를 만났다』)

♣ 심지어 도척은 공자가 교화시키기 위해 만나러갔을 때 사람의 간을 회로 먹고 있을 정도였다. 사람으로서의 도리는 커녕 기본적인 인륜도 저버릴 정도의 극악한 인물이라고 할 수 있다. 물론 출처가 《장자》였던 만큼 그 일화는 사실이 아닐 수도 있다. 장자의 도교는 유교의 사상과 철학에 반하는 무위자연의 철학을 기반으로 하고 있었고, 책에는 인간적인 도리에 집착하는 유교와 그 시조인 공자를 조롱하고 비웃는 내용들이 실려 있다. 도척은 유교에서 가장 소중히 하는 사랑과 절제의 삶을 부정하고, 자기 욕망을 채우는 데 충실했던 가장 반유교적이며 비도덕적인 인물이라고 할 수 있다. (조윤제, 『다산의 마지막 공부』, p. 225)

♣ 우리사회의 '신토불이'에는 일종의 기피증(avoidance syndrome)과 문화적 폐쇄성이 교묘하게 숨어 있다. 기피증이란 자기 자신의 감정에 솔직하지 못해, 어떤 사람이나 사물을 싫어하거나 불안하게 느끼면 미리 도피해버리는 증세다. 그리고는 자신의 행동을 합리화하기 위해 지속적으로 핑계를 만들게 된다. 핑계대지 말자. 입장 바꿔 생각을 해보자. 한민족의 건강은 신토불이가 책임질 수 있는 것이 아니다. 한민족의 미래는 노자의 무위자연으로 열릴 것도 아니다. 못났으면 빨리 고치고, 좋으면 나가서 알리자. 뭐 그리 겁

낼 일이 많은가. (김경일, 『공자가 죽어야 나라가 산다』)

♣ 그는 고개를 저었다.

"아니요, 없습니다. 없어요, 마네트 양. 없습니다. 당신이 조금만 더 제 이야기를 들어준다면 당신이 저를 위해 할 수 있는 일은 모두 하신 겁니다. 당신이 제 영혼의 마지막 희망이라는 것을 알아주셨으면 합니다. 저는 타락할 대로 타락한 놈입니다. 하지만 루시 양과 박사님, 그리고 루시 양의 힘을 가꾼 이 가정을 보고 제 마음속에 죽은 줄만 알았던 옛 감정이 되살아났습니다. 당신을 알게 된 후로 다시는 나를 책망하지 않을 줄 알았던 회한에 괴로워하게 되었고, 나를 억지로 일으켜 세우는 예전 목소리, 영원히 들리지 않을 줄만 알았던 그 나지막한 목소리를 들었습니다. 저는 새롭게 노력하자, 다시 시작하자, 게으름과 방탕을 털고 포기했던 싸움을 다시 시작하자고 막연히 저를 다그쳤습니다. 하지만 그것은 꿈, 한낱 꿈, <u>무위</u>로 끝나는 꿈, 꿈을 꾸었던 사람만 남기고 사라지는 꿈이었습니다. 하지만 당신이 그 꿈을 일깨워 주셨다는 점만은 알아주십시오.

(찰스 디킨스, 『두 도시 이야기』, p. 217)

♣ 나는 거짓말로써 그를 위로했다. 박은 가고 나는 다시 '속물'들 틈에 끼었다. 무진에서는 누구나 그렇게 생각하는 것이다. 타인은 모두 속물들이라고. 나 역시 그렇게 생각하는 것이다. 타인이 하는 모든 행위는 <u>무위</u>無爲와 똑같은 무게밖에 가지고 있지 않은 장난이라고.

(김승옥, 『무진기행』 p. 24, 민음사)

207. **무지근하다** : ① 머리가 띵하고 무겁거나 가슴, 팔다리 따위가 무엇에 눌리는 듯이 무겁다. ② 뒤가 잘 안 나와서 기분이 무겁다.

♣ 이틀 동안 귀가 계속 아팠는데, 토요일 밤이 되자 <u>무지근하게</u> 아픈 정도에서 찌르는 듯 계속되는 날카로운 통증으로 증상이 악화됐고 열도 났다. 사물이 뒤틀려 보였고 빛에 민감해졌다. (타라 웨스트오버, 『배움의 발견』, p. 291)

208. **무참하다** : ① 매우 부끄럽다. ② 몹시 끔찍하고 참혹하다.

♣ 나는 <u>무참해서</u> 겨우 중얼거렸다.(김훈, 『저만치 혼자서』. p. 152)

♣ 그러나 가까이서 본 아버지의 얼굴은 내 익숙한 느낌을 <u>무참하게</u> 짓밟았다. (양귀자, 『모순』, p. 261)

♣ '우발적 살인'에서의 관행적인 12년은 다른 사건에서는 어떤 종류의 핑계가 되기도 한다. 몇 년 전 조두순이라는 자가 어린 여자아이를 <u>무참하게</u> 성폭행한 사건이 있었는데, 불과 징역 12년이 선고되어 여론이 들끓었다. 법원이 통째로 욕을 먹었지만 실은 판사들도 그런 놈이 겨우 12년이냐며 흥분했다. (도진기, 『합의적 의심』, p. 172)

♣ 새로운 희망을 되찾으려면 <u>무참하게</u> 부서진 현실에 매달리기보다 관계가 끝난 사태를 받아들이고 앞으로 나아가는 것도 필요하다. 하나의 관계가 죽음을 맞았다는 것과 세상에 둘도 없던 사랑이 끝났다는 사실을 받아들이는 일이다. 결코 쉬운 일은 아니지만 필요 이상으로 고통을 오래 끌지 않고 안정과 희망을 되찾기 위해 필요한 과정이다. 다른 사람이 옳지 못한 짓을 했다 하더라도 자기가 그들에게 옳지 못한 짓을 할 권리는 어느 누구에게도 없다는 평범한 진리를 일깨워 주어야 한다. 살아 돌아온 사람이 시련을 통해

얻은 가장 값진 체험은 모든 시련을 겪고 난 후 이제 이 세상에서 신 이외에는 아무 것도 두려워할 필요가 없다고 하는 경이로운 느낌을 갖게 된 것이다.

(빅터 프랭클, 『죽음의 수용소에서』, 청아출판사)

♣ "왜 좀 따뜻하게 못했을까? 난생처음 보는 저 노인을 위해서 내 마음이 이리 아픈데 생시 어머니를 위해 이만큼이나 맘 아파한 일이 있었을까?"

견딜 수 없는 죄책감, 죽은 어미를 생각한다는 것은 가장 고통스런 일이다. 어쩌면 일본으로 간 이유 중에는 모친에 대한 기억에서 도망치고 싶은 심사가 있었는지 모른다. 비참한 죽음을 잊고 싶었는지 모른다. 병석에서 병으로 갔지만 임이네의 죽음은 월선의 죽음과는 달랐다. 이 두 죽음에서 비로소 홍이는 월선에 대한 그리움으로부터 놓여났으며, 월선이 점령했던 자리에 생모의 죽은 모습이 낙인과 같이 찍혔던 것이다. 임이네의 죽음은 죽음과의 **무참한** 투쟁이었다. 마지막 순간까지 체념 못한 죽음과의 투쟁이었다. 애증을 넘어선 그 모습은, 견딜 수 없는 연민으로 종전까지의 홍이를 파괴하고 만 것이었다. 그것은 자기 자신의 죽음과 모든 사람의 운명으로 확대되어간 허무의 깊이 모를 심연이었다. 월선이 축복받은 죽음이라면 임이네는 저주받은 죽음이요, 근원적으론 죽음이란 저주받은 것일 거라는 공포는 홍이 마음을 깊이 지배하였다. 홍이는 노파의 뒷모습을 바라보다가 고개를 흔들었다. 또 한 번 고개를 흔들었다.

(박경리, 『토지 3부 3권』, p. 216)

209. **무화시키다** : ① 없는 것으로 치다. ② 물거품으로 만들다.

- **무화되다** : 아무 것도 아니게 되다. 아무런 쓸모가 없게 되다.

♣ 작가의 자리가 없는 소설, 혹은 작가의 정신이 없는 소설 논의는 일시에 소설이란 장르의 탄생을 **무화시켜** 버리고 만다. (양귀자, 『모순』, p. 305)

♣ 그 8년 동안 이승복의 죽음과 외침은 증발해서 **무화되는** 듯 싶었지만, 법원은 그 보도가 사실에 근거했다고 판결했다. (김훈, 『연필로 쓰기』, p.158)

♣ 임이네(『토지』 등장인물)는 자식도 필요없습니다. 남편도 필요치 않습니다. 그녀에게 '돈'은 세상 모든 것을 다 가질 수 있게 만들어주는 마법 지팡이고, 그 자체만으로 언제 어디서든 힘을 발휘합니다. 이 때문에 전근대 세계에서 근대 세계로 옮겨 오면서 가치의 변환과 더불어 욕망의 무한한 증식이 일어나기 시작합니다. 모든 것을 다 삼켜버릴 듯 모든 질적 차이를 다 **무화해**버리고 '돈'이라는 단일한 징표로 수렴시키는 거대한 욕망덩어리가 생겨난 것이지요. 이 욕망덩어리를 굴려 나가는 가장 생생한 모습이 바로 임이네입니다. (김연숙, 『나, 참 쓸모 있는 인간』, p. 101)

♣ 일흔두 살에 죽은 마리아는 지주 집안의 오 남매 중 막내딸로 태어났다. 위로 오빠가 둘 언니가 둘이었는데 막내라고해서 귀여움을 독차지하지는 못했다. 대지주는 아니어도 자기 땅을 가졌다고 양반 행세를 하여 가풍이 대단히 봉건적이었다. 아들들만 위해 받쳤고 딸들은 빈농 집안이나 다름없이 부렸다. 아들들은 학교에 다녔지만 딸들이 학교에 다니기 위해서는 집안이 발칵 뒤집힐 정도의 투쟁과 저항이

필요했다. 집안의 남자 어른들은 시대 흐름도 있고 남의 눈도 있어 마지못해 딸들을 학교에 보내면서도 딸들 앞으로 나가는 학비는 낭비라 여겼고 딸들의 높은 학업 성취에서는 까닭 모를 불길함마저 느꼈다. 그래서 집에서는 딸들이 감히 책을 펼치고 공부하는 꼴을 보이는 걸 용납하지 않았다. 시집가기 전까지 알뜰히 착취해야 마땅할 딸들의 노동력은 가축이나 토지와 마찬가지로 그 생산성의 크기에 따라 가치가 매겨졌으므로, 맏딸에 비해 막내딸은 훨씬 더 열등했다. 집안에서 가장 작아서 미천한 존재인 막내 마리아는 자라면서 가능한 한 누구의 눈에도 띄지 않도록 자기 존재를 감추고 **무화하는** 법을 터득했다. 숨어서 공부했고 숨어서 성당에 나갔고 숨어서 일을 꾸몄다. 그 은신술이 얼마나 뛰어났던지 마리아가 파독 간호사를 지원해 독일로 떠난 후 사흘이 지나도록 집안에서 그녀의 부재를 눈치챈 사람이 아무도 없을 정도였다. 심지어 죽기 전까지도 숨어서 약을 먹고 주사를 놓았으므로 마리아가 죽을 만큼 아프다는 것을 눈치챈 이웃이나 성도는 아무도 없었다. (권여선, 『각각의 계절』, p. 87-88)

210. **문청**: 문학을 좋아하고 문학 작품의 창작에 뜻이 있는 청년.

♣ Q 소재 면에서 장로문학이 한국의 창작 풍토에 긍정적인 기여를 할 수 있다고 짚어주셨는데요. 혹시 그 밖의 면에서 주의해야 할 건 없을까요?

A 이건 좀 대담한 가설입니다만, 한국의 본격문학도 이제 '장르화'의 위험에 대해 생각해봐야 할 때가 아닌가 싶어요. 장르화 된다는 것은 말 안 해도 아는 것들이 늘어난다는 얘기죠. 예를 들어 갱스터 영화에서 마피아, 하면 더 이상 설명이 필요 없었죠. 주머니에서 뭐가 비쭉

나와 있으면 말 안 해도 총이라는 것을 알았죠. 트렌치코트에 중절모 쓰면 형사고. 그랬듯이, 요즘 한국 순수문학의 주인공들은 관습적으로 음울합니다. 그가 왜 음울한지, 실직을 해서 그런지, 실연을 당해서 그런지, 아니면 그냥 우울증인지, 굳이 설명하지 않아도 된단 말이죠. 일종의 장르적 규칙과 유사합니다. 뿐만 아니라 왜 다들 가난하게 반지하방이나 옥탑방에 사는지 굳이 설명하지 않죠. 다들 알고 있다고 전제하는 거예요. 가족관계는 희미하고 취미생활도 비슷한 경향을 보입니다. 이를테면 스쿼시나 골프, 수상스키 같은 걸 즐기는 주인공은 없잖아요. 만약 순수문학의 장르적 규칙이라는 게 있다면, 그런 취미는 배제돼야 한다는 룰이 그 안에 있는 겁니다. 반면에 프라모델 조립처럼 혼자 할 수 있는 취미활동은 허용이 되죠.(웃음)
가끔 신춘문예나 소설 공모전 심사 같은 것을 하다보면 요즘의 **문청**들이 이미 그런 장르적 규칙을 숙지하고 있을지도 모른다는 불길한 심증이 들 때가 있습니다. 신춘문예에 응모하는 작품들을 보면 철저하게 그런 규칙에 얽매여 있어요. 추리소설에서는 대부분 살인이 발생합니다. 또 그 살인의 대부분은 밀실에서 발생하지요. (김영하, 『말하다』, p. 196-198)

♣ "그렇다면 어째서 역사는 늘 강자의 편이었나."
찌가 흔들리는 순간 낚싯대를 잡아채듯 명빈은 재빨리 말했다. '청춘이구나. 십 년 가까이 교육계에 몸담았어도 변한 게 없어. 여전히 **문청**시대, 사람이 착하고 순수한 것도 어느 정도지. 희극이다 희극.' 전윤경은 짜증이 나서 마음속으로 중얼거렸다. (박경리, 『토지 4부 1권』, p. 387)

211. **문화** : 원래 '**문화**'라는 말은 '**문치교화**'의 준말입니다. 무력이나 금력이 아니라 '글의 힘으로 상대방을 교화시켜 다스리는 방법'이 곧 '**문화**'라는 말의 원뜻이다.(이어령)

♣ 지도력을 가지려면 반드시 **문화**를 알아야 합니다. 군사력, 경제력 다음에는 남을 감동시키는 매력이 필요합니다. 그 사람만 보면 즐겁고, 그 사람이 말하면 어려운 일도 함께하고 싶은 것, 이렇게 절로 우러나오는 힘은, 금권과 권력이 현실인 것처럼 보이는 이 세상에서도 돈과 권력으로 안 되는 일이 있다는 것을 가르쳐 줍니다. CEO분들께 이야기를 할 때 저는 늘 문화마인드를 가지고 매력 있는 인간이 되어야 회사도 소비자도 좋아한다고 말씀드립니다.

(이어령, 『지성에서 영성으로』, p. 130)

♣ 우표딱지를 대각선으로 접은 것 만한 세모난 표시는 빤들빤들하고 선명해서 꼭 진한 꽃잎을 문 것 같았다. 나는 아무것도 모르면서 그 덕국德國(독일) 물감만 보면 가슴이 울렁거렸다. 그건 아마도 내가 최초로 맡은 문명의 냄새, **문화**의 예감이었다. (박완서, 『그 많던 싱아는 누가 다 먹었을까』, p.14)

♣ **문화**라는 말은 언뜻 뭔가 수준 높아 보이고 좋은 것 같지만 조금만 깊이 생각해보면 인간이 자연 속에서 그냥 살 수 없기 때문에 만들어낸 궁여지책일 뿐입니다. 짐승들은 **문화** 없이도 살아갈 수 있으니까요. 인간은 저 혼자서는 도저히 살아갈 수 없기 때문에 사회를 만들고 문명이라는 것도 만듭니다. (이어령, 『빵만으로는 살 수 없다』, p. 67)

♣ 아흔아홉 마리의 양 이야기는 유목민의 **문화**, 끝없이 나가기만하는 문화인데, '돌아온 탕자' 이야기는 정착민의 이야기

입니다. 이렇게 의미는 같지만 다른 문화를 배경으로 함으로써 문화적 차이를 넘어 이 이야기가 보편성을 얻게 되지요.

(앞의 책, p. 105)

♣ 까마귀에 대한 책도 많이 읽고 꾸준히 지켜보니 까마귀의 **문화**적 상징에도 관심을 갖게 되었습니다. 제가 살펴본 결과 까마귀는 영리하며 인간에 가까운 사고력을 가진 새였습니다. 천재시인 이상도 「오감도」라는 시를 썼잖습니까? 까마귀가 우리를 내려다본다. 도시를 내려다보고 생각한다고 말입니다. 이상의 「오감도」에서처럼 까마귀는 조용히 인간들을 관찰하는 새인 것입니다. 또 북유럽의 제우스 격인 오딘을 수호하는 새는 까마귀이며, 우리나라 고구려를 비롯해서 중국, 일본에도 태양을 상징하는 상서로운 새로 다리 셋 달린 까마귀, 삼족오三足烏가 전해집니다. (앞의 책, p. 233)

♣ '행동'을 다 묶어 놓으면 생물학자는 그것을 '**문화**'라고 부릅니다. 하지만 문화를 연구하는 인문학자들은 이렇게 이야기하면 좀 거칠다고 말합니다. 그렇지만 우리는 '침팬지의 문화', '개미의 문화'를 이야기합니다. 그 문화는 무엇을 말합니까? 개미의 행동의 총합입니다. 그럼 행동이 비슷하다고 그것들을 묶어 놓으면 똑같은 문화가 될까요? 그렇지는 않습니다. 즉, 행동에서 문화로 넘어가는 과정에서의 변이 크기는 그 이전의 단계보다 훨씬 더 큽니다. 하지만 그 역시 유전자의 영향이 전혀 없다고는 아무도 이야기할 수 없습니다. 결국 인간의 문화라는 것은 인간 '유전자의 산물'입니다. 물론 명확하게 어떤 유전자를 가지면 어떤 문화가 만들어져야 된다고 말할 수는 없습니다. 하지만 그 유전자 때문에 만들

어진 것이 문화입니다. 유전자에 관심을 갖는 이유도 이 때문입니다. (최재천, 『손잡지 않고 살아남은 생명은 없다』, p. 36)

♣ 삶의 규범이자 길잡이인 그리스도의 율법은 역사와 문화와 교파와 민족과 세대를 초월한다. 신분이나 거주지, 또는 시대와 상관없이 그리스도를 믿는 사람들은 모두 그리스도의 율법에 복종해야 한다.

이와 같이 진정한 종교의 도덕적, 영적 근간은 변하지 않는다. 성부 하나님과 예수 그리스도가 변치 않으시듯 정통 교리와 정통 행위는 본질적으로 항상 동일하다. 과거에 도덕적으로 옳고 선한 일은 오늘날에도 여전히 옳고 선하며, 과거에 도덕적으로 잘못인 것은 오늘날에도 도덕적으로 잘못인 것이다. 율법 준수는 항상 하나님을 영화롭게 하기 위한 동기를 지녀야 한다.

이 점은 오늘날에도 마찬가지다. 참된 사랑은 곧 하나님께 충성하고 이웃을 선의로 대하며 그 분의 계명에 복종하는 것이다(요일 5:3 참조). 참된 의는 모든 형태의 악을 버리고, 하나님의 목적과 영광에 어울리는 일을 행하며, 다른 사람들을 공정하고 올바르게 대하는 것을 의미한다. 이 점은 과거나 현재나 앞으로나 절대로 변하지 않는다. 참된 성결은 구별된 삶을 통해 하나님께 헌신하고, 일심으로 그분을 섬기며, 항상 순전하고 순결한 삶을 유지하기 위해 노력하고, 그리스도를 따를 때 어려움과 시련이 닥치더라도 겸손히 인내하는 것을 의미한다. 하나님의 율법을 지키면 진리와 자유의 세계에 거할 수 있고, 삶 속에서 항상 하나님의 인도를 받을 수 있다.

(제임스 패커 외, 『하나님의 인도』, p. 137)

♣ 나는 사람들이 나무에게 절할까 봐 걱정하는 것이 아니다. 오늘날의 **문화**가 안고 있는 진짜 문제는 외적 우상, 즉 눈에 보이는 우상을 만드는 것이 아니다. 우리가 경계해야 할 것은 내면의 우상이다. 에스겔서 14장 3절은 이 우상을 이렇게 표현한다. "이 사람들이 자기 우상을 마음에 들이며." 우상이란 무엇인가? 전통적인 정의는 이렇다. 우리가 하나님보다 중요하게 여기는 것, 하지만 사람들은 이 정의를 대수롭지 않게 여기는 것 같다. 하나님보다 소중한 것은 없다면서 스스로를 속이기란 너무 쉽다.
그러니 이렇게 한번 정의해보자. 하나님만이 주실 수 있는 것을 그분의 힘과 권위를 갖지 못한 무언가에게서 찾는 것, 이것이 바로 우상이다. 성공, 사랑, 재산, 가족처럼 좋은 것들을 대할 때, 하나님만 주실 수 있는 것을 줄 수 있다는 기대감으로 그것들에 매달리는 것이 우상이다. 그것들이 우리가 갈망하는 의미와 안정감, 안위와 성취감을 가져다줄 수 있다는 공허한 약속을 믿는 것이다. 하나님이 우리에게 심어주신 갈망을 느낄 때 그분 아닌 다른 것으로 그 갈망을 채우려고 애쓰는 것이 우상이다.
장 칼뱅이 남긴 유명한 말이 있다. "인간의 마음은 우상을 만들어내는 우상 공장이다." 깊이 공감한다. 나만 해도 하나님만이 주실 수 있는 것을 다른 데서 얻으려고 하찮은 것들을 의지한 경우가 얼마나 많았던가. 그 결과는 아름답지 못했다. (피트 윌슨, 『하나님인가, 세상인가』, p. 24, 아드폰테스)

♣ **정말로 믿는다면 말할 수밖에 없다**

결론적으로 건강한 교회 부흥을 위해서는 계속해서 복음 전파가 강조되어야 합니다. 더불어 적절한 전략과 전도 방법을 가지고 있어야 합니다. 이를 위해 **문화**와 지역사회를 위한 투자도 있어야 합니다. 즉 과감한 구제와 나눔으로 복음 전파가 힘 있게 이루어져야 합니다. C.S.루이스의 말처럼 교회의 유일한 존재 이유는 사람들을 그리스도께로 인도하고 그들을 작은 예수로 만드는 것입니다. 교회가 이 일을 하지 않는다면 교회의 모든 사역은 시간 낭비에 불과할 뿐입니다. 우리가 정말로 예수님을 믿는다면 교회의 모든 사역은 시간 낭비에 불과할 뿐입니다. 우리가 정말로 예수님을 믿는다면 복음에 대해 이야기하지 않을 수 없습니다. 꿈의 교회는 안수집사를 세울 때 그 해에 최소 한 명 이상은 전도해야 안수를 받을 수 있습니다. 생명을 사랑하지 않는 사람이 교회의 리더가 되어서는 안 됩니다. 교회는 생명 공동체이기 때문입니다.

(안희묵, 『교회, 다시 꿈꾸다』, p. 190, 교회성장연구소)

212. **문화사회** : 일하는 시간을 줄여 그 시간을 자아의 실현을 위해 투여하는 사회다. 노동이 지배하는 사회가 아니라 사람들의 자율적인 활동이 지배하는 사회가 바로 **문화사회**다.

213. **문화 유전자**(**밈**meme) : 생물학적 유전자인 DNA와 달리, 태어나 학습 등으로 몸에 밴 '어떤 것'을 말한다.

(리처드 도킨스, 『이기적 유전자』)

♣ 유대인의 **문화 유전자**는 성경이다.

♣ 그러니까 언어는 **밈**이냐, 진이냐 이걸 놓고 생성논법 관련자들이 엄청나게 싸우는데, 그것에 의해서 인간은 생물학적 결정론자인지, 문화적 결정론자인지 결정되는 거예요. **밈**이라고 하는 것은 도킨스가 **문화 유전자**라고 해서 학습하는 거

예요 책, 말, 색.(이어령, 『거시기머시기』, p. 206, 김영사)

♣ 그렇기 때문에 "꽃이 밥 먹여주냐"는 핀잔을 들을 때 생물학적 DNA는 고개를 숙이지만 **문화적 유전자 밈**Meme은 거꾸로 고개를 들고 일어섭니다. 아름다움이 무엇인지, 참되고 착하게 사는 것이 무엇인지를 생각해본 적이 있는 사람이면 분노의 목소리로 맞설 것입니다.

(이어령, 『빵만으로는 살 수 없다』, p.16)

214. **물색없다** : 말이나 행동이 형편에 맞거나 조리에 닿지 않는 모습.

215. **물성** : 물질이 가지고 있는 고유한 성질.

♣ "그 언니의 손을 맞잡기 전에도, 나는 최선을 다해 좋은 쪽으로만 생각했어요. 다 잘 될 거야. 괜찮아질 거야. 비행기는 무사히 착륙하고 아빠는 깨어날 거야. 하지만 어느 순간 머리는 폭발한 것처럼 멍해졌고 끔찍한 공포가 밀려왔죠. 그때 그 언니의 손을 잡게 된 거예요. 어떤 생각도 할 수 없었기에 나는 그저 그 언니의 손에만 집중했어요. 그러자 마치 태어나서 누군가의 손을 처음 잡아본 것처럼 그 손의 **물성**이 고스란히 느껴졌어요. 물렁물렁한 손바닥이라든가, 그 안에 든 뼈 혹은 흐르는 피의 온기 같은 것들이. 나는 눈을 감고, 그 느낌에만 집중했어요. 거기서부터 모든 게 바뀌기 시작했어요. 그 작지만, 내 쪽에서 찾아낸 좋은 느낌에서부터."

가족들이 중환자실로 면회를 갔을 때, 아버지는 붕대를 감고 있었지만 정신은 온전히 돌아와 있었다. 그녀는 아버지가 아버지로 있어줘서 얼마나 고마운지 비로소 알게 됐다.

(김연수, 『너무나 많은 여름이』, p. 166, 레제)

216. **물아일체** : 외물과 자아. 객관과 주관, 또는 물질계와 정신계가 한데 어울려 하나가 됨. (**몰아일체** X)

♣ 한국인은 아기를 어머니의 배 속에서부터 하나의 소중한 생명체, 독립된 인격체로 보았다. 갓 태어난 아기를 절대 말구유나 요람에 내려놓지 않았다. 엄마가 안아주고 젖을 물렸다. 아기들이 깜짝 놀라 경기를 일으키면 끌어안아 줬다. 반면에 서양 사람들은 아이들을 낳자마자 꽁꽁 묶어서 요람이나 아기 침대에 따로 키운다. 그저 바구니를 만드는 경제력과 기술만 있으면, 아이를 요람에 넣어 키우는 것은 아주 쉬운 일이다. 훌륭한 바구니를 만들었던 우리나라에 요람이 없었던 것은 철저한 모자 접촉주의 원리가 있었기 때문이다. 물질하던 제주도를 제외하면 아무리 바빠도 아이를 구덕(바구니)에 넣는 것을 허락하지 않았던 것이 우리의 전통적인 어머니였다. 업는 문화는 몸 전체로 소통한다. 앞가슴과 등 뒤의 밀착은 단순한 소통이 아니라 합일이다. '**물아일체**'의 문화다.

(이어령, 『너 어디에서 왔니 한국인이야기-탄생』, p. 204)

217. **물큰하다** : 연하고 부드러운 느낌이 날 정도로 물렁하다.

♣ 나는 더지보다 작았고 힘도 약했다. 하지만 백 대를 맞더라도, 담을 뚫어져라 바라보던 더지의 두 눈을 꼭 패고 싶었다. 패서 **물큰하게** 만들고 싶었다. 물큰해진 그 눈구멍으로 손을 쑤셔넣어 더지의 뇌를 쥐어짜야 했다. 담이와 관계된 모든 생각을 짜내야만 했다. 필사적으로 덤벼들면서도 더지의 눈엔 손가락 하나 대지 못했고, 더지의 눈을 한 대도 패지 못했는데, 더지의 형이 달려왔다. 육학년 세 놈을 끌고 달타냥과 삼총사처럼 달려왔다. 나는 일방적으로 맞았다. 많이 맞아서 죽을 것만 같았는데, 죽지도 않고 계

속 맞았다. 저기, 담이 보였다.(최진영, 『구의 증명』, p. 45)

218. **뭉그러지다** : 높이 쌓인 물건이 무너져서 주저앉다.

♣ <u>뭉그러진</u> 그녀의 손가락이 푸른 화면 속으로 사라졌다.

(양지은, 『심해』)

♣ 내게 잘못된 것은 어떤 옷으로도 바로잡을 수 없었다. 내 안의 뭔가가 썩어서 그 악취가 너무 심하고, 중심부가 <u>뭉그러져서</u> 옷 따위로는 감출 수가 없었다.

(타라 웨스트오버, 『배움의 발견』, p. 380)

219. **뭉그적거리다** : 제자리에서 나아가지 못하고 느리게 자꾸 비비대다. **뭉그적대다**.

♣ 40분 내에 2백 자 원고지 6매, A4로 1매 가량 쓰는 속도는 받아쓰기 수준이다. 글감에 관련한 정보나 지식 등의 자료를 원고 분량 대비 최소 다섯 배 이상 확보하고 검토를 마쳤으며 생각을 정리해 전체 흐름과 방향을 결정했을 때 달성할 수 있다. 지식과 사유, 판단. 셋 중 하나만 부족해도 문장에 갇혀 <u>뭉그적거린다</u>. 운동선수가 워밍업도 안 하고 경기에 나선 격이니 행운의 여신이 적극적으로 편들어준다면 모를까. 패배하거나 부상당할 게 뻔하다. 원점으로 돌아가거나 폐기할 수밖에 없다. 그러나 초고에 한한 얘기다. 나는 지금 원고지 9백 매 가량의 원고를 아홉 달째 매만지고 있다.

(유선경, 『어른의 어휘력』, p. 197)

220. **뭉근하다** : 세지 않은 불기운이 끊이지 않고 꾸준하다.

♣ 국물을 넉넉히 잡고, 국자로 둥글게 저어가며 <u>뭉근한</u> 불에 지적지적 끓였다. (김훈, 『연필로 쓰기』, p. 178)

♣ 찰스는 아무 말 없이 나를 지켜봤지만 내 행동이 말도 안 된

다고 생각한 것이 분명했다. 특히 내가 아직 뭉근하게 아픈 귀를 잡아당겨서 이 괴상한 마술의 한계를 시험할 때는 더더욱 그랬을 것이다. (타라 웨스트오버, 『배움의 발견』, p. 291)

221. **뭉긋하다** : 약간 기울어지거나 굽어서 휘우듬하다.

(부사) **뭉긋이**

♣ 투덜거리다가 강쇠는 옆방에 앉아 있을 젊은 과부도 단념을 하고 벽을 향해 눕는다. 뭉긋이 겨를 태운 온돌방은 썩 기분에 좋다. 밤이슬에 젖은 옷도 어느새 말라 가슬가슬하다. 여자 생각보다 잠이 먼저 온다. 강쇠는 드러눕자마자 이내 입술을 불면서 잠이 들었다.

(박경리, 『토지 2부 2권』, p. 375)

♣ <이젠 물줄기를 한 뼘쯤/돌려놓아야 할 때다.
내 안에 상처처럼 숨어 있는/온당치 않는 운명에 대하여/당분간 침묵하려고 한다.
그리고 문득/다시 마음의 창이 열리면 불 꺼진 적이 없는 아궁이 무쇠솥이 되어 뭉긋이 달라진 당신을 받아 적으리라>-황희영 시인의 말중에서- (황희영, 『먼 그리움)

222. **뭉클하다** : 북받치는 감정으로 가슴속이 갑자기 꽉 차 넘치는 듯하다. (작은 말 - **몽클하다**)

♣ 어떤 지우개로도 지울 수 없는 한마디 말을 위하여 저에게 세상에서 가장 뭉클한 지우개를 주소서.

(이어령, 『눈물 한 방울』, p. 43, 김영사)

♣ 아, 그 달을 보는 순간, 점점 굳어가던 갱년기 아줌마의 감정이 깨어나며 왠지 모르게 가슴이 벅차올랐습니다. 하나님께 그 달을 띄워 올리시며 저를 향해 격려하시는 것처럼

느껴졌습니다. 그러자 뭔지 모를 **뭉클한** 감정 속에서 사랑하는 가족들과 교회식구들의 얼굴이 한 사람 한 사람 떠올랐습니다.

(한근영, 『나는 기록하기로 했다』, p. 296)

♣ 그는 가뭇한 구름이 **뭉클거리며** 커지는 것을 바라보았다. 어둠이 몰려오고 있었다. (차무진, 『인 더 백』, p. 40)

♣ 그런 것들한테 오염되기 이전의 모성은 얼마나 당당하고 넉넉하고 아름다운가. 이 판화 <젖먹이는 엄마>는 우리로 하여금 시간의 더께를 벗고, 박수근의 진국스러운 여성관과, 우리가 잃어버린 진정 소중한 것이 무엇인가를 **뭉클하니** 환기시킨다. (박완서, 『노란집』, p. 266-267)

♣ 이 글을 쓰고 있는 지금도 나는 여전히 커피 바에 앉아 있다. 내 커피는 다 식었고, 강의 시간도 이미 지나 늦어 버렸다. 그러나 나는 반 시간 전의 그 충격과 감흥을 여전히 느끼고 있다. 그리고 이런 생각을 해본다.

'빵 한 조각을 사주고 소년에게서 고맙다는 말을 듣고도 이렇게 마음이 **뭉클한데**, 내 영혼을 구원해 주신 것에 대해 하던 일을 멈추고 하나님께 감사한다면 얼마나 기뻐하실까?'

(맥스 루케이도, 『구원자 예수』, p. 192)

♣ "아, 사랑하는 찰스!" 그녀는 감정이 북받쳐서 남편에게 더 가까이 다가가 매달리며 남편의 가슴에 머리를 묻었다가 눈을 들어 그를 응시했다. "우리의 관계는 이렇게 행복하고 굳건하지만, 비참한 삶을 살아가는 그가 얼마나 약한 존재인지 기억해 주세요!"

이런 애원에 다네이는 가슴이 **뭉클해졌다**. "내 사랑, 언제까지나 그 점을 잊지 않겠소! 죽는 날까지 기억할 거요."

그는 고개를 숙여 아내의 금발과 장미 꽃잎 같은 입술에 입을 맞추고 그녀를 부둥켜안았다. 그 시간 어두운 거리를 걷고 있을 버림받은 방랑자가 그녀의 순결한 고백을 들었다면, 남편의 키스에 그녀의 연푸른색 사랑스러운 눈동자에 맺힌 연민의 눈물을 보았다면, 그는 아마 밤하늘을 향해 소리쳤으리라. 그 말을 처음으로 하는 것도 아니었으리라. "하나님, 그녀의 아름다운 동정심에 축복을 내려주소서!" (찰스 디킨스, 『두 도시 이야기』, p. 300)

223. **미구에** : 오래지않아, 곧.

♣ 미구未久에 쓰레기가 될 물건들이 내일의 나를 기다리고 있습니다. 그중에서도 가장 무서운 것이 인간의 끈입니다. 사람들을 피해 이곳에 왔는데 사람들이 그리워 치와와 같은 애완용 개의 목줄을 구하러 다닙니다. 개를 끌고 산책을 하는 저 많은 사람들과 조금도 다를 것 없이 나는 자유로울 수가 없습니다. (이어령, 『지성에서 영성으로』, p. 88)

♣ 훈춘의 오득술 내외 생각이 난다. 손님만 보면 기갈 든 사람 같이 붙잡는 그들 심리 속에 깊이 뿌리박힌 외로움을 생각해본다. 내외가 함께, 그리고 유복한 살림이건만, 귀화하여 보장되고 약속받은 터전이건만 이민족 속의 우리, 이민족 속의 나, 그 의식이 그들만의 것은 아니다. 흘러온 수만 이곳 조선인들의 사무친 슬픔이다. 늙어 쇠잔해졌고 단신의 김훈장의 경우는 더 말해 무엇하겠는가. 모시올 같은 수염을 흔들며 치매 같은 꼴을 하고 앉아 있는 훈장이 미구에 찾아올 자기 자신의 모습이 아니라고 장담할 수는 없다. 고국 땅을 다시 밟을 희망이 없는 늙은이, 담뱃대를 물고 큰 기침을 하며 마을길을 거닐어 볼 꿈조차 꾸어볼 수 없는 늙은이, 십 년 이십 년 후의 자기 자신은 아니라

고 장담할 수는 없다. 십 년을 보내고 나면 독립이 될까?

(박경리, 『토지 2부 2권』, p. 73)

224. **미립나다** : 경험을 통하여 묘한 이치나 요령이 생기다.

♣ 사유, 추론, 음미, 상상, 사색 등으로 내면을 수시로 소반다듬이해 올바른 관점을 가진 사람은 왜곡된 보도나 SNS, 인터넷에 노출되어도 크게 타격 받지 않고 가벼이 휩쓸리지 않는다. 물론 그에게도 어느 날 새벽 세 시쯤 채권자가 찾아올 테지만 영혼을 바스러트리는 위험으로까지 몰리진 않을 것이다. 과거 내면에 집중한 시간들이 오늘 나에게 주는 혜택이다. 관점이 명확하지 않는 상태에서는 도망칠 구멍이 많은 비겁한 어휘를 고른다. 관점이 올바르지 않은 상태에서는 극단적이고 편협한 어휘를 쥐려 한다. 말을 하고 글을 쓸 때 늘 도사리는 유혹이자 위험이다. 관점과 어휘력의 상관관계를 예민하게 감지해 피하지 않고 승부하면 차차 **미립날** 수 있다. 이는 용기가 필요한 일이다.

(유선경, 『어른의 어휘력』, p. 233)

225. **미립자** : 미세한 입자 또는 물질을 구성하는 아주 작은 알갱이.

♣ 오이지를 먹을 때, 나는 지금도 도산서당에 계실 것만 같은 퇴계의 무말랭이를 생각한다. 무말랭이는 햇볕을 말려서 먹는 반찬이고 오이지는 시간을 절여서 먹는 반찬이다. 그 반찬 속에서 삶의 **미립자**들은 반짝인다.

(김훈, 『연필로 쓰기』, p. 223)

226. **미욱하다** : 하는 짓이나 됨됨이가 매우 어리석고 미련하다.

♣ 먼저, **미욱한** 글을 뽑아주신 심사위원 분들께 감사를 올린다.

(임성용, 『맹순이 바당』)

♣ 상현은 한동안 말이 없다가 그러나 자르듯 분명하게 얘기한다.
"신분제도는 이미 형식상으로는 타파되지 않았습니까. 그러나 감정적으로 용납되기는 오랜 시일이 걸리지 않을까요?"
"**미욱한** 질문이었지요. 여러 해 전에, 그런 것으로 인하여 갈등을 겪은 일이 지금 생각나서 물어본 겝니다." 하고 복잡한 미소를 띤다. (박경리, 『토지 2부 1권』, p. 170)

227. **민벌레** : 민벌레속에 속하는 곤충의 총칭. 내부의 생식기관은 전형적인 메뚜기 계열이다. 현존하는 34종을 포함하고 있으며 9종은 멸종했다. 한국에서는 발견되지 않았다.

♣ 파나마에서 **민벌레**를 연구할 때였다. 썩어가는 나무껍질을 벗기면 나무와 껍질 사이에 생긴 틈으로 말처럼 뛰어다니는 놈들이 민벌레다. 길이가 2밀리미터밖에 안 되는 그놈들을 정글 한복판에서 관찰할 수는 없기 때문에 채집해서 연구실로 데려와 키우면서 연구를 해야 한다. 그런데 실험실에 데려오면 녀석들이 금방 죽기 때문에 민벌레 연구는 나 이전에 성공한 사람이 없었다.
나는 민벌레들을 기를 수 있는 방법이 없을까 6개월이 넘도록 이리저리 궁리했다. 그러다가 미술을 해본 덕에 석고를 생각해냈다. 시내에 나가 석고를 사다가 우리가 연구할 때 사용하는 플라스틱 페트리접시에 부어 굳힌 다음 그 위에다 민벌레들을 놓아 길러보았다. 민벌레들이 살기 위해서는 물이 필요한데 그녀석들이 워낙 작아 수분을 공급하는 문제가 쉽지가 않았던 것이다. 그런데 석고에 물을 부으면 서서히 스며들기 때문에 민벌레들이 익사하지 않도록 물을 섭취할 수 있을 만큼 전체적으로 축축함을 유지해서 딱이었다. 하지만 녀석들은 금세 죽어버렸다. 수분도 유지했겠다. 이론적으로는 자랄 수 있는 환경인데도 왜 그러는지 알 수 없었다. 또다시 며칠을 궁리하던 중 한 가지 생각이 떠올랐다. 채집할 때 나무껍질을 벗겨보면 녀석들이 나무를 갉아 먹어서 마치 미로처럼 길이 생겨 있었다는 사실이다. 그래서 이번에는 석고 위에 조각칼로 길을 만들기 시작했다. 민벌레들이 살 수 있을 정도로 아주 가늘게 파면서 모양도 미로처럼 만들었다. 같은 연구실에 있던 미국 친구들은 툭하면 조각칼로 길을 만들고 있는 날 보고 "어이구, 조각가 나셨네"라고 농담을 던지며 웃었다. 내가 "정말 한때는 조각가가 되려고 했었다"라고 대답하자 그 친구들은 정말이냐며 신기해했다.

그렇게 석고에 길을 만든 후 민벌레들을 놓고 유리로 덮어 키웠더니, 그 녀석들은 내가 파놓은 길을 왔다갔다하면서 잘 자라주었다. 길을 만들기 전에는 민벌레들이 예측불허 상태로 뛰어다니니까 따라가지를 못했는데, 이제 길만 따라다니면서 관찰할 수 있다는 점도 좋았다. 그 덕에 나는 마침내 세계에서 최초로 민벌레 연구에 성공했다. (최재천, 『과학자의 서재』, p. 108-109)

228. **밉광스레** : 보기에 매우 밉살스러운 데가 있게.

♣ 곰처럼 둥실한 몸이었지만 그는 청년의 낚싯대가 위험한 무기가 되리라는 걸 알고 있었다. **밉광스레** 가늘어진 눈에는 한 치의 몸놀림도 가만두지 않겠다는 경계가 서려 있다. (김동식 외 9인, 『당신의 떡볶이로부터』 p. 194)

무관심

1. 무관심은 자기방어다. 이제 더는 이런 식으로 살 수 없다는 신호다. 스스로 감정을 억압하며 살아온 결과다.

2. “인간에 대한 가장 나쁜 죄는 인간을 미워하는 것이 아니라 무관심이다.” <버나드 쇼>

3. 인도 콜카타에서 나병 환자들을 돌보며 수십 년을 보낸 마더 테레사는 나병의 가장 비참한 점은 육체적인 질병이 아니라 “**아무도 그를 원치 않는다는 것**”이라고 말했다. 누군가가 그런 기분을 느낀다는 것이 예수님께는 견딜 수 없이 가슴 아픈 일이었다. 예수님은 아무도 자신을 원치 않는다는 사실에서 오는 비참한 기분을 치유하셔야만 했다. 그래서 모두가 만져서도 안 되고 사랑할 수도 없다고 생각하는 사람에게 손을 뻗어 만지셨다. 그분의 마음이 느끼는 것을 그분의 손이 만졌다. 『한 번에 한 사람』 <카일 아이들먼>

4. 토니 와그너는 『이노베이터의 탄생』에서 이렇게 말했다.
“세상은 당신이 무엇을 알고 있는지 **관심이 없다**. 오로지 당신이 아는 것으로 뭘 할 수 있는지가 중요하다.”

5. 우리는 **관심이 없어** 관성적으로 보고 듣고 타성적으로 쓰고 말한다. 그러나 클로드 모네의 인상주의는 누가 뭐래도 여기에서 시작되었다.

"낙엽, 자갈돌, 빛줄기……, 그것들의 미세한 색조와 뭐라 표현하기 어려운 형상을 식별하게 될 때 나는 신비와 환희에 가득 찬 기쁨을 맛본다. 그리고 여태까지 한 번도 사물을 제대로 본 적이 없음을 깨닫는다. 한 번도."
여기에서 '한 번도 사물을 제대로 본 적이 없음'을 한마디로 바꾸면 **무관심**이다. 관성, 타성, 건성이다. 그가 드디어 그것들에서 탈출했을 때 인상주의는 시작됐다. 『어른의 어휘력』 <유선경>

6. 반대로 자신이 자랑스러워하는 일에 상대가 전혀 **관심을 두지 않을 때**도 있다. 나에게는 자랑스럽고 뽐내고 싶은 일이 다른 사람에게는 전혀 **관심 밖**의 일일 수도 있는 것이다. 이때에도 '사람마다 다르다'는 사실을 되새겨 보는 일이 필요하다.

『나는 왜 눈치를 보는가』 <가토 다이조>

7. 오늘날 심리학자와 사회학자들은 시대정신의 새로운 움직임, 즉 분노와 거부라는 삶의 자세가 실제로 증가하고 있다고 확언한다. 많은 연구 논문은 그러한 움직임이 처음에는 사회적으로 매력적인 요인을 제공했다고 설명한다. 즉, 개인의 **무관심**을 극복하게 만든다는 것이다. 하지만 많은 사람이 상실한 이상을 대체할 만한 동등한 가치를 제공하지는 못한다. 동등한 가치가 제공된다 해도 대부분은 어떤 것 혹은 누군가를 배제한다. 그렇기 때문에 상당히 임의적이고, 대립을 가져올 수밖에 없다.

『무관심의 시대』 <알렉산더 버트야니>

미안해하는 것

1. 상대의 호의에 그렇게 미안해할 필요도 없다. 지나치게 **미안해하는 것은** 스스로 그 호의를 받을 가치가 없다고 믿고 있어서다. 이는 상대에게도 실례가 된다. 상대의 호의를 무시하는 것으로 비치기 쉽기 때문이다. 상대의 호의를 있는 그대로 즐기면 된다. 당신이 특별한 인간이기 때문도 아니며 뭔가 큰일을 해냈기 때문도 아니다. 마침 그런 연이 닿았기에 호의를 보여준 것이다.
유난히 미안함을 자주 표현하는 사람은 스스로 호의를 받을 만한 가치가 없다고 생각해서 그런 행동을 보인다. 그러나 이들은 반대로 어떤 일을 해내면 다른 사람의 호의가 당연하다는 듯 바뀐다. 또한 잘난 척하기도 한다. 마음속에서 실제로 느끼는 '나'와 다른 사람 앞에서 가장하는 '나'의 모습이 다르면 남과 친해지기 어렵다.

『나는 왜 눈치를 보는가』 <가토 다이조>

2. 타인을 과도하게 '허용'하는 것은 자신에 대한 학대다. 온화하고 선량한 것도 좋지만, 필요하다면 자신을 위해 싸울 수 있는 무기인 '까칠함'도 갖춰야 한다.
기억하자. **강해야 할 때는 강하게, 부드러워야 할 때는 부드럽게** 변할 줄 아는 사람만이 인간관계에서 자신을 지킬 수 있다.

『착하게, 그러나 단호하게』 <무옌거>

3. 심리학자 <필립 짐바르도>는 이렇게 말했다.
"부끄럼을 잘 타는 사람은 자신에 대한 최악의 비평가다."

PARENTS(부모)의 인성교육

Prayer	**기도**하는 부모
Action	**행동**(실천)하는 부모
Respect	**존중**해 주는 부모
Empathy	**공감**해 주는 부모
No	**거절**을 적절히 하는 부모
Thanks	**감사**를 실천하는 부모
Self-control	**절제**하는 생활로 본이 되는 부모

♥ Would you practice with **Patience** ?

'오래 참음' 으로 실천해 보면 어떨 까요?

<ㅂ>

229. **바다유리**Sea glass : 바다에 버려져 깨진 유리조각이 수십 년 동안 파도에 마모되어 해변으로 밀려 나온 것을 말한다.

230. **바로미터**barometer : 사물의 수준이나 상태의 기준이 되는 것.

♣ 애니메이션은 약도 될 수 있고 독약도 될 수 있는 묘한 이중적 가능성의 세계이다. 세계적 문화 사업으로 성장하고 있는 애니메이션. 그 중에서도 세계의 애니메이션계를 리드하고 있는 일본에게서 우리는 많은 것을 배워야 한다. 꼼꼼히 그리고 성실하게. 그리고 그 내면을 꿰뚫어볼 수 있는 문화적 안목도 아울러 갖추어야 한다. 21세기 애니메이션의 핵심은 그림 솜씨가 아니다. 세계적 애니메이션들이 한국인들의 손에 의해 그려지고 있다는 사실은 한국 애니메이션의 가능성과 한계를 동시에 보여주는 바로미터다. 21세기 애니메이션의 핵심은 문화의 독해력이다. 세계 문화의 흐름과 그 흐름 속에 담긴 핵심을 읽어내고 예측하고, 추리해내는 능력 말이다.

(김경일, 『공자가 죽어야 나라가 산다』, p. 211)

231. **바루기** : '비뚤어지거나 구부러지지 않도록 바르게 한다'는 뜻의 **'바루다'**의 명사형. (우리말 바루기)

♣ 둘째로 이 두 사람은 일을 두고 그냥 지나치지 못하는 '가녀린 심정'을 가지고 있습니다. 주변에 일손을 기다리는 일거리가 있거나 비뚤어져 있는 물건이 한 개라도 있으면 그만 마음이 불편해서 견디지 못하는 그런 심정의 소유자입니다. 이분들에게 있어서 일이란 외부의 어떤 대상이 아

니라 삶의 내면을 이루는 존재조건 그 자체임을 알 수 있습니다. 무심히 걷는 몇 발자국의 걸음 중에도 항상 무엇인가를 바루어놓고 말며, 다른 일로 오가는 중에도 반드시 무얼 하나씩 들고 가고 들고 옵니다. 잠시 동안도 빈손일 때가 없습니다.

(신영복, 『감옥으로부터의 사색』, p. 303)

232. 바스러지다 : ① 깨어져 조금 잘게 조각이 나다.
② 얼굴이 마르고 쪼그라지다.

♣ 바퀴벌레의 주검은 말라서 바스러졌다.

(김훈, 『저만치 혼자서』, p. 59)

♣ 손안나 수녀의 말년은 병명이 없이 바스러져갔다.

(김훈, 같은 책, p. 228)

233. 바스라지다 : 깨어지거나 터져 매우 잘게 부서지다.

♣ 바스라질 것 같은 기태의 몸을 눈으로 훑으며 목이 맸다.

(김지은, 『포토그래퍼』)

234. 바투 : ① 두 대상이나 물체의 사이가 썩 가깝게. ② 시간이나 길이가 아주 짧게.(부사) '**바짝**'과 같은 뜻이다.

♣ 이언이 내 곁에 바투 붙어 걷는 바람에 검은색 가방이 내 허벅지를 턱턱 쳤다.(김수영, 『애도의 방식』, 아시아, 2022)

♣ 스승이 치열하게 죽어가는 모습을 눈 똑똑히 뜨고 보라고. 그가 내 마음에 고삐를 바투 쥐었다.

(김지수, 『이어령의 마지막 수업』, p. 31)

♣ 쉽게 쓰는 '한' 대신 '응어리'라는 어휘를 써 직관적이다. 한국인의 응어리를 이해하지 못하면서 무슨 정치를 한답시고! 하는 일갈이 바투 닿는다. <이규태 코너>는 조선일보에 1983년 3월부터 2006년 2월까지 23년 동안 6,720호까지 실려 대한민국 언론사상 최장기 칼럼 기록을 세웠고

중학교 국어교과서에도 실린 적 있다.

(유선경, 『어른의 어휘력』, p. 168-169)

235. 반보성의 심리 : 다른 사람에게 어떤 도움이나 친절을 받으면 비슷한 형태로 보답해야 할 것 같은 생각.

236. 반송반송 : 잠은 오지 않으면서 정신만 말똥말똥한 모양.

237. 반측하다 : 생각에 잠기거나 누운 자리가 불편하여 몸을 뒤척거리다.

♣ 동민은 **반측하다** 스르륵 눈을 감았다.

(차무진, 『인 더 백』, p. 61)

238. 발그대대하다 : 산뜻하지 못하고 조금 천박하게 발그스름하다.

♣ 왕전은 솥을 쏟으며 고꾸라진다. 입에서 흘러내리는 침이 붉다. 피가 아니라 떡볶이 양념이다. 그러나 왕전은 점성 때문에 자꾸만 피라고 느끼고는 의식을 잃지 않으려 혀를 굴려댄다. 안타깝게도 혀는 말을 듣지 않고 점점 굳어만 간다. 왕전의 넓고 **발그대대한** 이마에 주름이 두툼해진다. 그것은 왕전의 몸에 흐르는 피가 머리 쪽으로 쏠리고 있다는 증거다. 왕전은 방금 먹은 떡볶이란 음식이 잘못되었음을 깨닫는다. (김동식 외 9인, 『당신의 떡볶이로부터』 p. 239)

239. 발달심리학자 <버니스 뉴가튼>의 구분

♣ **젊은 노년** : 하고 싶은 일을 거의 다 하며 지낼 수 있는 한, 나이에 관계없이 젊은 노년이다.

♣ **늙은 노년** : 건강이 악화돼 삶의 방식을 바꿀 수밖에 없는 시점부터는 늙은 노년에 진입했다고 본다.

240. 발맘발맘 : ① 한 발씩 또는 한 걸음씩 길이나 거리를 가늠하여 걷는 모양. ② 자국을 살펴 가며 천천히 따라가는 모양.

♣ 문자향文字香(글자의 향기)과 서권기書卷氣(책의 기운)를 통해 펼쳐지는 대상과 사물을 **발맘발맘** 따라가면서 나의 관점을 만들거나 찾는다. 수정하거나 버린다. 나의 관점과 남의 관점이 같이 즐겁게 놀다 팽팽하게 긴장하다 격렬하게 맞부딪친다. 깨져서 깨치거나 하나가 된다. 이후의 나와 이전의 나는 다른 사람이다. 무한한 나의 내면에 새로운 세상 하나가 창조됐기 때문이다. 이것이 책읽기의 고유성이다.

(유선경, 『어른의 어휘력』, p. 232)

241. **발현하다** : 숨겨져 있던 것이 드러나 보이다. 또는, 드러나게 하다.

♣ 미하이 칙센트미하이 선생님도 저에게 "교사는 필요 없다"라는 말씀을 하셨어요. 당신이 본 가장 아름다운 학교는 헝가리 시골에 있는데, 여러 학년이 한 교실에서 그룹별로 수업을 하면서 윗반이 아랫반을 가르쳐주며 서로 배우는 시스템을 갖추고 있다고 합니다. 칙센트미하이 선생님이 그 방식을 최고로 치는 이유는 교육에서 가장 중요한 서로를 돌보는 보살핌을 **발현**시킨다는 점인데요. 학교에 오면 윗반 선배들이 아랫반 후배들의 외투를 벗겨주고 신발 끈을 풀어주고, 수학도 6학년이 4학년을 가르치고 5학년이 3학년을 이끌어준다고 합니다. 그럼 교사는 뭐하느냐 물었더니, 판을 벌이고 그저 바라보면 되는 거래요. 교사의 가장 중요한 역할은 아이들의 호기심을 자극하면서 서로 소통하 게 하는 거니까 그만으로도 충분하다고요. 일요일마다 교회에서 선생님을 만나는 그 아이가 부럽네요. 선생님 덕분에 지렁이를 교사 삼아 배우고 친구 삼아 지키는 듯해서요.

(최재천·안희경, 『최재천의 공부』, p. 44-45)

♣ 우리는 자기 자신에게 "안돼"라고 말할 수 있어야 한다. 우리 각자의 파괴적인 열망뿐 아니라 선한 열망이라도 적절하지 않은 시기에 지혜롭게 **발현**되지 않는 것들이 금지 목록에 포함된다. 소유권과 책임감, 그리고 자기 통제는 바운더리의 중요한 요소들이다. 그러나 그에 못지않게 내부적인 구조도 바운더리와 정체성을 이루는 매우 중요한 구성 요소다.

(헨리 클라우드 외, 『NO!라고 말할 줄 아는 그리스도인』, p. 62)

♣ **이메일은 광고, 홍보, 뉴스 콘텐츠를 탑재한 미디어**

수백만 명의 독자를 거느린 '고도원의 아침 편지'는 이메일이 갖고 있는 가능성이 성공적으로 **발현**된 사례다. 거기까지는 아니더라도 기업과 조직에서 상품을 광고하거나 뉴스나 칼럼, 자료 등을 홍보하기 위해 수시로 웹메일을 보낸다. 우리는 대개 하루에 수십 통씩 그런 메일을 받아본다. 이들의 운명은 극명하게 엇갈린다. 클릭되거나 아니면 무시당한다. 아예 스팸으로 처리되어 잠시 머물렀다 한꺼번에 삭제된다. 이들 메일의 운명을 가르는 몇 가지 관문이 있다. 첫 관문이 제목이다. 제목에서 사람의 관심을 낚아채야 한다. 낚아챈다고 '낚시성' 제목을 달라는 게 아니다. 알맹이 없는 '낚시성' 제목은 양치기 소년의 운명과 다를 바 없다. 짧지만 울림이 있는 제목이 좋다. '고도원의 아침 편지'나 이철수의 나뭇잎 편지'의 제목을 훑어보라. (백승권, 『글쓰기가 처음입니다』, p. 289-290, 메디치)

242. **밥풀눈** : 눈꺼풀에 밥알 같은 군살이 있는 눈.

243. **방관자 효과** : 방관자가 많을수록 누구도 행동하려 들지 않

는 것이 바로 **방관자 효과**다.

244. **방증** : 사실을 직접 증명할 증거가 되지는 않지만 주변의 상황을 밝힘으로써 간접적으로 증명에 도움을 줌. 또는 그 증거.

♣ 한 사람이 평생에 걸쳐 가까스로 얻은 그것들은 죽음과 함께 사라지며 후대는 같은 것을 다시 겪고 새로 습득해야 한다. 나는 이것이야 말로 인류 역사가 쳇바퀴 돌 듯 하는 큰 원인이 아닐까 싶은 데 인류의 조상도 크게 염려했던 모양이다. 상상력을 발휘해 자신들의 경험과 지식, 지혜에 동물이나 식물, 신 등의 형태를 부여해 말과 그림으로 지어냈다. 그렇게 만든 우화와 신화를 말에서 말로 전했다. 문자가 태어나고 글과 책 등으로 발전했다. 불과 백여 년 전까지 인류는 같은 방식으로 느리게 꾸준히 버텨왔다. 현재 우리가 사용하는 언어는 인류가 버티며 축적해온 공감과 소통, 사회적 교류의 수단인 동시에 그 발전의 결과물이다. 그렇다면 반대도 뜻이 통할 수 있을까? 말과 글이 넘쳐나는 것은 공감과 소통이 잘 이뤄지는 **방증**이라고 말이다.

(유선경, 『어른의 어휘력』, p. 139)

245. **방타일마** : 한 번은 눈감아 주고 넘어가다.

246. **배당성향** : 기업이 벌어들인 순이익 중 배당으로 지급하는 비율을 말한다.

♣ 한국 기업 다수가 **배당성향**이 낮은 이유는 소량의 지분을 가진 특정 지배 주주가 기업을 좌지우지하는 지배구조 때문이다.

(박영옥, 『주식투자 절대원칙』, p. 155)

247. **배태** : 아이나 새끼를 뱀. 어떤 현상이나 사물이 발생하거나 일어날 원인을 속으로 가짐. **배태하다**(동사)

♣ 그분의 생애와 구원 전체가 크리스마스에 <u>배태되어</u> 있다.

(한재욱『인문학을 하나님께2』)

♣ 이순신의 리더십은 물론 중세적 봉건의 토양 속에서 <u>배태되고</u> 양성된 자질일 것이다. (김훈,『연필로 쓰기』, p.136)

♣ 오래된 역사 속에서 그 필연성들이 <u>배태되고</u> 자라나서 오늘의 방향으로 전개된 것이라고 나는 그때 생각했다.

(김훈,『저만치 혼자서』, p. 253)

♣ "절 믿으시지요."

"너를 안 믿으면 누굴 믿겠냐."

유인성은 어릴 적부터 총명했던 막내 인실을 사랑했다. 꺾이지 않는 그의 기상을 사랑했고, 옳고 그름이 분명한 그의 의사를 존중했다.

"신념대로 살 거예요. 빈손으로 나가느니보다 얼마간의 돈 쥐고 나가야 오빠 마음도 덜 아플 거예요. 물론 전 지금 돈이 필요합니다."

돈을 주지 않는다 하더라도 인실이 자신의 계획을 변경하지 않는다는 것을 유인성은 잘 알고 있었다. 그리고 어쩌면 긴 세월 인실은 돌아오지 않을지도 모르고 또 어쩌면 영원히 돌아오지 않을지도 모른다는 생각을 했다. 손을 벌리고 돈 달라는 그 자체의 이미, 인실은 긴 세월이거나 아니면 영원한 이별이 아니고서는 그 같은 행동을 취할 성질이 아니었기 때문이다. 인성은 가족들 몰래 오백 원을 마련하여 인실에게 주었다. 오백 원은 결코 적은 돈이 아니었지만 좀 더 넉넉하게 주지 못했던 것이 한탄스러웠다. 인성은 그때 암울하고 오뇌에 젖어 있던 인실의 눈을 가끔 생각한다. 그럴 때마다 가슴이 철렁하고 알지 못할 노여움을 느끼는데 오가타를 연상하기 때문이다. 그러나 인실이 오카타의 아이를 **배태했다**는 사실을 어찌 상상이나 했겠는가. 오가타는 초라하고 의기소침한 모습으로 나타났다. 밖에서 인실의 소식이라도 들었더라면 그는 결코 인성을 찾아오지는 않았을 것이다. 인성은 오가타를 보면서 일종의 안도감을 가졌다. 인실은 오가타의 손이 닿지 않는 곳으로 갔을 거라고, 그러나 오가타의 진실에 연민을 느꼈다.

(박경리, 『토지 4부 3권』, p. 150-151)

248. **배트나** BATNA(Best Alternative To Negotiated Agreement): 협상에서 실패했을 때 가지고 있는 차선책, 즉 최선의 대안을 말한다.

♣ 협상에 대해 조금이라도 공부를 해본 사람이라면 '**배트나**'(최선의 대안)에 대해 알 것이다. '배트나'란 협상에서 실패했을 때 가지고 있는 차선책, 즉 최선의 대안을 의미한다. 사실 협상은 최선의 대안으로 이루어지는 경우가 많다. 최선이 아니라 차선인 것이다.

우리는 종종 "2등은 죽음을 의미하며, 경영에서의 2등은 도산을 의미한다!" 스티브 잡스의 애플사는 "소비자에게 최고의 것을 주기 위해서 차선과 타협하지 않는다"라고 말할 정도다.

물론 아브라함처럼 하나님이 주시고자 하는 최선의 이삭을 기다리지 못하고, 차선으로 이스마엘을 낳는 오류를 범해서는 안 된다. '차선을 최선으로 만들라'라는 말은 그런 의미가 아니다. 이런 경우는 차선이라기보다 미봉책이라고 하는 것이 옳을 것이다.

물론 최선이 있을 때는 차선은 차선일 뿐이다. 그러나 우리는 죄성 때문에 하나님이 주시는 최선의 삶을 살지 못하는 경우가 태반이다. 밧세바를 범한 다윗, 예수님을 배신했던 사도 베드로, 집나갔던 탕자, 모두들 실수와 허물투성이다.

탕자의 경우를 보자. 탕자에게 있어서 최선의 삶은 아버지를 떠나지 않는 것이었다. 그러나 그는 떠났다. 갖은 고난 끝에 아버지께로 다시 돌아왔다. 이제부터 차선의 삶인 것이다. 그러면서 자신은 자녀의 자격이 없으니 품꾼의 하나로 여겨 달라고 한다. 그러나 아버지는 이렇게 말한다.

아버지는 종들에게 이르되 제일 좋은 옷을 내어다가 입히고 손에 가락지를 끼우고 발에 신을 신기라 그리고 살진 송아지를 끌어다가 잡으라 우리가 먹고 즐기자 이 내 아들은 죽었다가 다시 살아났으며 내가 잃었다가 다시 얻었노라 하니 그들이 즐거워하더라

_눅 15:22-24

아버지는 최선의 삶을 살지 못한 탕자에게 나가 죽으라고 말하지 않고, 그의 차선의 삶을 축복했다. 그러면서 '너는 품꾼이 아니라, 여전히 내 사랑하는 아들'이라고 하시며 다시금 새 힘을 주신다.
맑은 물이 없으면 탁한 물을 마실 수밖에 없다. 그러나 "최선이 아니면 제로(0)?" 그렇지 않다. 실패가 곧 끝이 아니듯이, 최선이 아니면 차선이 있다. 평범도 지극하면 비범이 된다. 차선도 지극하면 최상이 된다. 인생을 살아갈수록 '전부가 아니면 전무全無'(all or nothing)의 흑백논리를 떠나 긴 호흡으로 차선을 바라보자.

(한재욱, 『인문학을 하나님께』, 161-163)

249. **백데이터**(Back Data) : 일을 처리하는 과정에서 나중에 잘못을 복구하거나 일 처리의 근거로 삼기 위하여 보관하는 특정 단계의 자료. (박영옥, 『주식투자 절대원칙』, p. 91)

250. **버겁다** : '물건이나 세력 따위가 다루기에 힘에 겹거나 거북하다'는 뜻.

♣ 입양 가정 내의 가정 폭력이나 아동 학대에 대해선 더 날선 시선으로 바라보고 있는 것이 느껴질 때마다, 아이를 입양해서 키우는 것이 온전한 나의 양육 철학에 의해서 키우는 것이 아닌, 남의 눈치를 보면서 키우는 것인지 혼란이 올 때도 있습니다. 입양 가족에 대한 긍정적인 평가도, 평가 받는 입장에선 편견으로 느낄 수 있습니다. 그런 편견은 평범하게 아이를 키우는 부모 입장에서 **버거운** 것이 사실입니다. (김수현 외 9인, 『입양가족, 다르지 않아요』, p. 110)

♣ 옛 성현들을 따르기는 **버겁다**. 그러나 선한 습관을 쌓아나가는 일까지 포기할 수는 없다. 그 첫 번째가 바로 보고, 듣고, 말하고, 행동하는 것에 대한 절제다. 우리가 굳이 찾지 않더라도, 우리가 살고 있는 지금은 수많은 유혹이 보고 들리는 시대다. 보고 들리는 것을 선택할 수는 없지만 어떤 것에 마음을 둘지는 우리가 선택할 수 있다.

(조윤제, 『다산의 마지막 공부』, p. 255-256)

♣ 지금도 세계 여러 곳에선 내전이 진행 중이다. 우리가 직장, 아파트, 자녀 교육을 고민할 때 다른 쪽에선 사느냐 죽느냐를 고민한다. 많은 사람들이 국가에게조차 버림받아 난민이 된다. 난민이라고 다 선한 사람도 아니고, 또 이들이 정착 후 사회 문제를 일으키기도 해서 문제를 풀기가 쉽지 않다. 이런 곳들에 비해선 낫지만 한국의 현실도 **버거운** 건 매 한 가지다. 한국에선 악습이나 전쟁보다는 흙수저의 삶이 더 크게 다가온다.

(이정일, 『문학은 어떻게 신앙을 더 깊게 만드는가』, p. 337)

♣ <한 가지 새로운 교훈>

내적으로 평탄치 않은 한 주간이었습니다. 대부분 나의 실험 목표를 이루지 못했습니다.

육적인 상태와 매우 산만한 환경이 너무 **버거웠습니다**. 또한 그 시간의 5분의 1 내지 10분의 1 정도는 하나님이 내 마음의 중심에 계시지 않았습니다.

하지만 오늘은 아주 놀라운 날이었습니다. 그리고 어제도 몇 시간은 아주 좋았습니다. 실패와 성공이 함께한 이 주간은 나에게 다음과 같은 한 가지 새로운 교훈을 가르쳐 주었습니다.

"나는 하나님에 대해 말해야 한다. 그렇지 않으면 그분을 내 마음속에 계속 둘 수 없다. 나는 하나님을 소유하기 위해 그분을 전해야 한다."

이것이 영적 세계의 법칙입니다.

나눠 주면 갖게 되고, 자기가 간직하면 잃게 됩니다.

하나님과의 교제를 유지하기 위해 지불해야 할 대가를 우리는 한없이 드리기만 해야 하는 것이라고 생각합니까?

(프랭크 루박, 프랭크 루박의 편지, p. 66-67)

♣ 치앙마이(태국)에서는 수리얀 교회를 방문했는데 수리얀은 이 지역 첫 순교자의 이름입니다. 그 교회 마나 장로님은 군에 38년 근무하면서 평생 성경 가르치는 일을 쉬지 않았고, 퇴역 후 작은 라디오 방송국을 만들어서 이웃 주민들에게 라디오 수신기를 무료로 나눠 주며 방송 선교를 하고 있었습니다. 방송국 바로 옆이 절인데 스님들에게도 이 수신기를 주었고, 그 스님들이 열심히 방송을 듣고 있다고 알려 주었습니다.

불교 국가이기에 분명 불이익이 있음에도 교인들은 믿음을 굽히지 않았습니다. 특히 마나 장로님 부부는 라디오 방송국 재정 마련을 위해 슈퍼마켓을 운영하면서도 술 담배를 팔지 않았습니다. 주민들이 와서 왜 안 파느냐고 물으면 방송 수신기와 전도지를 나눠 주며 직접 들어보고 읽어 보라고 얘기한다고 합니다. 불교가 국교인 나라의 한 성도 얘깁니다. 우리는 어떻게 전도하고 있습니까? 내 신앙 지키는 것조차 **버거워**하지 않습니까?

(조정민, 『사후대책』, p. 240)

251. **버르적버르적** : 고통스러운 일이나 어려운 고비를 벗어나려고 팔다리를 내저으며 자꾸 큰 몸을 움직이는 모양.

♣ 동민은 **버르적버르적** 바위에서 기어 배낭으로 갔다.

(차무진, 『인 더 백』, p. 346)

252. **버름하다** : '뻘쭘하다'의 표준어

① 마음에 서로 맞지 않아 사이가 뜨다.

② 물건의 틈이 맞지 않고 조금 벌어져 있다.

♣ 요즘 들어 둘 사이가 **버름하다**.

253. **버석거리다** : 가랑잎이나 마른 검불 따위의 잘 마른 물건을 밟는 소리가 잇따라 나다 또는 그런 소리를 잇따라내다.

♣ 감정 한 톨 섞이지 않은 채 **버석거리던** 그의 음성, 이렇게 되기까지 몇 명의 응급 환자를 거쳤을까.

(김지은, 『포토그래퍼』)

254. **버젓이** : ① 남의 시선을 신경 써서 조심하지 않고 뻔뻔하게

② 남의 축에 빠지지 않을 정도로 번듯하게.

♣ 거짓말보다 더 거짓말 같은 일들이 날마다 당신의 눈앞에서

버젓이 벌어지는데 믿지 못할 까닭도 없진 않았겠지.

(도재경, 『피에카르스키를 찾아서』)

♣ "여기가 서울이야?" 나의 항의 섞인 물음에 엄마는 뜻밖에도 아니라고 대답했다. "여기는 서울의 문 밖이란다. 느이 오래비가 이담에 취직해서 돈 많이 벌면 우리도 그때 가선 버젓이 문 안에서 살아 보자꾸나."

(박완서, 『그 많던 싱아는 누가 다 먹었을까』, p. 49)

♣ 남은 사람은 어떻게든 살아야겠지……. 조부모와 같이 생활하고 있었다지. 두 남매가 아르바이트로 겨우 지탱해가던 생활이었다. 그것마저 동생 사건 재판에 정신없이 뛰어다닌 통에 제대로 이어가지 못했으리라. 지금은 죽은 동생을 가슴에 묻고 증오를 묻고 재판에의 불신도 묻고, 먹고 살기 위해 웃음 띤 얼굴로 목소리를 높이고 있다.

이제 아무도 기억해주지 않는 일이었다. 그나마 신문에 보도되는 동안에는 많은 이들도 공분해주었지만, 지나갔다. 피해자들이 어떻게 살고 있는지 관심을 두고 있는 이도, 실제적으로 기댈 수 있는 것이 무언지 말해주는 이도 이제는 없다. 더구나 그들이 살인자로 확신하고 있는 자는 버젓이 대로를 활보하고 있다. 이소윤은 어떤 심정일까. 아니, 이 땅에서 살고 싶기나 할까?

(도진기, 『합리적 의심』, p. 203-204)

♣ 사실 나에게 깊은 상처를 가장 쉽게 줄 수 있는 사람은 나와 깊은 관계에 엮인 채로 아주 가까이에 있는 사람이다. 인정하고 싶지는 않지만 지금껏 나의 삶이 망가질 때마다 아픈 사건의 중심에는 늘 소중했던 사람들이 버젓이 서 있었다. 그렇다고 지레 겁먹어 내게 마음을 불쑥 건네며 함께 가려는 사람들

을 이유 없이 내칠 수도 없는 노릇.

(하태완, 『나는 너와 노는 게 제일 좋아』, p. 57-58)

♣ '그럴 리가 없지.'

조준구는 불안하게 다시 사내를 훔쳐본다. 김평산이 그곳에 앉아 있다는 착각을 떨쳐버릴 수 없었던 것이다. 김두수, 그는 김두수였다. 눈두덩이 부숭부숭하고 이마가 좁고 입술이 나왔으며 비대한 몸집의 김평산 그대로의 모습,

'세상에는 닮은 사람이 흔히 있다고들 하지만 허어 참…….'

조준구는 부채를 쫙 펴서 손끝으로 와이셔츠를 집어 올리며 부채질을 한다. 그러면서 연신 김두수를 숨어 본다. 다른 것은 도포대신 양복을, 그것도 값진 양복을 입고 있다는 것뿐이다.

'가만있자아, 목? 평산이 그자의 아들놈인가! 허나 그럴 리가 없지이. 이등 차간에 앉아 있을 리도 없고, 살인자의 아들놈이 저렇게 <u>버젓이</u>.'

(박경리, 토지 3부 4권, p. 253)

255. **번다하다** : 번거롭게 많다.

♣ <u>번다한</u> 수습의 과정과 징계가, 남은 사람들에게 돌아간다.

(임채묵, 『야드』)

♣ 대개의 책은 실천의 현장에서 멀리 떨어져 있는 너무나 흰 손에 의하여 집필된 경험의 간접 기록이라 할 수 있습니다. 그나마 객관적 관조와 지적 여과를 거쳐 현장인들의 체험에 붙어 다니기 쉬운 경험의 일면성, 특수성, 우연성 등의 주관적 측면을 지양하여 고도의 보편성을 갖는 체계적 지식으로 정리되기는커녕, 집필자 개인의 관심이나 이해관계 속으로 도피해버리거나, 전문분야라는 이름 아래

지엽말단枝葉末端을 **번다하게** 과장하여 근본을 흐려놓기 일쑤입니다. (신영복, 『감옥으로부터의 사색』, p. 139-140)

♣ 행랑방 한 칸을 정해주어서 거처하게 된 강포수는 보기에도 딱하게, 우리 속에 갇힌 산짐승 꼴이 되었다. 바람소리 짐승 울음을 들으며 숯굴이나 화전민들의 초막, 때론 산짐승이 자고 간 굴속에서 아무렇게나 굴러 자고 멧돼지 노루 따위의 목을 따서 피를 마시며 그 자신도 짐승처럼 떠돌아다니던 자유가 겹겹이 싸인 높은 울타리 속에서 **번다한** 습관에 따라 해가 지고 날이 밝는다는 것은 견디기 어려운 일이었다. 마치 고깃덩이에 눈이 먼 짐승이 덫에 걸린 것같이 신식 엽총에 유인되어 최참판댁 행랑에 가두어진 강포수는 편한 것도 싫고 먹는 것도 싫고 산 생각만 했다. 도망을 치려면 못할 것도 없지만 그러나 총에 대한 미련을 어쩌지 못했다. 최참판댁에 온 후 그가 하는 일이라곤 최치수와 조준구를 따라 뒷동산에 올라가서 사격 연습하는 그것뿐이었다. 아니 연습을 한다기보다 이제는 어지간히 손에 총이 익은 최치수의 사격연습을 구경하는 일뿐이었다. 이십 대 젊은 시절에 궁술을 익힌 최치수는 미노베의 사냥길을 동행하며 풍월로 조금 배운 조준구보다 총 다루는 요령을 쉽게 습득했고 사격솜씨의 숙달도 빨랐다. 최치수는 그 일에 골몰하는 것 같았으며 조준구나 강포수에게 필요 이상의 말을 하는 일이라곤 없었다.

(박경리, 『토지 1부 2권』, p. 31-32)

256. **번연히** : '번히'의 본말. '어떤 일의 결과나 상태 따위가 훤하게 들여다보이듯이 분명하게'라는 뜻.

♣ **번연히** 알면서도 대담하게 이루어지는 사기극뿐만 아니라 작은 좀도둑질 또한 못 본 척 넘겨서는 안 된다. 강의실에서 교수에게 들은 수업 내용이나 공개적인 학술지에서 본 타인의 견해 등이 쓸모 있고 흥미롭다고 해서, 그 출처도 밝히지 않고 은근슬쩍 자기 논문에 끼워 넣어 마치 자신이 처음 생각해낸 것인 양 행동하는 것이 바로 그런 예다. 이런 예는 우리 주변에서 흔히 찾아볼 수 있다. 이것은 학문적인 양심, 또는 학문적 윤리에 위배되는 행동이다.

(지셴린, 『다 지나간다』, p. 149)

♣ 튀르키예의 지정학적 중요성을 중시한 미국은 20세기 중반부터는 튀르키예와 가장 굳건한 동맹 관계를 체결했고 미국의 지중해 병력 상당수를 튀르키예에 집중시켰다. 지중해 지역에서 무슨 일이 터지면 가장 먼저 출동하는 병력이 튀르키예에 있는 미 공군들이었다.

그러다 보니 미국은 웬만한 튀르키예의 문제점에 대해서는 눈을 감는 편이었다. 튀르키예는 독립을 외치는 쿠르드족을 무차별적으로 살상했고 심지어는 화학무기를 사용했다는 소문이 돌기도 하였으나 미국은 적극적으로 개입하려 들지 않았다.

이런 사정을 누구보다 잘 알고 있는 에르도안은 거리낌 없이 모든 일을 자신의 성미대로 처리하곤 했다. 에르도안은 푸틴이 나토의 기피 인물인 걸 **번연히** 알면서도 푸틴과 절친한 관계를 유지하려 했고 푸틴 또한 에르도안의 눈치를 안 볼 수 없는지라 둘은 우정 아닌 우정을 자랑하는 사이였다.

(김진명, 『푸틴을 죽이는 완벽한 방법』, p. 190-191, 이타북스)

257. 벋나가다 : ① 끝이 밖으로 벌어져 나가다.

② 옳은 길에서 벗어나 잘못된 행동을 하다.

♣ 앞니가 **벋나가서** 뻐드렁니가 되다.

♣ 그 애의 언사가 꽤씸스러워 그믐산이도 **벋나갈** 수밖에 없었다.

(이문구, 『오자룡』)

♣ "우리 언제 밥 한번 먹자"는 기약 없는 약속이다. "언제요?"라고 물었다 상대가 우물쭈물하는 걸 보고야 빈말인 걸 알아 차렸다. 나는 절대 그런 빈말하지 말아야지 다짐했건만 언제부터인가 같은 빈말을 하고 있고 '빈말을 하려고 한 게 아니라 차일피일 미루다가 빈말이 되는구나'라고 자기 합리화한다. 돈 벌려고 하는 일을 '밥 먹고 살자고 하는 짓'이라 하고, 실용적이지 않은 일을 두고 '돈이 나오나, 밥이 나오나'라고 하며 잘 풀리지 않으면 '먹고살기 힘들다'라고 한다. 하필이면 이럴 때 엘리베이터에서 마주친 누가 명품으로 치장한 모습을 보면 '밥술깨나 먹는 모양'이다 싶어 *게염나는데 집에 들어와 '밥 빌어다 죽 쑤어 먹은' 얼굴 보면 열불 난다. 한소리 했다 행여 **벋나갈까** 삼킨다.(*게염 : 부러워하며 시샘하여 탐내는 마음)

(유선경, 『어른의 어휘력』, p. 258)

258. 범주화 : 기존에 존재하는 범주에 자신이나 타인 혹은 객관적 사물을 분류하고 소속시키는 인지적 과정을 말한다.

259. 베블런효과 : 가격이 오르는 데도 수요가 줄어들지 않고 오히려 증가하는 현상으로 상류층 소비자들의 소비 행태를 뜻함.

260. **벨크로** : 단추나 지퍼 대신 쓰며 벨크로 테이프가 있음. 일명 "찍찍이"라고도 불리며 한쪽은 거칠게 한쪽은 부드럽게 되어 있다. 보통 모자 뒤쪽에 있어 크기 조절 가능함.

♣ "모자, 언제 잃어버린 걸까?" "홈플러스에서 산 라이온즈 모자요?" "그래, 좋았는데. 그거." "그거, 작아요." "작긴, 뒤에 벨크로가 있었잖아?" (차무진, 『인 더 백』, p. 21)

♣ 소령은 벨크로를 뜯고 파우치를 열었다. 아홉 개의 좁은 주머니 중 여섯 개의 주머니에만 실린더 키트가 꽂혀 있었다. (앞의 책, p. 352)

261. **벼리** : ① 일이나 글의 뼈대가 되는 줄거리.
② 그물의 위쪽 코를 꿰어 놓은 줄.

♣ 그 무엇보다, 나는 가혹한 피해자일 뿐이다, 나는 어쩔 수 없었다, 같은 그 어떤 부류의 면죄부를 위한 알리바이도 대지 않은 채, 자신을 반성적으로 성찰하는 것으로부터 문제의 근원을 전면적으로 재탐사하려는 태도야말로 진정성의 벼리를 알게 한다. 인간과 사회 구조의 양면을 전면적으로 성찰하면서 산문적 탐문을 새로이 하려는 이 서른의 상상력과 서사 윤리는, 이 소설집뿐만 아니라 이후의 소설집에 우리가 더 많은 기대를 걸어도 좋을 것이라는 사실을 넓고 깊게 환기한다. (김애란, 『비행운』, p. 343)

262. **벼리다** : ① 날이 무딘 연장을 불에 달구어 두드려 날카롭게 만들다. ② 마음을 긴장시키거나 가다듬어 가지다.

♣ 투지를 벼리다.

♣ 다음날 오전, 나는 아홉시 시외버스를 타고 다시 서울로 올라왔다. 작은아버지를 찾아뵙지도, 종수도 따로 전화도

하지 않은 채, 나는 서둘러 P읍을 떠났다. 시외버스가 인터체인지를 벗어날 때쯤, 나는 차창에 이마를 기대고 멀리 P읍 작은 중심가를 바라보았다. 자잘한 건물들 사이로 은혜교회의 높은 첨탑이 잘 **벼린** 칼날처럼 우뚝 솟아 있는 것이 보였다. 나는 그것을 물끄러미 바라보면서 반증이 가능하니까, 아직도 저 교회는 저기 서 있는 것이 아닐까, 하는 생각을 했다. 윤희와 종수 생각은 일부로 하지 않았다. 아니, 생각나지 않았다는 것이 더 정확한 표현일 것이다. 나는 두 눈을 감고 있다가 이내 잠이 들었다.

(이기호, 『누구에게나 친절한 교회 오빠 강민호』, p. 233-234)

♣ 저자는 박경리 선생이 생으로 **벼리고** 몸으로 가꿔온 언어의 숲에서 귀한 문장들을 추려 이야기를 풀어간다.
"산다는 거는 참 숨이 막히제?"
"안 하는 것은 쉽고 하는 것이 어려워!" 같은 말은 수시로 "설움이 왈칵 솟는" 약한 몸에 힘을 길러주는 보약 같고, "왜라는 질문이 없으면 문학도 종결되는 것"이라는 말은 쓰는 이유를 일깨우는 종소리 같다.
또 박경리의 말이 카프카의 말, 조지 오웰의 말, 아서 프랭크의 말 등으로 연결되고 굽이쳐서 기어이 삶의 바다에 이르는 여정은 읽는 기쁨을 안겨준다. _ **은유**

(김연숙, 『박경리의 말』, 뒤표지)

♣ 하루 이틀 걸러 어김없이 볕이 드는 장마이기 때문에 운동시간도 덜 잃고, 젖은 빨래 간수하는 수고도 별로 없는 셈입니다. 오히려 물 머금은 산림山林에 빛나는 양광陽光은 우리의 정신을 정한精悍하게 **벼리어** 줍니다.

(신영복, 『감옥으로부터의 사색』, p. 349)

263. **변곡점** : 굴곡의 방향이 바뀌는 자리를 나타낸 곡선 위의 점.

♣ 혁신과 변화의 **변곡점**에서 살아가는 우리는 행운아들이다.

(박영옥, 『주식투자 절대원칙』, p. 254)

♣ 미래의 나와 대화를 나눈 영상을 제작한 일은 지미 도널드슨의 인생에서 전환점이 됐다. 자신과의 솔직한 대화는 지미가 꿈을 향해 용기를 내는 결정적인 **변곡점**이 됐다. 몇 년 후 그는 인터넷에서 돌풍을 일으키며 수억 달러를 벌어들였다. 지금도 그의 인기는 여전하다.

(벤저민 하디, 『퓨처셀프』, p. 11)

♣ 그중에서도 결정적인 것이 '자장~자장'에서 '꼬부랑~꼬부랑'으로 옮겨가는 단계다. 그것은 곧 자장가를 불러주던 어머니가 옛날이야기를 들려주는 어머니로 그 역할이 180도로 달라진 것을 의미한다. '응애' 하고 태어난 뒤 어머니와 아이와의 그 상호성에 큰 **변곡점**이 생겨난 거다. <꼬부랑 할머니>의 이야기를 듣던 아이는 이제 누워서 잠만 자던 그 애가 아니다. 말귀도 알아 듣고 어머니 치마꼬리 잡고 바깥나들이도 한다. "낙엽이 우수수 떨어질 때/ 겨울의 기나긴 밤/ 어머님하고 둘이 앉아/ 옛이야기 들어라."
김소월의 시 한 구절 그대로 추억의 한 장면을 연출한다.

(이어령, 『너 어디에서 왔니』 한국인이야기-탄생, p. 360)

♣ 그렇다고 내가 수영에게 어떤 연정을 품은 건 아니다. 이 나이에 그런 감정을 혼자 키운다는 것 자체가 가당치 않다. 다만, 인생의 **변곡점**, 혹은 인연의 순열조합이라는 것을 가정해 보는 것이다. 물론 조금이라도 밖으로 표출한다면 직장내에서 파렴치한 인물로 떨어지는 건 시간문제다. 하지만

생각만이라면 어쩌랴. 솔직히 머릿속으로라면 온갖 금기를 깨고, 사람을 죽이기도 하지 않는가. 생각은 조금 전의 재판으로 되돌아갔다. (도진기, 합리적 의심, p. 111)

264. **별쭝스럽다** : 말이나 하는 짓이 별난 데가 있다.

265. **보람줄** : 두꺼운 양장본의 중간 윗부분에는 통상 가는 끈이 박혀 갈피에 드리워져 있는데 읽던 부분을 표시하는 용도로 쓴다. 이 끈의 명칭이 '**보람줄**'이다. 여기서 **보람**은 다른 물건과 구별하거나 잊지 않기 위해서 표를 해둠,

또는 그런 표적.

♣ 동사로 '**보람하다**'는 '다른 물건과 구별하거나 잊어버리지 않으려 표를 해둔다'는 뜻이다.

266. **보바리슴** : 인간이 자신의 환영을 좇아 자기를 속이고 자기를 실제와는 다른, 분수 이상의 존재로 생각하는 정신 작용. 프랑스의 철학자 고티에가 소설 『보바리 부인』의 여주인공의 성격에서 따서 지은 말이다. (김영하, 『읽다』)

267. **복닥거리다** : 많은 사람이 좁은 곳에 모여 수선스럽게 뒤끓다.

♣ 집으로 돌아와서도 그녀와 나는 한참을 **복닥거리며** 떠들어댔다. 우리는 같이 사니까. 헤어지지 않는 사랑은 늘 새로워. 이윽고 먼저 잠든 그녀가 색색 소리를 내고 있었다. 좋은 꿈이기를 바라. 무얼 만나든 하나도 무섭지 않을 거야. 누군가의 단점을 빌어주는 것만큼 징한 사랑도 없다던데 의식하지 않고도 나는 그녀의 단점을 내 것보다 더 바라고 있었다. 순간 낯선 환희로 온몸이 가득 채워졌다. 매미 소리와 선풍기 소리, 협탁 위의 시계 초침 소리가 느리게 내 귀로 들어온다. 그리고는 새삼 놀랐다. 내가 이 사람을 체

할 만큼 사랑하고 있구나.

(하태완, 『나는 너랑 노는 게 제일 좋아』, p. 146-147)

♣ 눈이 부시게 햇볕이 쏟아지는 거리를 나섰을 때 평시와는 달리 사방은 낯이 설고 무척 <u>복닥거리는</u> 것 같았다. 상현은 지나가는 사람들 모습이 생소했을 뿐 아니라 항해를 끝내고 뭍으로 올라오는 뱃사람을 대하듯 호기심을 품은 눈들이 자기를 숨어 보는 것 같은 착각에 빠진다. 걸음을 빨리 한다. 어떤 커다란 변화를 분명히 예감하면서 그 예감 때문에 가슴이 답답했으나 한시바삐 부딪쳐보고 싶은 초조함이 발길을 사뭇 재촉한다. (박경리, 『토지 2부 1권』, p. 248-249)

268. **복붙하다** : 내용이나 형태 따위를 복사하여 붙이다.

269. **봇** : 로봇의 줄임말. 사용자나 다른 프로그램의 대리자로 동작하는 프로그램이다. 인터넷에서 가장 보편적으로 존재하는 스파이더 크로울러라고 불리는 프로그램이다. 주기적으로 웹사이트를 방문해 검색엔진의 색인을 위한 콘텐츠를 모아오는 일을 한다.

♣ **봇이 아니라는 것을 증명하시오.**

웹에서 회원가입 하거나 티켓을 구매할 때 찌그러지거나 비틀어진 텍스트나 그림이 뜬다. 보이는 대로 입력하라고 한다. 궁금했다. 이걸 못 읽는 사람도 있나? 그렇다. 문맹이 아닌 이상 못 읽는 '사람'은 없다, '**봇**'은 인식하지 못한다. (유선경, 『어른의 어휘력』, p. 276)

270. **부감** : 높은 곳에서 내려다보며 촬영하는 것.

♣ "어차피 책을 잡아도 판검사 되라고 법전일 테고 CEO 되라고 경영책일 텐데 무엇이면 어떠냐. 나처럼 붓을 잡지

않아도 세계에서 제일가는 사람이 되거라." 폰 카메라 같은 것으로 누군가 100년 전부터 돌상을 찍었더라면 아마 한국인의 다양한 꿈 사전이, 시대를 읽는 욕망의 역사책이 생겨났을 것이다. 어느 화가가 말한 것처럼 한국의 밥상을 부감촬영하면 아름다운 그림이 된다. 밥상의 테두리는 액자가 되고 오방색 음식 그릇들은 추상화가 된다. 더구나 돌상은 먹는 음식이 아니라 꿈을 담은 물건들이나 우리 미래를 검색하는 데이터베이스의 창처럼 눈부실 거다. (이어령, 『너 어디에서 왔니』 한국인이야기-탄생, p. 270)

♣ 이번 작품 『매스커레이드 게임』에 새롭게 등장한 여성 경감 아즈사의 신속한 결단은 중요한 고비마다 정확한 정보를 캐치해내는 원동력이 된다.

예전의 닛타를 보는 느낌이다. 하지만 노련한 노세 형사의 말처럼 열정이란 세월과 경험을 통해 '길들여져야 하는 것'인지도 모른다. 게임 플레이어는 오로지 사건 해결이라는 승리의 정의를 향해 폭주하지만 게임 매니저는 좀 더 높은 곳에서 전체를 부감하며 가장 바람직한 관용의 정의를 도출해내는 것이리라.

매스커레이드 시리즈는 사회인, 직장인으로서의 긍지와 자부심을 배울 수 있다는 점에서 좋은 스토리라는 생각이 든다. 호텔리어의 자세를 견지하려는 나오미와 형사로서 반드시 사건을 해결하려는 닛타나 아즈사의 신념이 부딪치지만 그들이 나아가는 방향성은 동일하다. 자신의 직업에 최선을 다하고 그에 따른 책임을 지는 태도가 인간으로서, 사회의 구성원으로서 건강한 흐름으로 알게 모르게 독자의 의식 속에 스며들 것 같다. (히가시노 게이고, 『매스커레이드 게임』, p. 424-425, 현대문학)

271. **부루퉁하다** : ① 붓거나 부풀어 올라서 불룩하다. ② 불만스럽거나 못마땅하여 성난 빛이 얼굴에 나타나 있다.

♣ 미술관으로 가는 내내 한여름의 뉴욕 거리의 열기가 떠올랐다. 핫팬츠에 민트초코 맛 콘 아이스크림을 들고 환하게 웃으며 첼시거리를 걷던 실비아와 뭔가 불만인 듯 **부루퉁했던** 형국과 함께 소호의 갤러리 앞에서 시시껄렁한 철학을 논하던 때가 영화의 한 장면처럼 기억났다. 수혁은 자기도 모르게 씩 웃었다. 그리고 6개월 전 어머니가 돌아가신 이후, 진심으로 웃은 게 처음이라는 사실을 깨달았다.

(김지혜, 『책들의 부엌』, p. 176)

♣ 우연히 손에 들어온 《산다는 것은 무엇인가》라는 책에서 '사람의 불행은 쉴 줄 모르는 데서 온다'라는 구절을 발견하고 깜짝 놀랐지. 95세의 수녀님이 쓴 책이라는 것도 놀랐고 72년간의 수도 생활 중에서 62년을 터키, 튀니지, 이집트 등을 돌며 살았고 그중 23년을 빈민가에서 넝마주이들과 살았다는 것도 놀라웠다. 그렇게 바쁜 수녀님이 불행은 쉴 줄 모르는데서 온다고 하시다니 말이다. 그리고 그보다 더 95세의 수녀님이 '산다는 것은 무엇인가'라는 명제로 글을 쓰신 것이 더욱 놀라웠다. 이 책의 시작은 그녀가 15세였던 어느 날로 거슬러 올라간다. 브뤼셀의 부유한 집안에서 태어난 그녀는 '여드름이 비죽한 얼굴에 헝클어진 머리. 입술은 심술로 가득차서 **부루퉁했고**, 불평을 몸에 달고 다녔다. 아무것도 마음에 들지 않았고 모든 것이 허물투성이였다'라고 자신을 소개한다. 공부가 무슨 소용이 있나? 언제나 열심히 해야 한다니. 게다가 지상에 존재한다는 게 무

슨 소용인가? 사람은 어디로 가는지 왜 사는지조차 모른다. 그건 끝이 막힌 길, 지루하기만 한 것, 멍청하기조차 하다. 고양이에게는 아무 문제도 없다. 먹고 자고 느끼고 어미 고양이 몸에 기대어 젖을 빨면 된다. 삶은 아름답다! 수업도 없다!

(공지영,『네가 어떤 삶을 살든 나는 너를 응원할 것이다』, p. 208-209)

272. **부박하다** : 천박하고 경솔하다.

♣ 라면처럼 부박하리라는 체념의 편안함이 마음의 깊은 곳을 쓰다듬는다. (김훈, 『라면을 끓이며』, 문학동네)

273. **부성애** : 수컷 생물이 자신의 새끼를 아끼는 마음.

♣ 한 사람은 네덜란드 출신으로 영국의 옥스퍼드 대학에서 오랫동안 후학을 가르친 니코 틴버겐입니다. 갈매기류, 어류, 곤충 등을 주로 연구했습니다. 이분이 연구한 것 중 하나가 부성애가 지극해서 우리나라에서는 소설로까지 등장한 '가시고기'입니다.

틴버겐은 큰 가시고기의 짝짓기 행동을 관찰하여 동물행동학의 기반을 마련하는 데 기여했습니다. 큰 가시고기 수컷들은 겨울 동안에는 비교적 다정하게 함께 몰려다니다가 봄이 되면 가슴과 배가 붉은 색으로 변하고 눈이 시퍼래지면서 서로 영역 다툼을 벌입니다. 각기 영역을 확보한 수컷들이 붉은 배를 흔들며 특유의 지그재그 춤을 추면 그동안 별 관심을 보이지 않던 암컷들이 짝짓기 행동을 시작합니다. 그는 이 모든 과정을 아주 자세히 연구했습니다. (……)

세월이 한참 흘러 동물행동학으로 박사학위를 받고 미시간 대학의 교수로 있을 때, 강원대학교에서 박사학위를 받고 그것으로 박사후 과정을 밟으러 온 젊은 동물학자가 있었습니다.

(……) 그에게 그러면 가시고기는 주로 어디서 볼 수 있느냐고 물었습니다. 뜻밖에도 태백산맥 줄기에서 동해로 흐르는 물에는 대개 가시고기들이 산다며, 자신은 주로 강릉 비행장 옆 냇물에서 채집했다고 말하는 것이 아닙니까. 그곳은 바로 그 옛날 우리 할아버지 논 근처를 흐르는 개울이었습니다. (……) 어찌보면 내가 동물행동학자가 된 것은 운명인지도 모릅니다. 어쨌든 나에게 가시고기 이야기를 처음 해준 분이 바로 틴버겐입니다.

(최재천, 『손잡지 않고 살아남은 생명은 없다』, p. 102-105)

♣ "우리 엄마는 세 번이나 이혼한 사람이에요. 엄마 집에는 두 동생이 있는데 우리 셋은 모두 성이 달라요. 저는 이번 여름에 그런 엄마와 함께 살기 위해 이곳으로 왔어요." 묻지도 않은 그런 이야기를 꺼낸 이유를 나중에 생각해보니까 그가 좀 맘에 들어서였던 것 같다. 아빠에게서 연락이 없는 동안, 내게 어떤 **부성애**의 결핍 같은 것들이 생겨나서, 그에게서 아빠와 유사한 이미지를 발견해냈는지도 모른다. 그는 내가 혹시 동화를 자주 지어내는 나머지 현실과 상상을 혼동하는 아이가 아닐까 하는 표정으로 나를 잠깐 바라보더니 "엄마가 참 열심히 사시는 분인가 보구나." 했다. 순간 뒤통수를 한 대 맞은 기분이었다. 엄마가 이혼을 세 번이나 한 것이 열심히 사는 증거라고는 생각해보지 않았던 것이다. 나는 깔깔 웃었다. 그가 진지한 표정으로 나를 바라보았다. "왜 웃지?" "사람을 웃게 만드는 건 대개는 그 말이 핵심을 정확히 찌르고 있을 때니까요. 엄마를 설명하는 데 그 말이 참 맞는 말이거든요. 우리 엄마는 너무 뜨거워요." 그는 거기에 대해서는 더는 묻지 않았다. 낯설고 생경한 것을 들여다보고 싶

은 천박한 호기심을 억누르고 있는 것 같지도 않았다. 그게 더 내 마음을 끌었다. (공지영, 즐거운 나의 집, p. 63-64)

♣ 생명을 낳기 위해 얼음 절벽으로 몰려든 황제펭귄들이 그렇다. 서식지에 도착하자마자 몰아치는 한파 속에서 짝짓기를 한다. 무리 속에서 러브콜에 성공한 펭귄들의 영하 50도의 사랑이 시작된 것이다. 암컷은 알을 낳아 수컷의 발 위에 올려준다. 추위가 만들어낸 부부 사랑의 협동이다. 발등의 털로 알을 품은 수컷들은 몇 초만 드러나도 얼음이 되어 버리는 알을 지키기 위해서 부동자세를 취한다. 알이 부화하고 먹이를 구하기 위해 먼 바다로 떠난 암컷이 돌아올 때까지 아무 것도 먹지 않고 꼼짝도 하지 않는다. 몸무게가 15kg까지 줄어드는 굶주림과 긴 기다림의 **부성애**이다. 하지만 그것은 시작에 불과하다. 새끼가 부화를 해도 먹이를 구하러 간 어미들은 돌아오지 않는다. 펭귄 아버지는 비상수단을 쓸 수밖에 없다. 가뜩이나 굶주린 자신의 위벽이나 식도의 점막을 녹여 토해낸다. 이것이 바로 '펭귄 밀크'라 부르는 아버지의 젖이다. 대개 동물세계에서는 짝짓기를 하고 나면 수컷은 그 자리에서 사라지고 만다. 암컷 혼자서 새끼를 낳아 기르는 것이다. 그래서 **부성애**는 인간 사회 특유의 것이라고 믿는 사람들이 많다. 착각일 것이다. 대체 어떤 아버지가 펭귄처럼 자신의 살점을 저미는 사랑으로 자식을 키우는가. 그것은 오직 영하 50도의 추위가 아니면 만들어 낼 수 없는 사랑의 기적이다.
(이어령, 『생명이 자본이다』, p. 84-85, 마로니에북스)

♣ 보통 개구리는 웅덩이에 알을 낳고 수정이 끝나는 즉시 떠나기에 부화한 올챙이는 홀로 살아간다. 이와 달리 **보르네오 수컷 개구리**는 열흘 동안 꼼짝 않고 알을 지키다 올챙이가 깨어나면 안전한 웅덩이에 풀어놓는다. 덕분에 보르네오 올챙이의 생존율은 다른 올챙이보다 훨씬 높다.

(「좋은 생각」, 1월호 2024)

274. **부숭부숭하다** : ① 핏기 없이 조금 부은 듯하다. 잘 말라서 물기가 없고 부드럽다. ② 살결이나 얼굴이 깨끗하여 아름답고 부드럽다.

♣ 아이가 노트북 화면을 동민에게 보여주었다. 그가 트랙패드로 손을 뻗어 커서를 이동해주다가 그만 지뢰를 터뜨리고 말았다. 아이가 **부숭부숭한** 얼굴로 그를 바라보았다. 그는 씩 웃으며 아들 귀를 만졌다.

(차무진, 『인 더 백』, p. 59)

♣ '그럴 리가 없지.'
조준구는 불안하게 다시 사내를 훔쳐본다. 김평산이 그곳에 앉아 있다는 착각을 떨쳐버릴 수 없었던 것이다. 김두수, 그는 김두수였다. 눈두덩이 **부숭부숭하고** 이마가 좁고 입술이 나왔으며 비대한 몸집의 김평산 그대로의 모습,

(박경리, 『토지 3부 4권』, p. 253)

275. **부유스름하다** : 선명하지 아니하고 약간 부옇다.

♣ 나체로 누운 아들을 버려두고 창가로 갔다. 블라인드를 젖히고 **부유스름한** 창을 열었다. 차가운 공기가 밀려왔다. 창틀에 부착된 하강기를 움켜잡으며 잠시 숨을 머금었다.

(차무진, 『인 더 백』, p. 51)

276. **부유하다** : ① 행선지를 정하지 아니하고 이리저리 떠돌아 다니다. ② 물위나 물속, 공기 중에 떠다니다.

♣ 자신의 자리로 돌아가는 길에 K는 평소처럼 뛰지 않았다. 누구를 만날까 별로 경계하지도 않고, 붕 뜬 채로, 마치 유령이 된 것처럼 지면에 발이 닿는 느낌도 없이 자신의 연구실까지 부유하며 걸었다.

(김동식 외 9인, 『당신의 떡볶이로부터』 p. 65)

♣ 어머니는 내게 헤엄치는 법과 노 젓는 법을 가르쳐 줬다. 남아프리카공화국에서 태어나 '윈디 시티'라고도 불리는 포트엘리자베스에서 성장한 어머니는 런던 북부에서 40여 년을 사는 동안 매일같이 바다를 그리워했다. 도리스 레싱의 두 번째 소설 《마사 퀘스트》가 남아공의 백인 식민주의자 문화라는 불모지이자 무지몽매함 가운데 자란 당신의 성장기를 정밀한 언어로 묘사하고 있다고 늘 이야기하곤 했다. 노년에 들어 어머니는 "물에 몸을 맡기는" 수영법을 터득했다. 요컨대 물속에서 뒤로 드러누워 "생각을 비우는" 동시에 "흐름에 항복하는" 기법이었다. 햄스테드 히스에 있는 수영 연못에서 내게 이 기법을 선보이기도 했다. 오리와 잡초, 낙엽이 부유하는 검은 수면에 오필리아처럼 드러누운 채로.(데버라 리비 저, 백수린 글, 『살림 비용』, p. 103)

277. **부활** : ① 죽었다가 되살아나는 것.

② 쇠퇴된 것, 폐지한 것을 다시 써서 성하게 하는 것.

♣ 미국교회에 우연히 나갔다가 미국 목사님 설교를 들었는데 목사님으로부터 "우리가 예수님이 하나님의 아들이시며 우리의 죄로 인해 십자가에 못 박히고 죽으셔서 부활하심

을 믿는다면 거기에 대한 반응으로 내가 그 예수님을 나의 구세주라고 입으로 시인하고 나의 주님이라고 시인할 때에 온전한 구원을 받는다"고 했습니다.

(이민아, 『땅끝의 아이들』, 시냇가에 심은 나무)

♣ 제가 자랑할 수 있는 것은 저의 연약함, 정말 주님이 없었으면, 살 수 없었던 돌무더기의 기억뿐입니다. 정말 예수님이 그때 십자가에서 세 시간만 있다가 인제 못하겠다 그러고 내려오셨으면 저는 그냥 끝난 인생이에요.(……) 소망 주시고 저에게 기적을 주신 예수님 때문에 예수님의 십자가에서 그 모든 문제를 저 대신 짊어져 주셨기 때문에 그냥 믿어라 할 때 그냥 믿고 기다리면 주님께서는 반드시 오셔서 돌을 치우라고 하시고 내가 죽었다고 생각하고 너무나 죽었다고 확신했었던 냄새나는 시체 같던 나의 죽은 꿈들을 다 <u>부활</u>시켜 주시는 저의 주님 때문에 저는 신앙의 돌 기념비를 길갈 Gilgal(요단강에 있는 돌무더기를 세운 곳이며 길갈은 수치를 씻은 곳이다)에 쌓습니다. 약할 때 강함 주시는 그분의 은혜에 감사합니다. (앞의 책, p. 298)

♣ 엠마오로 가는 길이란, 예수가 죽은 후 그의 제자 둘이서 엠마오로 가는 길에 어떤 훌륭한 사람을 만나 이야기를 나누는 그 길을 말하는 거야. 근데 그 어떤 사람이 바로 자신들이 죽었다고 슬퍼하고 있는 예수였어. 그들은 예수의 죽음으로 몹시 실망하고 있어서 <u>부활</u>한 예수가 함께 걷고 있었다는 사실을 몰랐던 거지. 왜냐하면 그들에게는 그 스승이 죽어서 부활한다는 사실보다 어쩌면 그 스승의 죽음으로 인해 상심하고 있는 자신들의 마음이 더 중요했을지도 모르니까, 그게

사람들의 눈을 어둡게 해서 그들이 그토록 고대하던 그 사람이 자신과 함께 있다는 사실도 알아차리지 못하는 거지. 아마 오스카 와일드도 역시 슬픔에 잠겨 있다가 깨달았을 거야. 이 슬픔에 잠겨 있는 길이 어쩌면 엠마오의 길이라는 걸. 그의 회개는 진실했던 것 같아.
재미있는 도둑을 답답하고 정직한 사람으로 만들지 않을 거라고 단언하는 대목에서는 엄마는 따라 웃었단다. 실은 엄마도 예수가 그렇다고 생각하거든. 오스카 와일드가 요즘의 작가였으면 이야기가 엄청 잘 통하고 재미있는 사람이었을 것 같아. 물론 아주 친한 친구는 되지 않았겠지만(음, 그건 여러 가지 이유에서 좀……) 그래도 엄마는 이런 사람들을 좋아해. 대책없이 정직해서 남을 민망하게까지 하는 사람들 말이야. 귀엽잖아.

(공지영, 『네가 어떤 삶을 살든 나는 너를 응원할 것이다』, p. 83)

♣ <그리스도를 선택하다>

예수님과 함께 시험당하는 우리 자신을 봅니다.
그는 다른 사람들을 위한 복된 사역을 위해 죽음의 문턱까지 걸어가셨습니다. 그는 잘못된 것에 대해 과감하게 반대하며 말하고, 그 결과를 감수하셨습니다.
그는 매질을 당하셨습니다.
사람들이 자신의 얼굴에 침을 뱉도록 허용하셨습니다.
머리에 가시관을 쓰고 아픔을 견디셨습니다.
아무 말 없이, 심지어 마음속으로도 분노하지 않고 조롱을 받으셨습니다.
십자가에 달려 괴로워하는 순간에도 자신의 어머니를 생각하셨습니다.

그리고 이렇게 외치셨습니다.
"아버지여, 저희를 사하여 주옵소서, 자기의 하는 것을 알지 못함이니이다."
나는 이런 예수님의 말들이 분명 상상에서 나온 것이라고 주장하는 책들을 읽었습니다. 십자가에 못 박힌 극심한 고통 가운데서 말을 할 수 있는 사람은 아무도 없다는 것입니다. 하지만 예수님은 여러 번 그의 삶 속에서 인간으로서는 '불가능한' 모습을 보여 주셨습니다.
이 장면은 그의 전체적인 성격에 들어맞습니다. 사실, 그러한 고통을 당하면서 다른 사람들을 생각할 수 있는 사람은 아무도 없습니다. 하지만 예수님은 우리보다 훨씬 뛰어난 분이십니다.
예수님이 십자가에 달려 돌아가신 사건은 비극적이고 끔찍하며 공포스러운 일이었습니다! 세상에서 가장 훌륭한 사람이 죽어간 것은, 매우 선해서 그것을 피할 수 없었기 때문입니다.
그것은 인류를 더 깊은 절망으로 몰아넣었습니다. 그들은 예수님을 기억할 수도 있고 기억 못할 수도 있습니다. 내 생각에 아마도 그들은 예수님을 잊으려고 노력했을 것입니다.
왜냐하면 인간은 하나님이 선하신 분이라고 믿기 원하는 데, 십자가의 고난은 우리가 생각하기에 가장 충성스러운 분을 하나님이 버리시는 것을 보여 주기 때문입니다.
하나님은 가장 충실한 옹호자를 저버리셨습니다. 십자가만 보면 정말 끔찍합니다. 하나님이라면 그런 끔찍한 드라마를 멈추게 하실 수 있는데도 말입니다.
"나의 하나님, 그런데 왜…?"
만일 부활이 없었다면 우리는 선하신 하나님을 믿지 못할 것입니다. 그것은 믿기 어려운 이야기입니다. 왜냐하면 우리는 그 전이나 후로도 그와 같은 일을 본 적이 없기 때문입니다.
하지만 그 일은 전례가 없기 때문에 믿기 어려울 뿐입니다. 다른 한편으로는 그것을 의심하기가 훨씬 더 어렵습니다.
나는 우주에서 예수님의 전 생애의 이야기를 배제하거나 아니면 어떤 지성이나 감정을 배제해야 합니다. 만일 내가 그렇게 한다면, 나의 문제는 단순히 지적인 문제가 아니라 도덕적인 문제가 됩니다.
나는 실제로 다른 이들을 위해 나 자신을 희생할 수 없습니다. 왜냐하면 그것은 숭고하게 들리지만 어리석은 일이기 때문입니다. 예수님의 행위는 경솔하고 헛될 뿐 아니라 나머지 인류를 그릇된 길로 인도하는 것이 됩니다.
스튜더트 케네디는 이렇게 말했습니다.
"그것을 어떻게 입증할 수 있습니까? 그것은 입증되지 않습니다. 입증할 수가 없습니다. 이기기 전에 어떻게 승리를 입증할 수 있습니까? 죽을 때까지 따라가 보지 않고서 어떻게 당신을 이끄는 사람이 따를 만한 가치가 있는 지도자라는 것을 입증할 수 있습니까?
당신은 논쟁하기를 원합니다. 그런데 나는 그것을 원치 않습니다. 그것은 선택입니다. 그리고 나는 그리스도를 선택했습니다."

마지막 문장이 모든 문제의 핵심입니다.
그것은 선택입니다.
그리스도를 택하면 비밀을 알게 되고, 그리스도를 배격하면 절망을 얻습니다. (프랭크 루박, 『프랭크 루박의 일기』, p. 110-113)

♣ 또 다르게 성경을 읽는 방식은 현대 신학자들이 많이 권하는 것으로, 성경을 교회의 책으로 보는 것이다. 곧 성경을 하나님이 주신 믿음과, 믿는 자들의 교제에 대한 자기 이해가 표현되어 있는 책으로 읽는 것이다. 이런 관점에서 보면, 로마서는 복음 - 교회는 바로 복음에 의해 살아간다 - 에 대한 전형적인 진술이라는 바로 그 점 때문에 교회의 정체성에 대한 전형적인 서술이 된다. 교회란 무엇인가? 그것은 하나님에 의해 택함을 받고, 믿음을 통해 의롭다 함을 받았으며, 개인적 의와 상호 사역이라는 새로운 삶을 위해 죄로부터 자유롭게 된 자들로, 유대인과 이방인이 함께 모여 이루어진 아브라함의 신실하고 참된 씨이다. 그것은 하나님의 전 재산을 유업으로 받으려는 소망 가운데 살고 있는, 사랑 많으신 하나님 아버지의 가족이다. 그것은 그리스도의 역사적 죽으심과 하늘에서의 삶이 이미 활동하고 있는 <u>부활</u>의 공동체이다. 그리고 이것이 로마서에서처럼 충분하게 제시되는 곳은 없다. (제임스 패커, 『하나님을 아는 지식』, p. 364)

♣ 우리는 이제 모든 사람이 성령의 사역을 이런저런 식으로 적어도 그리스도 안의 새 생명과 연결시키려고 애쓰는, 다시 말해 살아 있는 기독교 세계로 돌아왔다. 그럼 우리의 화두를 보자. 오늘날 성령께서 하시는 사역의 본질, 심장, 핵심은 무엇인가? 그분의 다양한 사역 가운데 중심이 되고 초점이 되는 요소는 무엇인가? 능력을 주고, 능하게 하고, 정결하게 하고, 진실을 드러내는 그분의 사역을 꿰는, 그러니까 이 모든 사역을 제대로 이해하기 위해 우리가 기본적으로 꼭 알아야 할 성령의 활동이 있는가? 생명을 주시는

성령의 모든 사역들을 하나의 핵심으로 모으시는 하나님의 전략이 있는가?
나는 그러한 것이 정말 있다고 생각하며, 그것에 대한 나의 견해를 제안하려 한다. 이 견해는(지금까지 따라온 'p'에 맞추어) 임재(presence)라는 개념에 초점을 맞추었다. 즉 성령께서는 역사에 나타나신 예수, 부활하시고 통치하시는 구주, 믿음의 주이신 그리스도께서 당신의 교회와 그리스도인 안에 인격적으로 임재하심을 알리신다는 말이다. 성경은 사도행전 2장의 오순절 이후, 예수님의 임재를 알리시는 일이야말로 성령께서 죄인들에게 죄와 유혹을 이길 힘을 주시고, 그들을 깨끗하게 하시고 인도하사 하나님이 살아 계심을 직면하게 하시는 목적임을 보여 준다. 성령이 이렇게 하시는 이유는 그리스도께서 알려지고, 사랑받고, 신뢰받고, 존경받고 찬양을 받으시도록 하기 위해서이다. 이것이야말로 성령의 일관된 목표이자 목적이며, 또한 성부 하나님의 목적이자 목표이기도 하다. 내가 이 마지막 분석에서 보여 주고자 하는 점도, 성령의 새 언약 사역도 바로 이것이다.

(제임스 패커, 『성령을 아는 지식』, p. 63-64, 홍성사)

278. 부흥: 쇠퇴하였던 것이 다시 일어남.

♣ 주님께선 아실 겁니다. 작년 말, 남편은 개척 이래 처음으로 2023년도엔 담길교회가 부흥이 임하길 원한다고 선포했습니다. 단지 사람들이 많이 모이는 숫자적 의미의 부흥이 아니라 하나님께서 한 사람 한 사람의 심령을 장악하시고, 그래서 심령이 새롭게 되는 부흥입니다. 하나님께서 이 작은 우리에게 찾아오셔서 우리의 전투가 되어주시는 그런 부흥을 소망했습니다. 그런데 그 이후 저는 먼저 그런 부흥

을 경험했습니다. 작년 12월 12일이었지요. 성령께서 홀연히 제게 찾아 오셔서 제 영혼육을 가득 채워주심으로 저는 몇 시간이나 주님의 임재 가운데 사로잡힐 수 있었습니다.

(한근영, 나는 기록하기로 했다, p. 299-300)

♣ 제가 정말 절망적인 심정으로 주님에게 매달렸습니다. 주님을 만나지 못하면, 주님이 내 안에 있지 아니하면 나는 살 수 없다는 절박감이 몰려왔어요. 그게 저는 부흥의 시작이라고 생각합니다. 내가 죽어 있다는 것, 내가 흑암이라는 것을 깨닫는 것 거기에서 빛에 대한 목마름이 생기는 것 같아요. (중략)

하나님의 영이 하나님의 사랑이 그냥 일방적으로 와서 상처로 굳어져 있는 저의 마음을 녹여주셨어요. 2005년 8월 23일 샤스터 호수에 놀러 갔다가 그 지역 레딩, 벧엘 교회에서 일어나고 있는 그 부흥 때문에 하나님의 임재하심을 강하게 체험했습니다. 그다음부터 하나님이 정말 저를 많이 만져주셨어요. 그래서 저는 체험이 정말 중요하다고 생각해요.

(이민아, 『땅끝의 아이들』, p. 53, 128)

♣ 하박국서 3장 2절은 한글성경에서 '부흥'이란 단어가 언급되는 유일한 곳이다.

여호와여 내가 주께 대한 소문을 듣고 놀랐나이다
여호와여 주는 주의 일을 이 수년 내에 부흥하게 하옵소서

_하박국 3:2

(이찬수, 『오늘 살 힘』, p. 19)

♣ "오늘날에는 겉으로만 제자도를 따르는 기독교인이 엄청나게 많습니다. 진실된 그리스도인이 더 많이 필요합니다. 우리에게 필요한 건 그리스도의 뜻대로 걸어가는 기독교의 부흥입

니다. 우리는 게으름과 이기심에 이끌려 예수님이라면 인정하지 않으실 제자도를 무의식적으로, 그리고 공식적으로 변질시켜 왔습니다. 예수님은 우리 중 많은 이가 '주여, 주여'라고 부르짖을 때 '나는 결코 너를 알지 못한다'고 하실 것입니다. 이 십자가를 질 준비가 되어있습니까? 이 교회는 엄정하고 신실하게 다음과 같이 찬송할 수 있습니까?

'십자가를 내가 지고
주를 따라 가도다.'

만일 우리가 진실한 마음으로 이 찬송을 부를 수 있다면 그땐 우리를 참된 제자라고 할 수 있을 것입니다. 그러나 기독교인이 된다는 개념이 단순히 예배의 특권을 누리면서 우리 자신을 희생하지 않는 선에서 베풀고, 유쾌한 친구들과 편안한 환경에서 안락한 시간을 보내며 번듯한 삶을 살고, 동시에 세상의 거대한 죄와 환난이 고통과 스트레스가 된다면 짐 지기를 거부하고 회피하는 것이라면… 이것이 우리가 생각하는 기독교의 모습이라면, 우리는 잃어버린 인류를 향한 번뇌로 신음하고 눈물 흘리시며 땀방울이 핏방울이 될 때까지 높이 달린 십자가에 매달려 "나의 하나님! 나의 하나님! 왜 나를 버리셨나이까!"라고 절규하셨던 주님이 가신 길과는 아주 동떨어진 길을 가는 게 분명합니다. 새로운 제자도를 짓고 그것을 실천할 각오가 우리에게 있습니까? 기독교인이 된다는 것이 무엇인지 재고하여 새롭게 정립할 각오가 우리에게 있습니까? 기독교인이 된다는 것은 무엇일까요? 그것은 예수를 본받는 것입니다. 그것은 예수님처럼 행하는

것입니다. 그것은 예수님의 발자취를 따라 걷는 것입니다.“
헨리 맥스웰은 설교를 마친 후 잠시 그 자리에서 서서 교인들을 바라보았다. 성도들이 결코 잊을 수 없을 정도로 그 표정은 너무도 진지했다. 하지만 그 순간에는 그러한 표정과 눈빛이 무엇을 의미하는 것인지 이해할 수 없었다.(중략)
그가 모든 성도들이 듣는 가운데 온화한 목소리로 예배를 마치는 기도를 하자 성도들의 머리 위에 성령이 찾아오신 것이 느껴졌다.
사람들이 엉거주춤 자리에서 일어나서 예배당을 나가려 할 때 상상치 못했던 장면이 눈앞에 펼쳐졌다. 헨리 맥스웰을 마주 대한 채 앞으로 예수님처럼 행하겠다는 것과 스스로를 주님께 드리겠다는 서약을 하기 위해 수많은 남자와 여자 교인들이 연단 주위로 몰려들었다. 이것은 맥스웰 목사가 미처 예상하지 못했던 자발적이고도 즉흥적인 것이었다. 그러나 이것이야말로 그가 기도하던 바가 아니었던가? 그의 소원이 넘치도록 응답받는 순간이었다. (찰스 쉘던, 『예수님이라면 어떻게 하실까?』, p. 420-423)

279. **분분히** : ① 떠들썩하고 뒤숭숭하게. 여럿이 한데 뒤섞여 어수선하게. ② 소문, 의견 따위가 많아 갈피를 잡을 수 없이.

♣ 허공으로 소리가 분분히 흩어졌다.(…)
괄호를 손에 들고 편지를 잘라냈다. 편지 조각들이 분분히 요 위로 떨어져 내렸다. (김수온, 『( )』, p. 484,490)

♣ 일어나 부스럭 거릴수록 잠이 멀어질 것 같은 위험성을 무릅쓰고 창호지 문을 열었다. 창호지 문밖 유리문을 통해 저만치 길 모퉁이를 밝히는 가로등이 보였다. 가로등 불빛 속을 눈발이 분분히 날리고 있었다. 아아, 바로 저 소리였

구나. 여인의 옷 벗는 소리로 비유한 시인도 있었지만 내 귀는 그렇게 밝지 못하다. 나를 깨운 건 소리가 아니라 느낌이었다. 고요, 평화, 부드러움의 감촉이었다. 나는 다시 자리에 들어 황홀하고 감미로운 수면 속으로 서서히 침몰했다.

(박완서, 노란집, p. 126)

280. **분수효과** : 저소득층의 소득 증가가 경제 활성화로 이어지는 현상.

281. **분연히** : 떨쳐 일어서는 기운이 세차고 꿋꿋하게.

♣ 나는 어느덧, 남편과 아들이 나아지지 않아도 "그에게서 하나님이 하시는 일을 나타내시리라"(요 9:3)라는 믿음으로 삶의 절망을 **분연히** 떨쳐내며 살아가게 되었다. 어떤 순간이 찾아와도 전처럼 모든 것을 다 잃은 듯한 표정도 짓지 않게 되었다. 절대로 무너질 수 없고 무너지지 않는 선하신 하나님께서 내 삶의 첫 번째 자리에서 변함없이 나와 함께하심이 믿어졌기 때문이다.(…)

그런 내용을 곱씹다 보니 '믿음으로 산다는 것'이 무엇인지 확실히 정리되어 또 한 번 마음을 다잡았습니다. 추워지기 때문에 마음 약해지는 이 계절, 오직 주님의 말씀 안에만 거하고, 악에 대해서는 **분연히** 저항하는 용사로 살아가겠다는 다짐입니다.

(한근영, 『나는 기도하기로 했다』, p. 89, 90, 200)

♣ 이제 환상이 흐릿해졌다. 그가 무릎을 꿇고 다시 간절히 기도하기 시작하자 다시 환상이 보이기 시작했는데 그것은 미래의 현실이라기보다는 미래에 대한 갈망에 가까워 보였다. 시카고를 비롯해 전국 방방곡곡에 세워진 예수의 교회! 교

회가 과연 예수님을 따를까? 레이먼드에서 발원한 운동이 나사렛 에비뉴와 소수의 교회에서 잠시 반짝하다가 결국 깊고 너른 운동으로 확산되지 못하고 지역운동으로 사그라들지 않을까?
그는 이 환상을 본 후 다시금 번뇌에 사로잡혔다. 하지만 곧 미국 전역에 있는 그리스도의 교회가 성령의 움직임에 마음을 활짝 열고 예수의 이름으로 자신들의 안락과 자기만족을 희생하며 분연히 일어서는 것을 보았다. 그는 '예수님이라면 어떻게 하실까?'라는 표어가 모든 교회당과 모든 교인의 가슴에 아로새겨진 것을 보았다고 생각했다.

(찰스 쉘던, 『예수님이라면 어떻게 하실까?』, p. 427-428)

282. **불균질** : 물질의 농도, 밀도, 성분의 조성 따위의 물리적이거나 화학적인 성질이 위치에 따라 달라지는 것.

♣ 한 다리를 딛고 그림처럼 서 있는 홍학처럼, 비단과 누더기를 함께 기운 천 조각처럼 나의 내면은 믿을 수 없을 만큼 불균질했고 아슬아슬했다.

(김지수, 『이어령의 마지막 수업』, p. 153)

283. **불뚝거리다** : 무뚝뚝한 성미로 갑자기 자꾸 성을 내다.

♣ "고, 고양이 어미가 버린 거 아냐. 오, 오히려 사람들보다 더 잘 보살핀단 말야. 넌 알지도 못하면서 왜 고양이한테 뭐, 뭐라구 그러냐?" 명환이는 동수를 돌아보며 불뚝거리는 투로 말했다. (김중미, 『괭이부리말 아이들1』, p. 114)

284. **불찌** : 불티나 불똥을 이르는 말

♣ 모닥불에서 불찌가 튀며 탁탁 소리를 냈다.

(차무진, 『인 더 백』, p. 313)

285. **붙좇다** : 존경하거나 섬기다.

♣ 룻이라는 며느리는 다음의 그 유명한 고백을 남기며 나오미를 끝까지 **붙좇는다**.(한근영, 『나는 기도하기로 했다』 p. 54, 규장)

286. **브러싱 스캠**(brushing scam) : 쓸어버린다는 의미의 '브러싱'과 사기를 뜻하는 의미의 '스캠'의 합성어. 주문하지 않은 물건을 아무에게나 발송해 수취인으로 가장해 가짜 후기를 올려 온라인 판매 실적과 평점을 조작하는 수법이다.

287. **블랙아이스**: 낮 동안에 내린 눈과 비가 아스팔트의 틈새에 스며들었다가 도로의 먼지, 기름 등과 섞여 얇게 얼어붙는 현상.

288. **블랙 스완** : '예외적이거나 발생 가능성이 없어 보이는 일이 일단 발생하면 경제에 엄청난 충격과 파장을 가져 오는 사건'을 뜻함.

♣ 윌슨(빌 윌슨 목사)의 인생을 바꾼 질문은 '배고프고 외로운 한 어린 소녀'의 모습으로 나타났다. 윌슨에게 어린 소녀는 **블랙 스완**처럼 그 존재만으로도 그의 삶을 흔들어 놓았다. 윌슨이 받은 질문이 우리에게도 나타나지만 우리는 번번이 질문을 놓친다. 그 질문이 내가 원하지 않는 모습으로 나타나기 때문이다. 질문을 붙잡으려면 우리는 하나님의 은혜를 들을 뿐 아니라 느끼고, 보고, 경험해야 한다. 문학은 이것을 이야기라는 가상현실 기술로 이해시킨다.

(이정일, 『문학은 어떻게 신앙을 더 깊게 만드는가』, p. 353)

289. **비가역** : 본디의 상태로 돌아갈 수 없는 것.
반대로 가는 것이 가능하지 않다. 비가역적이라는 말은 열역학 제2법칙에서 사용하는 말이다.

290. **비만은 나태인가** : 나이가 들며 살찌는 것은 지방을 연소시키는 열정이 모자라서인가, 비만은 건강이 아니라 정신의 문제이다.(이어령)

291. **비어지다** : 가려져 속에 있던 것이 밖으로 내밀어 나오다.

♣ 버스 와서 막 타려는데 부르릉 떠나면 허탈하잖아. 그때 보라고. 씩 웃어." "한숨 대신 웃음이 **비어져** 나오는 거죠." "멋쩍어서 그래. 웃음이 얼마나 웃기는 줄 아나?" "웃음이 얼마나 웃기는 데요?" "길 지나가는 사람 관찰해 봐……. 웃음은 사회적인 제스처야. 그런데 내가 중요하게 생각하는 유머는 미학이야. 아이러니. 패러독스로서의 웃음."

(김지수, 『이어령의 마지막 수업』, p. 148)

♣ 칼이 여자의 허리에서 둔부로 이어지는 부분에 파고들었다. 날이 세로로 지나간 사이로 복막 층의 노란 지방질 덩어리들이 **비어져** 올랐다. 그 아래로 참치살 같은 선홍빛 육질이 모습을 드러냈다. 옴폭 들어간 허리에서 그렇게 크고 두툼한 살점이 나오는 것을 동민은 처음 알았다.

(차무진, 『인 더 백』)

292. **비유** : 아는 것을 가지고 모르는 것을 표현하는 방법.(이어령)

♣ 여러분이 성경을 얼마나 읽으셨는지 몰라도 저는 대학에서 기호학과 수사학을 가르치면서 토씨 하나 빠뜨리지 않고 그 문장 전체를 점검하고, 그 **비유**법을 분석했습니다. 예수님의 **비유**는 사람이 사용하는 레토릭rhetoric(수사법)이라 볼 수 없을 정도로 놀라운 문장입니다.

(이어령, 『당신, 크리스천 맞아?』, p. 55)

♣ 이 선생께서 믿는 신은 기독교에서 말하는 인격적인 신과는 다르지요?

"그래서 나한테 말 시키지 말라는 거예요. 왜냐하면 목사님들이 보기에 이단이 될 수 있으니까. 나는 성서를 <u>비유</u>로 읽는데 그분들은 사실이라고 믿거든요. 예를 들어 예수께서 말한 '본 어게인(born again)'이라는 게 육체적으로 다시 태어난다는 뜻이 아니잖아요. 모든 걸 버리고 정신적으로 다시 태어나라는 얘기지." (앞의 책, p. 109)

♣ <u>비유</u> 뒤에 숨은 문화를 알고 그 차이를 극복해 땅끝까지 가면 논밭에서 일하는 농부들의 후예들도 성경 속 유목민들이 건넜던 저 광야의 바람 소리를 들을 수 있을 것입니다. 성경의 언어들이 얼마나 아름답고 눈물겹고 황홀한 것인지를 직접 느낄 수 있을 것입니다. (이어령, 『빵만으로는 살 수 없다』, p. 11)

♣ <u>비유</u>란 무엇인가. 아는 것을 가지고 모르는 것을 표현하는 방법입니다. 기존의 체험이나 식견으로 미지의 것을 예시하는 것, 그래서 예수님은 우리가 모르는 천상의 것을 언제나 지상의 것으로 비유하여 말씀하셨습니다. 그러니까 빵과 하나님 말씀은 이항 대립적인 것이 아닙니다. 지상의 빵을 하늘나라의 것으로 업그레이드하면 바로 하나님 말씀이 되고, 그것이 결국은 최후의 만찬에 등장하는 바로 그 빵이며 포도주였던 것이지요.

예수님은 항상 지상의 것으로 천상의 것을 보여주셨던 것이지요. 그러다가 예수님은 십자가에 못 박히시기 직전 제자들을 향해 참으로 놀라운 발언을 하십니다. 자신이 이 지상에서 하신 수사법의 비밀 전모를 밝히신 것이지요. "이것을 **비**

유로 너희에게 일렀거니와 때가 이르면 다시는 **비유**로 너희에게 이르지 않고 아버지에 대한 것을 밝히 이르리라 그날에 너희가 내 이름으로 구할 것이요 내가 너희를 위하여 아버지께 구하겠다 하는 말이 아니니"(요한복음 16:25-26)라고 말씀하십니다. 빛이 있으라 하면 그냥 빛이 생기는 그런 말씀의 세계로 들어가게 한다는 것이지요. (앞의 책, p. 29)

♣ 쇼펜하우어의 **비유**처럼 사회를 이루는 인간은 어떤 이유에서든 다른 사람들을 만나게 되면서 '가시'를 세운다. 마음을 터놓는 사이가 되면 자신의 본성을 드러내기 마련이다. 즉 인간의 본성인 이기심, 시기심, 자존심 등 때문에 서로의 마음에 아픔을 주는 일이 많아진다. 가족, 연인 같은 사랑의 감정으로 맺어진 관계도 마찬가지다. 우리는 어떻게 타인에게 상처를 주는 것인가? 고슴도치의 **비유**처럼 인간은 가깝고 친할수록 상처를 줄 가능성이 높다. 다른 사람과 친밀한 관계를 맺는다는 것은 결국 타인을 자신의 욕망과 동일시한다는 것이다. 상대에게 자신이 바라는 모습을 강제하는 것도 폭력이 될 수 있다. 상대방을 자신의 소유물로 여기다 보면 아픔을 주는 막말을 하게 된다. 부모는 자식이 본인이 이루지 못한 꿈을 대신 성취하기를 바란다. 남편과 부인은 서로 결혼한 사이라고 해서 최소한의 예의를 갖추지 않는 경우도 있다.

사랑하는 사이도 말 한마디 실수로 만남이 깨지는 일이 생긴다.(……)

상대방이 나와 다르거나 잘못된 생각을 갖더라도 그 인격을 존경해야 상처를 주는 가시 돋친 말을 피할 수 있다. 서로 세상에 대한 관점에 차이가 있다는 점을 인정하고 서로를 폭넓게

이해할 필요가 있다.(강용수, 『마흔에 읽는 쇼펜하우어』, p. 173)

♣ 하나님의 양자 된 자녀는 영원한 사랑을 누릴 것이다.

필자가 아는 어느 가정의 맏아이는 그 부모가 아이를 가질 수 없다고 생각하던 때에 입양한 아이였다. 후에 그들의 친자식이 태어났을 때, 그 부모는 친자식들에게만 모든 애정을 쏟았으며, 입양된 맏아이는 아주 분명하게 '따돌림을 당했다.' 그것은 보기에 매우 가슴 아픈 일이었으며, 그 맏아이의 얼굴에 나타난 표정으로 미루어 보건대, 매우 고통스러운 경험이었다. 물론 그것은 비참하게도 부모들이 실패한 경우였다. 하지만 하나님의 가족에서는 그렇지 않다. 비유에 나오는 탕자처럼, 우리는 오직 '내가 하늘과 아버지께 죄를 지었사오니 지금부터는 아버지의 아들이라 일컬음을 감당하지 못하겠나이다. 나를 품꾼의 하나로 보소서"(눅 15:18-19)라고 말할 수 있을 뿐이다. 하지만 하나님은 우리를 아들로 받아들이시며, 자신의 독생자를 사랑하듯이 그와 똑같이 불변하시는 사랑으로 우리를 사랑하신다. 하나님의 가족 안에서는 애정의 구분이 없다. 우리는 모두 예수님이 사랑받으신 것처럼 완전한 사랑을 받는다. 그것은 동화와도 같은 이야기이다. 나라를 다스리는 군주가 부랑아를 입양해서 왕자로 삼는다. 하나님을 찬양하라. 이것은 동화가 아니다. 그것은 자유롭고 주권적인 은혜라는 기초에 근거한 견고하고 확실한 사실이다. 바로 이것이야말로 양자 됨이 의미하는 바이다. 요한이 "보라, 어떠한 사랑을!"이라고 외친 것도 놀라운 일이 아니다. 일단 양자 됨에 대해 이해하고 나면, 당신의 마음속에서는 이와 똑같은 부르짖음이 흘러나올 것이다.

(제임스 패커, 『하나님을 아는 지식』, p. 311)

♣ 예수님을 영접하면 하나님의 자녀가 된다. 죄를 용서받고 의롭다함을 받으면 하나님의 자녀이자 후사가 된다. 하나님은 성령을 우리에게 보내셔서 "아빠"라고 부르게 하셨다. "아빠"는 아버지를 친밀하게 부르는 말이다. 어린아이는 아빠와 엄마가 어디에 있다고 가르쳐 주지 않아도 스스럼없이 다가가 "아빠", "엄마"라고 부른다. 그것은 세상에서 가장 자연스런 행동이다. 정상적인 가정에서는 자연스레 일어나는 일이다. 신학자들은 하나님께 친밀하게 다가가는 행동을 "자녀의 본능"에 <u>비유</u>한다. 어린아이는 아빠가 자신을 안아 줄줄 알고 선뜻 두 팔을 쳐들고 다가간다. 어린아이는 아빠가 사랑으로 자기를 돌봐 주며 필요한 것을 주리라는 것을 본능적으로 알고 있다. 기독교인은 하나님을 경외하고 공경함과 동시에, 어린아이가 자신 있게 아빠에게 달려가는 것처럼 그분 앞에 나아간다. 이는 기독교의 역설가운데 하나다. 거룩한 삶은 자녀의 본능에서 비롯한다. 거듭난 신자는 하나님을 기쁘시게 하고픈 충동을 느끼며, 거룩한 삶을 통해 하나님의 맏아들이자 구원자이신 주 예수 그리스도의 도덕적인 성품을 본받으려고 노력한다. (제임스 패커 외, 『하나님의 인도』, p. 92-93)

293. **비장하다** : 슬프면서도 그 감정을 억눌러 씩씩하고 장하다.

♣ 그 여자는 힘겨워 보였지만 눈물을 보이지는 않았는데, 아직은 이 사태를 다는 인정 못 하겠다는 어리석은 희망이 남아 있어서 그런 것 같았다. 그 희망이 실은 정말로 어리석은 것이어서 낙담하는 것보다 더 형편없는 것이었다는 것을 깨닫게 된다면 저 여자는 아마 죽을지도 모른다고 나는

느꼈다. 그렇게 **비장하고** 위태로운 빛이 그녀에게는 있었다는 이야기이다. (공지영, 『우리들의 행복한 시간』, p. 27-28)

♣ 김훈장은 눈을 감았다. 아까 멍청했을 때와는 딴판으로 그의 얼굴에는 서릿발 같은 **비장한** 빛이 감돌고 있었다. 조준구를 전송하고 사랑으로 돌아온 김훈장은 무두질해놓은 모시올같이 하얗고 성근 수염을 떨며 눈물을 떨어뜨린다. 탈바가지를 쓰고 담을 넘어온다는 괴한을 막기 위해, 그밖에도 이완된 마을 풍기를 생각하여 김진사댁 나이 어린 과부 며느리를 겁탈에서 지키기 위해 마목 병에 걸렸다는 헛소문이 나게 한 것은 김훈장 자신의 계책이었던 것이다. 그는 지금 그 과부 며느리의 청춘이 가엾어서 울고 있는 것은 아니었다. 양반의 권위가 땅에 떨어져서 잡인들이 그 절대불가침의 영역을 침범하려는 세상 추세에 통분의 눈물을 흘리고 있는 것이다. 김훈장의 울음은 이조 오백 년 저변에서 지탱해온 불길이 꺼져가는 데 대한 만가挽歌였는지도 모른다. (박경리, 『토지 1부 3권』, p. 70-71)

294. **비전** : 조직이나 개인에게 있어 '바람직하고 이상적인 미래에 대한 정신적인 모델'이다. 아직 살아 있는 당신이 남은 미래를 위해 짜놓은 황홀한 각본이며 진지한 깨달음으로부터 시작한다. **비전**은 인문학적 감수성에 기초한 생생하고 위대한 미래의 그림이다.(구본형)

♣ 파란색은 미래에 대한 **비전**과 희망을 상징하는 색이기도 하다. 짧은 순간의 열정이 아니라 장기적으로 인정받는 상호 간의 이해를 중요한 미덕으로 삼는다. 따라서 전자, 기계, 금융, IT 계통의 업종에도 잘 어울린다.

(이랑주, 『좋아보이는 것들의 비밀』)

♣ "선생님께 몇 가지 질문을 드리겠습니다. 먼저, 선생님께서 가지고 계신 비전이나 꿈이 있을까요? 현재 대한민국 사회에 가장 필요한 것은 무엇이라고 생각하세요?" "지금 내가 제일 두려운 것이 나의 **비전**이 무엇인지, 내가 어떤 꿈을 가지고 있는지 묻는 거예요. 그것을 알고 있다면 내가 그렇게 열심히 많은 책을 쓰겠습니까? 사실 아직도 모르겠어요. 하지만 이렇게 답변할 수 있겠습니다. 내 남아 있는 생 가운데 '이게 정말 사랑이다, 이게 정말 살아 있는 거다' 하는 생명과 사랑을 찾는다면, 혹은 그런 감동을 느낄 수 있다면 나는 내가 여태까지 살아온 삶을 후회하지 않을 것입니다. …… 솔직히 얘기해서 지금까지 그런 사랑은 못 해봤습니다. 나는 몸으로 그런 사랑을 할 수 있는 사람이 아니기 때문에 근처에서 약간 들여다보고 책으로 읽은 게 다예요. 그래서 죽기 전에 내 책에 쓴 그것들을 체험하고 아르키메데스처럼 발가벗은 채 '발견했다. 나는 생명과 사랑을 발견했다' 외칠 수 있는, 그런 유레카의 순간을 맞이하는 것이 나의 **비전**이자 내가 마지막 삶을 살아가는 꿈입니다. 그런데 나는 아무래도 옷 입고 뛰어나갈지는 몰라도 발가벗고 뛰쳐나갈 자신은 없어요.(웃음)." (이어령, 『당신, 크리스천 맞아?』, p. 170-171)

♣ 소명의 요소

우리는 직업에 대한 소명을 선택할 때 지혜로운 결정을 내릴 수도 있고 어리석은 결정을 내릴 수도 있다. 또 신앙적인 선택을 할 수도 있고 그렇지 못한 선택을 할 수도 있다. 직업에 대한 소명을 결정지어야 할 순간에 하나님은 올바른 결정을 내릴 수 있도록 우리를 인도하신다.

구체적으로 말해, 하나님은 분별 있는 사고, 사람들의 조언, 깊은 사색, 기도와 같은 수단을 통해 우리의 길을 결정짓도록 유도하신다. 하나님은 그런 과정을 통해 올바른 결정을 내리도록 도와주시고, 결정을 내린 이후에도 고쳐 생각해야 할 것이 있으면 그렇게 할 수 있도록 인도하신다. 하나님은 양떼인 우리를 인도하시는 목자이시다. 하나님은 우리를 유심히 살펴보시며 안전하게 보호하신다. 하나님의 보호와 인도는 우리의 상상을 초월한다. 성부와 성자와 성령, 삼위일체 하나님이 목자가 되시어 모든 여정이 끝날 때까지 우리를 올바른 길로 인도하신다. 하나님은 우리를 인도하실 때 여러 가지 수단을 사용하신다.

직업에 대한 소명을 결정하는 문제는 매우 중대하다. 어떤 직업을 선택하느냐에 따라 우리의 인생이 달라진다. 직업에 대한 소명은 우리의 삶에 장기적인 영향을 미친다. 하지만 그런 문제를 결정해야 할 때 하나님은 몇 가지 과정을 통해 우리를 인도하신다. 다시 말해, 하나님은 몇 가지 예비적인 수단을 통해 우리의 길을 은근히 암시하시고, 뒤에서 계속 그 방향으로 나가게 하시거나 방향을 수정하도록 유도하신다. 이 점을 구체적으로 살펴보기 위해 성경에 등장하는 세 사람의 인물, 즉 모세, 느헤미야, 바울을 차례로 생각해 보기로 한다.

모세는 뛰어난 재능의 소유자였다. 하지만 그는 매사에 자신감이 부족했고, 종종 자제력을 잃을 정도로 성미가 급했다. 한마디로, 그는 결함이 많은 인간이었다. 하지만 그럼에도 불구하고 그는 위대한 하나님의 사람이 되었다.

느헤미야는 재치와 지략이 넘치는 인물이었지만 자기 자신을 의지하려는 성향이 매우 강했다. 그런데도 그는 어떤 행동을 취하기에 앞서 항상 기도했고, 또 다른 사람들에게 기도를 부탁하곤 했다. 그는 기도를 통해 자기 자신을 의지하려는 유혹을 물리치려고 노력했다. "행동하기 전에 기도하라."는 말은 영혼의 건강을 유지하는 데 필요한 보편적인 원리이자 규칙이다.

바울은 **비전**가이자 개척자였다. 그는 그리스도를 영접하기 전까지만 해도 성격이 불같았다. 그의 이야기를 읽어 보면, 그가 어리석을 정도로 무모했다는 사실을 알 수 있다. 하나님조차도 때로 그의 무모한 행동을 만류하셔야 했던 것으로 보인다.(사도행전 19:30, 31 참조)

마귀의 유혹은 종종 우리의 가장 큰 장점을 파고든다. 마귀는 우리가 강하다고 믿고 경계심을 늦춘 채 무엇을 하고 있는 줄도 모르고 스스로를 의지하는 순간을 절대 놓치지 않는다. 우리는 그런 잘못을 되풀이할 때가 많다. 지혜는 "안 된다. 습관을 바꿔야 한다."고 외치지만 우리는 귀 기울이지 않는다. 우리 자신을 신뢰해서는 안 된다. 위의 세 인물은 그 점에 대해 많은 교훈을 준다. (제임스 패커 외, 『하나님의 인도』, p. 256-258)

♣ 홀로 그리스도인이 될 수는 없다

공동체를 건설하고 교회 공동체 안에 거하라는 하나님의 명령을 거부하거나 불순종하면, 결과적으로 공동체의 창조자이신 하나님을 저버리고 우리 안에 계신 그분의 형상을 배반하게 됩니다. 그리스도의 이름으로 하나 된 교회 공동체는 세상을 향한 하나님의 **비전**입니다. 요한복음 17장 11절에 보면 예수님은 "나는 세상에 더 있지 아니하오나 그들은 세상에 있사옵고 나는 아버지께로 가옵나니 거룩하신 아버지여 내게 주신 아버지의 이름으로 그들을 보전하사 우리와 같이 그들도 하나가 되게 하옵소서."라고 기도하였습니다. 역사를 살펴보면 하나님은 하나 된 교회 공동체를 추구해 오셨습니다. 이 일은 역사의 마지막까지 계속될 것입니다. 그리고 교회 공동체에 대한 하나님의 꿈은 교회가 시간의 구속에서 벗어나 영원 속으로 들어가서, 구속의 사랑으로 안아주시는 하나님의 품에 안기며 신랑 되신 주님과 신부로서 연합할 때 영광스럽게 이루어질 것입니다. 단지 교회처럼 흉내내거나 교회처럼 행동하는데 그치는 것이 아니라 하나님이 원하시는 진정한 사랑의 공동체의 모습을 회복해야 합니다. 그래서 폴 투르니에는 이렇게 강조합니다. "혼자서는 할 수 없는 것이 두 가지가 있다. 하나는 결혼이고 또 하나는 그리스도인이 되는 것이다." 그 누구도 홀로 그리스도인이 될 수 없고, 그 어떤 사람도 교회 공동체에 소속되지 않고서 행복한 신앙생활을 할 수 없습니다.

(안희묵, 『교회, 다시 꿈꾸다』, p. 104-105)

295. **비끄러매다** : ① 줄이나 끈 따위로 서로 떨어지지 못하게 붙잡아매다. ② 제멋대로 못하게 강제로 통제하다.

♣ 잠실야구장에 들어서자 그는 어깨에 늘어진 양쪽 조임 끈을 단단히 비끄러맸다.(…)

사내는 배낭의 양쪽 조임 끈을 단단히 비끄러매고 다시 걷기 시작했다. (차무진, 『인 더 백』, p. 23, 389)

296. **비뚝거리다** : 물체가 비스듬히 한쪽으로 기울어서 흔들리다.

♣ 그는 내복 싼 발을 비뚝거리며 시소로 걸어갔다. 반대편 자리에 앉았다. 건너편에 앉은 아들 얼굴은 너무도 작아서 펭귄 대가리에 가려졌다. 아이가 옆으로 비쭉 얼굴을 내보였다. 한쪽 코가 부은 아이는 웃고 있었다.

(차무진, 인 더 백, p. 142)

297. **비죽배죽** : 여럿이 다 끝이 고르지 아니하게 조금씩 내밀려 있는 모양. 비웃거나 언짢거나 울려고 할 때 소리 없이 입을 내밀고 실룩샐룩하는 모양.

♣ 철골들이 <u>비죽배죽</u> 아스팔트를 뚫고 솟아올랐다.

(차무진, 『인 더 백』, p. 15)

298. **비죽거리다** : 비웃거나 언짢거나 울려고 할 때 소리 없이 입을 내밀고 실룩이다. (**비죽비죽**: 비죽거리는 모양)

♣ 선녀는 다시 입술을 <u>비죽이며</u> 물통을 들었다.

(임성용, 『맹순이 바당』)

♣ 말세의 징후가 도처에 <u>비죽거리고</u> 있었다. 나하고 동갑내기를 멀리 시집보낸 소꿉동무 엄마가 나를 붙들고 눈물을 흘렸다. 내 나이에 시집을 가다니. 그때 나는 겨우 열네 살이었다. (박완서, 『그 많던 싱아는 누가 다 먹었을까』, p. 154)

299. **비집다** : ① 맞붙은 데를 벌리어 틈이 나게 하다. ② 좁은 틈을 헤쳐서 넓히다. ③ 눈을 비벼서 억지로 크게 뜨다.

♣ 좁은 포구 둑을 가득 메운 아줌마들 사이를 <u>비집고</u> 되돌아가려는데 뒤에서 누가 숙자를 불렀다. 아버지였다. 아버지는 바다 위로 낸 다락집에서 조개 구이 장사를 하는 뒷집 아줌마네서 술을 마시고 있었다.

(김중미, 『괭이부리말 아이들1』, p. 68)

♣ 이춘갑은 손가락으로 눈꺼풀을 <u>비집고</u> 안약을 넣었다.

(김훈, 『저만치 혼자서』, p. 120)

♣ 눈물이 없었다면 나는 내 입술을 <u>비집고</u> 새어나온 격렬한 그 구호에 대해 아무런 책임감도 느끼지 않았을 것이다.

(양귀자, 『모순』, p. 10)

♣ "일전에 얘기했네만 요즘 내 몸은 지우개가 차지하고 있다네. 낙서할 단어조차 많이 지워졌어. 한 5백 단어 정도 남았을까. 어제는 정자에 대해 쓰려고 하는데 '정자'라는 말 생각이 안나. 그런데 망각이 주는 즐거움도 있다네. 경이로운 기억들이 사이를 <u>**비집고**</u> 나오거든. 어제는 형하고 나하고 자전거를 타던 기억이 떠올랐어."

(김지수, 『이어령의 마지막 수업』, p. 203)

♣ 하지만 동양의 지식인들에게는 배우면 반드시 벼슬을 해야 한다는 강박관념이 있었고, 오랫동안 벼슬길에 오르는 방법은 과거 급제가 유일했다. 하지만 이 과거라는 것이, 앞서 이야기했듯이, '천군만마가 외나무다리를 건너는 것'처럼 힘겹고도 힘겨운 일이 아니었던가. 많은 지식인들이 바늘구멍으로 들어가기 위해 머리가 터지도록 경쟁하고, 어렵사리 바늘구멍을 통과한 사람들에게는 수재를 거쳐 거인으로 올라섰다가 다시 진사가 되어야 하는 험난한 여정이 기다리고 있었다. 글 읽는 사람들이라면 누구나 이 외나무다리를 <u>**비집고**</u> 건너야 했지만, 극소수만이 이 여정을 완주하는 행운을 거머쥘 수 있었다.

(이정일, 『문학은 어떻게 신앙을 더 깊게 만드는가』, p. 212-213)

♣ 그녀는 새로운 사업에 관한 발언을 할 때 이와 비슷한 상황에 처했다고 했다. 한 직원이 자신이 말을 너무 잘한다고 착각한 나머지 회사 입장은 고려하지 않은 채 사적인 이야기며 잡다한 정보를 지나치게 상세하게 상대에게 설명했다. 그때 그녀는 재빨리 그 직원의 수다를 <u>**비집고**</u> 들어가 자연스럽게 말을 끊었다. 자칫 엉뚱한 말로 회사에 피해를 줄 수 있는 상

황을 막았다고 한다.

(빌 맥고완,『세계를 움직이는 리더는 어떻게 공감을 얻는가』,p. 66-67)

♣ 안중근이 아름다운 이유는 바로 이 '신켄 쇼부(진검 승부)'를 쏘아붙인 장대함 때문이다. 일본 최고의 브레인이며 일본의 세계 진출을 진두지휘하던 이토 히로부미를 넘어뜨린 안중근. 나는 그를 만나기 위해 하얼빈까지 갔다. 커다란 역사 옆에 붙은 매표소에서 표를 산 후, 쏟아져나오는 중국인들을 **비집고** 그 옛날 안중근이 섰던 그 자리에 섰다. 낡았지만 녹색 칠을 열심히 해둔 기차가 서서히 플랫폼에 들어선다. 나는 서서히 카메라를 들어올렸다. 그리고 호흡을 멈춘 채 방아쇠를 아니 셔터를 눌렀다. 한 번, 두 번, 세 번…… 그리고 발자국으로 더러워진 바닥을 오래도록 응시했다. 나는 오래도록 그 자리에 서서 이토의 혈흔을 찾고 있었다. 그리고 그날 저녁 나는 이렇게 썼다. 인물 없는 우리 역사에 당신이라도 있는 것은 그나마 커다란 위안이 아닐 수 없습니다. 하지만 여전히 남는 커다란 아쉬움이 있습니다. 그것은 당신이 홀로, 그리고 단발로 민족을 대변했다는 점입니다. 당시 있었던 나름의 지식인, 사대부, 무인, 글쟁이들은 다 어디가고 당신 홀로 그 북방의 찬바람 부는 하얼빈에서 차가운 총을 움켜쥐고 이토 히로부미를 기다렸단 말입니까? 뭉쳤어야 했고, 서로의 의견을 잠시 접어두며 커다란 목표를 위해 각자의 목소리를 낮추었어야 했던 그 잘난 지사들은 모두 어디로 갔습니까? 왜 그렇게 찢어져야만 했습니까? 커다란 적을 눈앞에 두고 말입니다.

(김경일, 『공자가 죽어야 나라가 산다』, p. 306-307)

♣ 영적 건강상태가 악화되었을 때 나타나는 첫 번째 증상 가운데 하나는 교만한 마음이다. 교만은 원죄에서 비롯하는 근본적인 악덕 가운데 하나다. 영적 건강상태가 좋지 않을 때는 교만이 그 틈을 **비집고** 들어온다. 교만한 사람은 "내가 최고야. 어떤 일을 하든지 나를 높일 수 있는 일을 선택할 거야."라고 생각한다. 교만한 마음을 품게 되면 모든 태도와 행동에서 다른 사람들을 무시하고 스스로를 높이려는 의도가 역력히 드러난다. 교만한 기독교인은 자신의 영적 건강상태를 올바로 이해하지 못한다. 문제는 영적 감각이 둔화되는 데서부터 시작한다. 자신이 교만에 사로잡혀 있고, 또 교만때문에 삶이 망가지고 있다는 점을 깨닫지 못하는 한 문제는 해결되지 않는다.

…… 다윗은 하나님을 섬기며 사는 동안 두 가지 큰 범죄를 저질렀다. 그것은 건강한 몸을 단번에 쓰러뜨릴 치명적인 질병과도 같은 범죄였다. 다윗이 자신의 삶을 파멸로 몰아넣는 어리석은 범죄를 저지른 이유는 바로 교만 때문이었다. 그의 첫 번째 범죄는 밧세바와 우리아의 관계에서 발생한 간음과 살인이었고, 두 번째는 인구조사였다.

…… 결국 이기적인 교만이 그 틈을 **비집고** 들어와 그의 양심을 마비시켰다. 그로 인해 하나님은 다윗을 징계하셨다. 밧세바가 낳은 아이가 죽었고, 다윗은 압살롬의 반역으로 인해 왕으로서나 가장으로서 혹독한 시련을 겪어야 했다. 다윗은 나중에 자신의 죄를 뉘우쳤다.

……선지자의 질책으로 자신의 죄를 깨달은 다윗은 스스로 뉘우치며 모든 죄를 고백하고 겸손히 하나님의 자비와 용서

를 구함으로써 영적 건강을 되찾았다. 하나님의 종이 죄를 지었을 때, 스스로가 어떤 죄를 저지르고 있는지 알고 있는 경우든, 다윗처럼 징벌을 받고 나서야 비로소 죄를 깨닫는 경우든 영적 건강을 회복할 수 있는 길은 회개밖에 없다. 우리는 이러한 교훈을 배울 필요가 있다. 우리도 언제든지 죄를 지을 수 있기 때문이다. 우리도 때로 다윗처럼 죄를 짓는다. 그럴 때는 다윗처럼 회개해야 한다. 죄가 클수록 더욱 철저한 회개가 필요하다. 물론, 가장 지혜로운 길은 우리의 연약함을 늘 기억하고 처음부터 죄를 짓지 않는 것이다. 그러기 위해서는 앞서 말한 대로, 신실한 친구들의 조언을 귀담아 듣고, 정기적으로 우리의 영적 건강 상태를 점검해야 한다. (제임스 패커 외, 『하나님의 인도』, p. 77-80)

300. **비척거리다** : '비치적거리다'의 준말.

몸을 한 쪽으로 약간 비틀거리거나 가볍게 절룩거리며 계속 걷다.

♣ 눈이 얼어서 미끄러운 골목길을 우리는 <u>**비척거리면서**</u> 걸었다.

(김훈, 『저만치 혼자서』, p. 134)

♣ 아들 이름을 부르다 또 시체를 밟았고 또 몇 걸음 <u>**비척거렸다**</u>.

(차무진, 『인 더 백』, p. 14)

♣ 영문도 모르고 내 곁에 붙어섰던 아내가 가만히 옷깃을 당기며 걱정스레 물었다. 나는 그제서야 눈을 뜨고 다시 석대 쪽을 보았다. 그 사이 수갑을 받은 석대는 두 손으로 피 묻은 입가를 씻으며 <u>**비척비척**</u> 끌려가고 있었다.

(이문열, 『우리들의 일그러진 영웅1』, p. 142)

♣ "저는 정초부터 지금까지 온몸을 씻은 적이 한 번도 없어요." 나지막한 소리로 왕룽이 말했다.

그는 여자에게 깨끗한 몸을 보여주고 싶다는 얘기를 부끄러워서 아버지에게 할 수가 없었다. 그는 목욕통을 그의 방으로 가지고 가려고 서둘러 나갔다. 문이 뒤틀린 나무틀에 엉성하게 달려 있어서 꼭 닫히지를 않았고, 노인은 **비척거리며** 가운데 방으로 들어가 문틈에다 대고 소리를 질렀다. (펄 S. 벅, 『대지』, p. 10)

301. **비트적거리다** : 몸을 제대로 가누지 못하고 조금 비틀거리며 걷다.(**비트적비트적**: 비트적거리는 모양)

♣ 나체의 시체는 **비트적비트적** 몸을 가누며 이쪽으로 걸어왔다. (차무진, 『인 더 백』, p. 175)

302. **비트코인**: 암호화폐이자 디지털 결제 시스템이다. 2009년 익명의 프로그래머 '사토시 나카모토'에 의해 개발되었다. **비트코인**은 P2P(Peer-to-Peer) 시스템으로 중개자 없이 사용자간의 직접적인 교환이 이루어지는 화폐이다.

♣ **비트코인**의 창시자 사토시는 "모든 것이 신뢰 대신 암호화 증명 방식에 기초하기 때문에 **비트코인**은 중앙 서버나 신뢰 기관 없이 완전히 분권화 되어 있다. 나는 지금 우리가 분권화된 비신뢰 기반 시스템을 처음으로 시도하고 있다고 생각한다'고 언급했다.

비트코인은 기존 글로벌 금융 시스템과 과학기술 시스템을 재고시키며 일대 전환을 가져왔다. 비트코인에서 파생해 나간 무수한 암호화폐가 만들어졌고, 모든 암호화폐는 사토시가 세상에 선물한 블록체인 기술을 이용했다. 동시에 여러 금융회사와 기술기업이 블록체인 기술을 수용해 많은 혁신적 투자자에게 최적의 조건인 혼돈속의 기회가 조성되었다.

2016년 7월, 런던정치경제대학, 독일 중앙은행 분데스뱅크,

위스콘신대학교 매디슨캠퍼스, 연구자들은 '비트코인 경제의 진화(The Evolution of the Bitcoin Economy)'라는 논문을 발표했다. 이는 **비트코인**이 경제를 발전시키고 있다는 것을 증명한 것으로 보인다.

비트코인 경제가 성장하고 성숙함에 따라 발전하는 세 가지 뚜렷한 유형을 식별한다. 초기는 원형 단계다. 두 번째 단계는 범죄 산업이 상당부문 차지한다. 세 번째 단계는 범죄에서 멀어져 뚜렷하게 합법적인 사업을 향해 가는 급격한 발전을 보인다.

비트코인 소프트웨어는 비트코인 블록체인 구축 기능을 가지고 있으며, 사용자의 대변과 차변에 속한 각각의 두 계정에 기록하는 디지털 원장으로 생각할 수 있다. 따라서, 비트코인 블록체인은 비트코인 소프트웨어가 만든 통화로서 비트코인의 흐름을 기록하는 데이터베이스다.

(유철기, 『1% 부자의 비밀』, p. 38-39, 트랜스포마인드코리아)

303. **빅데이터** Big Data : 어마어마하게 많고, 형태도 다양하며, 정형화하기도 어려운 데이터를 '**빅데이터**'라고 한다.

♣ 소설은 **빅데이터**가 아니지만, 사회가 어떻게 바뀌고 있는가를 가늠하게 합니다.

(이정일, 『나는 문학의 숲에서 하나님을 만났다』)

♣ 지능과 덕으로 최선을 다해도 우리는 다가올 운명을 바꿀 수 없네. 데카르트처럼 모든 것을 회의하면서 끝까지 가도 이성과 과학으로 설명할 수 없는 순간과 만나게 돼. **빅데이터**가 모든 걸 설명해주지 못해.

(김지수, 『이어령의 마지막 수업』, p. 83)

♣ 케임브리지대학교 연구진이 발표한 논문은 지난 100년 동안의 빅데이터를 분석해서 박쥐의 분포를 계산한 거예요. 박쥐의 새로운 중점 서식지가 서너 곳 나타났습니다. 그중 한 곳인 중국 남부에만 지난 100년 동안 열대에 살던 박쥐 40종이 들어왔습니다. 박쥐 한 마리는 대개 코로나 바이러스 두 종류 혹은 세 종류를 하면, 지난 100년 동안 중국 남부로 100여 종류의 새로운 코로나 바이러스가 유입된 겁니다.
그중 하나가 이번에 이런 일을 벌인 것이지요.
저는 코로나19가 기후변화와 연관이 있다고 주장할 수밖에 없습니다. 한발 더 나아가서 생물다양성 문제와 훨씬 밀접합니다. 왜냐하면 생물다양성 불균형이 심해져서 이런 일이 벌어졌으니까요. 재레드 다이아몬드 선생님은 농경을 "인류 최대의 실수"라고 하셨습니다. 인간은 농경으로 개체 수가 폭발적으로 늘어난 동물이에요. 농경을 하기 전, 인류 전체의 무게와 인간을 따라 다니던 동물들 무게를 계산해보면 명확히 알 수 있습니다. (최재천·안희경, 『최재천의 공부』, p. 29)

♣ 구글 어스, 구글 맵의 데이터들이 구글 자동차가 되어 실생활 거리로 달리게 되듯이 그 뜬구름 속에 들어가 있는 빅데이터들이 저 시끄러운, 온갖 생활 냄새가 푹푹 풍기는 슈퍼마켓에 오면 뭐가 되나. 2013년 2월 19일 <뉴욕타임스>의 재미있는 기사를 보면 또 한 번 무릎을 치게 될 것이다.
여고생 딸을 둔 미국의 한 아버지가 소매업체 타깃 매장에 와서 거칠게 항의했다. "어떻게 여고생에게 임산부용 쿠폰을 보낼 수 있느냐, 고등학생인 내 딸에게 어서 임신하라고 부추기는 것이냐." 당시 타깃의 매니저는 "예비엄마에게 보내야 할 쿠폰을 잘못 보냈다"며 거듭 사과했다. 하지만 며칠 뒤, 이 아버지는 타깃 매장으로 전화를 걸어와 정중히 사과한다. "우리 가정에서 내가 몰랐던 일이 벌어지고 있었다. 내 딸은 8월에 출산 예정이다. 정말 죄송하다."

부모조차 몰랐던 딸의 임신 사실을 유통업체가 **빅데이터**를 기반으로 한 구매형태분석 예측시스템을 통해 '먼저' 알았던 게다. 그녀는 평소와 다른 물품을 구입하기 시작했다. 몇몇 비타민 보조제, 무향 비누와 로션 같은 것들을. 그 시스템은 그것이 임신의 증거라 판단하여, 쿠폰을 발행했던 거다. 여고생 딸의 임신, 부모는 몰라도 **빅데이터**는 안다. 이게 우리도 모르는 **빅데이터**의 효과다. (이어령, 『너 어떻게 살래』, p. 217-218)

♣ 알리바바는 중국의 유통을 바꾸는 기업입니다. 자세히 보면 이들의 성공 비결은 포노 사피엔스 시대에 맞춰 고객이 원하는 걸 철저히 실천하는 데 있습니다. 알리바바가 오픈한 오프라인 유통점 허마셴성은 대형마트시장을 뒤흔드는 돌풍의 주인공입니다. 기존 마트의 평당 매출보다 4배를 올리는 힘은 그동안 축적한 **빅 데이터**와 빅 데이터 사용법을 적용한 '고객 중심 사업 기획'에 있습니다. 허마셴성 고객의 65퍼센트는 25세에서 35세 기혼 여성층(밀레니얼세대)이라고 하는데요, 그들이 원하는 소비를 그들의 방식대로 해주기 위해 최고의 시스템을 가동 중이라고 합니다. 아마존의 CEO 제프 베조스는 '빅 데이터'라고 쓰고 '소비자의 마음'이라고 읽는 것입니다. 허마셴성의 성공은 이 금언을 제대로 실행한 알리바바의 힘이라고 느껴집니다.

(최재붕, 『포노 사피엔스』, p. 133, 쌤엔파커스)

304. **빈둥지 증후군** : 슬픔, 외로움, 내 역할이 없어진 듯한 느낌. 이 같은 감정의 파도가 몰려오는 상태를 말함.

305. **빌리루빈**Bilirubin : 쓸개즙 색소를 이루는 등황색 또는 황갈색의 물질이며 노화된 적혈구가 붕괴될 때 적혈구의 헤모글루빈이 분해되어 생성된다. 주로 황갈색을 띠며 간에서 생성되는 담즙의 구성 성분이 된다. 대변의 색상은 **빌리루빈**에 기인한다. **빌리루빈**은 담석, 황달의 원인이 될 수 있다.

♣ PCN시술이 끝나고 조금 회복되어 갈 무렵, 이번엔 황달이 왔다. 애완견 이름인 것만 같은 **빌리루빈** 수치가 천정부지로 치솟아 황달이 생겼다며 간수치가 더 올라가면 수일 내에 바로 사망 할 수도 있으니 마음의 준비를 하라고 했다.

(오은주 · 이호경, 『교회오빠 이관희』, p. 259)

306. **빙충맞다** : 똘똘하지 못하고 어리석으며 수줍음을 타는 데가 있다.

♣ 병원에서 돌아온 뒤 영호는 잠시 동안만이라도 명환이를 돌보기로 했다. 명환이는 사람 눈을 잘 바라보지도 못하고 말도 몹시 더듬었다. 약삭빠르고 두뇌 회전이 빠른 동수와 달리, 하는 행동도 몹시 굼뜨고 **빙충맞아** 보였다. 어떻게 동수와 어울리게 됐는지 궁금할 지경이었다.

(김중미, 『괭이부리말 아이들1』, p. 112)

307. **빨다리다** : 빨아서 다리다.

♣ 사람들이 좋아하는 냄새 중 하나가 빨래 냄새다. 인공적으로 제조한 방향제나 향초에 런드리(laundry) 향이 따로 있을 정도다. 이제 막 빨다린 옷을 입는 순간은 무라카미 하루키의 말마따나 '인생에 있어 작기는 하지만 확고한 행복

의 하나'이다. '빨래하여 막 입은 옷에서 나는 냄새'에 붙은 우리말 명사가 있다. '새물내'다. 빨래 냄새를 분류해 이름을 짓다니, 이 얼마나 섬세한 언어적 감수성인가. 새물내는 '새물'과 냄새를 뜻하는 '내'의 합성어다. 우리 선조들은 빨래하여 이제 막 입은 옷'을 특별히 '새물'이라 불렀다.(유선경, 『어른의 어휘력』, p. 68)

308. **뻔득이다** : 물체 따위에 반사된 큰 빛이 잠깐씩 나타나다. 또는 그렇게 되게 하다. '**번득이다**'보다 센 느낌을 준다.

♣ 금붕어와 놀며 엄마를 기다리던 아이는 시간이 지나면서 점점 스트레스가 쌓이기 시작한다. 쓸쓸하고 화나고 배가 고파지면 그럴 때마다 아이는 한 마리, 두 마리 금붕어를 잡아 칼로 찔러 죽인다. 그리고 마지막에는 **뻔득이는** 금붕어 눈을 마주 보며 무서움에 오들오들 떤다. "눈물이 진다/해가 진다/빨간 금붕어도 죽고 죽는다/엄마 나 무서워/눈이 뻔득여/뻔득 뻔득 금붕어의 눈이 뻔득여." 다리에 피가 통하지 않을 정도로 기저귀를 바짝 조여 맨 아이들의 그 모습이 죽인 금붕어의 번뜩이는 무섭고 차가운 눈이 되어 돌아온 거다.

(이어령, 『너 어디에서 왔니 한국인이야기-탄생』, p. 306-307)

309. **뻘짓** : 아무런 쓸모가 없이 헛되게 하는 짓.

310. **삐딱** : '아귀가 맞지 않는다'는 뜻.

311. **뿌루퉁하다** : 몹시 못마땅하여 얼굴에 성난 빛이 나타나 있다.

♣ 이쯤 되니 장난전화의 이유도 알고 싶었다. "장난 아니에요!" 꼬마는 **뿌루퉁하게** 대답했다.

(이화정, 『천사의 손길』, 신춘문예당선소설집, 2018)

분노 or 화

1. 분노는 화내는 사람에게 가장 해롭다. 분노하게 된 일보다는 분노 자체가 더욱 해롭기 때문이다. 누군가로 인해 화가 날 때 우리는 상대의 나쁜 점을 통해 화난 감정을 정당화하려 한다. 반대로 상대의 좋은 점을 찾아보라. 그러면 기쁨과 만족이 커질 것이다.
때로는 상대에 대한 화를 억누르지 못하는 경우도 있다. 그렇다고 해도 말이나 행동에서 그 감정을 드러내지 말라.

『화』 <레프 톨스토이>

2. "나는 거친 분노에도 웃으며 답한다. 자극받아도 품위를 잃지 않을 것이고 유혹의 꾐에 빠지지 않을 것이다. 나는 무엇이든 견딜 수 있는 사람이다. 무엇도 견딜 수 없는 사람은 아무것도 얻을 수 없다. 겨울을 견딘 자만이 봄을 맞이할 수 있다. 무지개를 볼 수 있는 자격은 비를 맞은 사람에게만 허락된다. 담대히 행하면 재능과 힘과 기적이 저절로 따라온다. 지금, 그것을 시작하라." <괴테>

3. 에리히 프롬은 『자유로부터의 도피』에서 어떤 사람의 꿈을 해석한 다음 이렇게 썼다.
"그의 쾌활한 모습은 내면의 분노를 감추기 위한 수단이다."

4. 대부분의 사람들은 화난 상태가 지극히 불쾌한 경험이라고 생각하며 벗어나기 위해 최선을 다한다. 하지만 **화**를 극복하는 가장 건강한 방법은 비록 직관에 어긋나는 것처럼 보일 수 있지만 경험을 온전히 받아들이는 것이다. 사실 화는 우리 몸과 마음의 연약한 부분을 보호하기 위해 생겨난 감정이다. "나 화났어"라고 말하는 대신 "화가 생겨나고 있어"라고 말해보자. 그러면 분노에 휩쓸리는 대신 자신이 처한 상황을 조금 더 자세히 바라볼 수 있고, 결과적으로 그 감정을 보다 효과적으로 다스릴 수 있을 것이다.

『나는 내 나이가 참 좋다』 <메리 파이퍼>

5. 누군가가 집 앞에 쓰레기를 버렸다. 그런데 아내가 쓰레기를 치워달라고 한다. 남편은 **화**가 치민다. 만일 이웃이 자기 집 앞에 쓰레기를 버려 화가 났다면 그 심정은 충분히 이해할 수 있다. 그런데 쓰레기를 치워달라는 아내의 말에 화를 내는 것은 이해하기 힘든 일이다.

사실 화가 난 것은 아내의 말 때문이 아니다. 진짜 원인은 그의 어린 시절에 있다. 그는 어릴 때부터 자신의 마음을 이해해 주는 사람이 없는 환경 속에서 성장해 왔을 가능성이 높다.

『왜 나는 사소한 일에 화를 낼까?』 〈가토 다이조〉

6. 아리스토텔레스가 기원전 367년에 《수사학》에서 한 말이다. "누구든지 **화**를 낼 수 있다. 그것은 쉬운 일이다. 그러나 올바른 대상에게, 올바른 때에, 올바른 목적으로, 올바른 방식으로

화를 내는 것은 누구나 할 수 없는 결코 쉽지 않은 일이다.

『문학은 어떻게 신앙을 더 깊게 만드는가』 <이정일>

7. **화**를 내는 것은 기 능력이 부족한 데에 대한 보상이다.

『제갈량의 지혜에서 배우다』 <천위안>

8. 가족을 통해 매일 자신을 비춰보는 것

매일매일 비춰보는 일은 쉽지 않다. 그것도 아주 엄격하고 용서 없는 잣대로 자신을 비춰보는 일은. 지난 몇 년 동안 나의 새해 다짐은 똑같았다. 마음챙김 목표를 '결코 **화**를 내지 말자'로 정했는데, 매번 채 한 달도 지나기 전에 깨고 말았기 때문이다. 무엇 때문인지 이제는 기억도 안 나는 사소한 일 때문에 화를 버럭 내버렸고, 즉시 가족에게 사과했지만 마음은 무거웠다.

가족은 내가 이 세상에서 가장 친절하고 따뜻하게 대해야 할 사람이라는 것을 알면서도 자꾸만 내 **분노**의 첫 번째 타깃이 되고 만다. 가까이 있다는 이유만으로, 내 분노의 유탄에 가장 먼저 맞는 희생양이 되어버리는 것이다. 나 또한 가족이 느끼는 분노의 유탄에 맞아 휘청거린다. 가족 안에서 우리는 죄 없는 서로에게 비난의 화살을 날릴 때가 있다. "가끔 내 화도 좀 받아주고 그러면 안 되겠어?" "그만큼 받아줬으면 됐잖아!" "그래도 난 이 세상에 말할 곳이 당신밖에 없는데!" "그래도 그만 말해, 시끄러워!" 이런 식으로 대화하다 곧잘 싸움이 되어버린다. 5분만 화를 가라앉히고, 물 한 잔만 마셔도 가셔버릴 화가, 쓸데없이 말로 서로를 공격하다 보면 '화의 물결'은 더욱 큰 파도가 되어 결국엔 '분노의 해일'이 되어버리고 만다. 지나고 나서 돌아보면 부끄러울 것이 분명한, 이런 유치한 대화 속에서 사랑과 행복이 한순간에 파괴되어버릴 수 있다.

최근에 나는 새롭게 목표를 세웠다. '결코 화를 내지 말자'가 아니라 '화를 내더라도, 화를 내지 않는 또 다른 내가 나를 지켜보고 있다'는 것을 잊지 말자고. 그 '또 다른 나'를. 그러니까 내 마음의 움직임을 매 순간 관찰할 수 있는 또 하나의 나를 항상 깨어 있도록 만드는 것이 마음챙김의 시작이다. 누군가에게 내 화를 받아주길 청해서는 안 된다. 내 화를 받아주지 않는다고, 나는 받아줬는데 너는 받아주지 않는다고 불평해서도 안 된다. 그렇게 과도한 기대는 서운함으로 바뀌고, 서운함이 쌓이면 미움이 되어버리고, 미움이 쌓이면 분노가 되어 폭발해버릴 수 있다.

이제 나는 화가 날 때마다 '물'의 이미지를 떠올린다. 시원한 물이 콸콸 솟구쳐 나오는 분수를 생각하기도 하고, 에메랄드빛으로 영롱하게 빛나는 망망대해에서 수영을 하는 상상도 해본다. 설거지를 하거나 샤워를 하는 것은 분노를 치유하는 확실한 '몸짓 테라피'다. 화가 날 때마다 나는 스스로를 타이른다. '너는 이것보다 더 좋은 사람이잖아. 너는 너의 분노보다 강한 사람이잖아.' 나 자신과 나누는 이 대화야말로 분노를 치유하는 최고의 진정제다.

(정여울, 『1일 1페이지, 가장 짧은 심리 수업 365』, p. 59)

(2권으로 계속됩니다)

참고도서

(ㄱ)

- 가토 다이조 저/이인애 역, 『나는 왜 눈치를 보는가』, 고즈윈, 2006
- 가토 다이조 저/김윤경 역, 『왜 나는 사소한 일에 화를 낼까?』, 추수밭, 2015
- 강용수, 『마흔에 읽는 쇼펜하우어』, 유노북스, 2023
- 고은경, 『숨비들다』, 한국소설가협회, 2023
- 고현숙 글/고유진 그림 『숭숭이가 하는 말』, 도담소리, 2021
- 고현숙 글/장영철 그림 『그날의 함성』, 도담소리, 2022
- 공지영, 『즐거운 나의 집』, 해냄, 2019
- 공지영, 『네가 어떤 삶을 살든 나는 너를 응원할 것이다』, 해냄, 2016
- 공지영, 『높고 푸른 사다리』, 해냄, 2019
- 권여선, 『각각의 계절』, 문학동네, 2023
- 권영구, 『힘이 되신 하나님』, 십자가선교센터, 2012
- 권영구, 『사람을 살리는 52스토리』, 십자가선교센터, 2014
- 김경일, 『공자가 죽어야 나라가 산다』, 바다출판사, 2023
- 김동식외 9인, 『당신의 떡볶이로부터』, 수오서재, 2020
- 김버금, 『당신의 사전』, 수오서재, 2019
- 김성환, 『절대긍정』, 지식노마드, 2008
- 김소연, 『그 좋았던 시간에』, 달, 2020
- 김수영, 『애도의 방식』, 아시아, 2021
- 김승옥, 『무진기행』, 민음사, 2007
- 김승호, 『김밥파는 CEO』, 황금사자, 2011
- 김승호, 『돈의 속성』, 스노우폭스북스, 2020
- 김애란, 『비행운』, 문학과지성사, 2012
- 김연수, 『청춘의 문장들』, 마음산책, 2022
- 김연수, 『너무나 많은 여름이』, 레제, 2023
- 김연숙, 『나, 참 쓸모 있는 인간』, 천년의상상, 2018
- 김연숙, 『박경리의 말』, 천년의상상, 2020
- 김영하, 『읽다』, 문학동네, 2015
- 김영하, 『보다』, 문학동네, 2015
- 김영하, 『말하다』, 문학동네, 2015
- 김영하, 『오직 두 사람』, 문학동네, 2017

● 김정운, 『가끔은 격하게 외로워야 한다』, 21세기북스, 2015
● 김중미, 『괭이부리말 아이들1』, 창비, 2000
● 김지수, 『이어령의 마지막 수업』, 열림원, 2021
● 김지혜, 『책들의 부엌』, 팩토리나인, 2022
● 김진명, 『푸틴을 죽이는 완벽한 방법』, 이타북스, 2023
● 김찬호, 『모멸감』, 문학과지성사. 2014
● 김탁환, 『읽어가겠다』, 다산책방. 2014
● 김탁환, 『아름다움은 지키는 것이다』, 해냄. 2020
● 김해완, 『돈키호테 책을 모험하는 책』, 작은길. 2015
● 김혜남, 『만일 내가 인생을 다시 산다면』, 메이븐. 2022
● 김훈, 『라면을 끓이며』, 문학동네, 2015
● 김훈, 『연필로 쓰기』, 문학동네, 2019
● 김훈, 『달 너머로 달리는 말』, 파람북, 2020
● 김훈, 『저만치 혼자서』, 문학동네, 2022

(ㄴ)

● 나규리 『빈 세상을 넘어, 한국소설가협회』, 2023
● 노명우, 『세상 물정의 사회학』, 사계절, 2013

(ㄷ)

● 데버라 리비 저/백수린 글/이예원 역, 『살림비용』, 플레이타임, 2021
● 데이비드 브레드너드 저/조나단 에드워즈 편/ 김보람 역, 『데이비드 브레드너드의 생애와 일기』, 좋은씨앗, 2016
● 데일 카네기 저/최염순 역, 『카네기 인간관계론』, 카네기연구소, 2021
● 도재경, 『피에카르스키를 찾아서』, 한국소설가협회, 2018
● 도진기, 『합리적 의심』, 비채, 2019

(ㄹ)

● 레프 톨스토이, 『이반 일리치의 죽음』, 작가정신, 2011
● 로렌스형제 저/임종원 역, 『하나님의 임재연습』, 브니엘, 2018
● 롤프 도벨리 저/유영미 역, 『불행 피하기 기술』, 인플루엔셜, 2018
● 리사 펠드먼 배럿 저/변지영 역, 『이토록 뜻밖의 뇌과학』, 더퀘스트, 2021
● 리처드 도킨스 저/홍영남,이상임 역, 『이기적 유전자』, 을유문화사, 2018

● 리처드 칼슨, 『사소한 것에 목숨 걸지 마라』, 도솔, 2005

(ㅁ)

● 마루케 마쿠토 저/홍성민 역, 『책, 열권을 동시에 읽어라』, 뜨인돌, 2009
● 마르쿠스 툴리우스 키케로 저 , 『노년에 관하여』, 궁리출판, 2002
● 마셜 로젠버그 저/캐서린 한 역, 『비폭력 대화』, 한국NVC센터, 2017
● 마야 안젤루 저/김욱동 역, 『새장에 갇힌 새가 왜 노래하는지 나는 아네』, 문예출판사, 2009
● 마크 맨슨 저/한재호 역, 『신경 끄기의 기술』, 갤리온, 2017
● 맥스 루케이도 저, 『구원자 예수』, 아카페출판사, 2008
● 메리 파이퍼 저/서유라 역, 『나는 내 나이가 참 좋다』, 티라미수 더북, 2019
● 무옌거 저/최인애 역, 『착하게, 그러나 단호하게』, 쌤엔파커스, 2018
● 문요한, 『굿바이 게으름』, 더난출판사, 2007
● 미셸 엘먼 저/도지영 역, 『가끔은 이기적이어도 괜찮아』, 비즈니스북, 2022
● 미하이 칙센트미하이 저/노혜숙 역, 『창의성의 즐거움』, 북로드, 2003
● 미하이 칙센트미하이 저, 『몰입』, 한울림, 2004
● 미하이 칙센트미하이 저/이희재 역, 『몰입의 즐거움』, 해냄, 2021

(ㅂ)

● 박경리, 『토지』 1~20권, 마로니에북스, 1994
● 박영옥, 『주식 농부처럼 투자하라』, 프레너미, 2021
● 박영옥, 『주식투자 절대원칙』, 센시오, 2021
● 박완서, 『그 많던 상아는 누가 다 먹었을까』, 웅진닷컴, 2002
● 박완서, 『노란집』, 열림원, 2013
● 박완서, 『모래알만 한 진실이라도』, 세계사, 2022
● 박준, 『운다고 달라지는 일은 아무것도 없겠지만』, 난다, 2017
● 백승권, 『글쓰기가 처음입니다』, 메디치, 2014
● 버트런드 러셀 저, 『게으름에 대한 찬양』, 사회평론, 2005
● 벤저민 하디 저/최은아 역, 『퓨처셀프』, 상상스퀘어, 2023
● 빅터 프랭클 저/이시형 역, 『죽음의 수용소에서』, 청아출판사, 2020
● 빌 맥고완 저/박여진 역, 『세계를 움직이는 리더는 어떻게 공감을 얻는가』, 비즈니스북스, 2014
● 브랜든 버처드 저, 『두려움이 인생을 결정하게 하지 마라』, 토트출판사, 2016

(ㅅ)

- 세이노, 『세이노의 가르침』, 데이원, 2023
- 송기숙, 『암태도』, 창비, 2023
- 송숙희, 『150년 하버드 글쓰기 비법』, 유노북스, 2022
- 송온유, 『먹을 잇다』, 한국소설가협회, 2018
- 신경숙, 『리진 2』, 문학동네, 2007
- 신경숙, 『어디선가 나를 찾는 전화벨이 울리고』, 문학동네, 2010
- 신경숙, 『아버지에게 갔었어』, 창비, 2021
- 신영복, 『담론, 신영복의 마지막 강의』, 돌베개, 2015
- 신영복, 『감옥으로부터의 사색』, 돌베개, 2018
- 신카이 마쿠토, 『스즈메의 문단속』, 대원씨아이, 2023
- 스베틀라나 알렉시예비치 저, 『전쟁은 여자의 얼굴을 하지 않았다』, 문학동네, 2015
- 스콧 피츠제럴드 저/김영하 역, 『위대한 개츠비』, 문학동네, 2009

(ㅇ)

- 아인슈타인 저/이종철 역, 『나의 노년의 기록들』, 지훈, 2005
- 안상헌, 『안상헌의 생산적 책읽기』, 북포스, 2019
- 안희묵, 『교회, 다시 꿈꾸다』, 교회성장연구소, 2015
- 안희연, 『단어의 집』, 한겨레출판사, 2021
- 알렉산더 버트야니 저/김현정 역, 『무관심의 시대』, 나무생각, 2019
- 양귀자, 『모순』, 쓰다, 2013
- 양수빈, 『낮에 접는 별』,한국소설가협회, 2023
- 양지은, 『심해』, 한국소설가협회, 2018
- 에릭와이너 저/김하현 역, 『소크라테스 익스프레스』, 어크로스, 2021
- 에인 랜드 저/민승남 역, 『파운틴헤드 1』, 휴머니스트, 2011
- 에크하르트 톨레 저/최린 역, 『이 순간의 나』, 센시오, 2019
- 오데드 갤로어 저/장경덕 역, 『인류의 여정』, 시공사, 2023
- 오수완, 『도서관을 떠나는 책들을 위하여』, 나무옆의자, 2020
- 오은주·이호경, 『교회오빠 이관희』, 국민일보, 2019
- 오후, 『그 여자의 거짓말』, 한국소설가협회, 2018
- 우종민, 『우종민교수의 심리경영』, 해냄출판사, 2013
- 유기성, 『십자가에서 살아난 가정』, 두란노, 2020

- 유선경, 『감정어휘』, 앤의서재, 2022
- 유선경, 『어른의 어휘력』, 앤의서재, 2023
- 유철기, 『1% 부자의 비밀』, 트랜스포마인드코리아, 2019
- 유철기, 『하늘 문을 여는 지혜』, 트랜스포마인드코리아, 2022
- 윤구병, 『윤구병의 존재론 강의, 있음과 없음』, 보리, 2003
- 윤이형, 『루카』, 문학과지성사, 2015
- 은희경, 『새의 선물』, 문학동네, 2022
- 이강, 『플라스틱 러브』, 한국소설가협회, 2023
- 이기호, 『누구에게나 친절한 교회 오빠 강민호』, 문학동네, 2018
- 이경란, 『오늘의 루프탑』,한국소설가협회,2018
- 이근후, 『나는 죽을 때까지 재미있게 살고 싶다』, 갤리온, 2013
- 이랑주, 『THE NEW 좋아 보이는 것들의 비밀』, 인플루엔셜, 2021
- 이문구, 『오자룡』, 중앙m&b, 2004
- 이문구, 『우리동네』, 민음사, 2005
- 이문구, 『산 넘어 남촌』, 랜덤하우스코리아, 2005
- 이문열, 『우리들의 일그러진 영웅』, 다림, 1998
- 이민규, 『끌리는 사람은 1%가 다르다』, 더난출판사, 2005
- 이민아, 『땅끝의 아이들』, 시냇가에심은나무, 2022
- 이어령, 『빵만으로는 살 수 없다』, 열림원, 2010
- 이어령, 『생명이 자본이다』, 마로니에북스, 2013
- 이어령, 『지성에서 영성으로』, 열림원, 2017
- 이어령, 『의문은 지성은 낳고 믿음은 영성을 낳는다』, 열림원, 2018
- 이어령, 『너 어디에서 왔니 한국인이야기-탄생』, 파람북, 2020
- 이어령, 『먹다 듣다 걷다』, 두란노, 2022
- 이어령, 『거시기머시기』, 김영사, 2022
- 이어령, 『눈물 한 방울』, 김영사, 2022
- 이어령, 『당신, 크리스천 맞아?』, 열린책들, 2023
- 이예린, 『주제넘기』, 한국소설가협회, 2022
- 이외수, 『날다 타조』, 리즈앤북, 2003
- 이정일, 『문학은 어떻게 신앙을 더 깊게 만드는가』, 예책, 2020
- 이정일, 『소설읽는 그리스도인』, 샘솟는기쁨, 2024
- 이지혜, 『책들의 부엌』, 팩토리나인, 2022
- 이찬수, 『오늘 살 힘』, 규장, 2016

- 이찬수, 『삶으로 증명하라』, 규장, 2012
- 이찬수, 『아는 것보다 사는 것이 더 중요하다』, 규장, 2018
- 이현석, 『참』, 중앙신인문학상, 2017
- 이혜정, 『피비』, 한국소설가협회, 2023
- 이화정, 『천사의 손길』, 한국소설가협회, 2018
- 이휘빈, 『닭집 여자』, 한국소설가협회, 2018
- 임성용, 『맹순이 바당』, 한국소설가협회, 2018
- 임순옥, 『마음의 거리』, 한국소설가협회, 2023
- 임채묵, 『야드』, 한국소설가협회, 2018

(ㅈ)

- 자청, 『역행자』, 웅진지식하우스, 2022
- 장근영, 『나와 싸우지 않고 행복해지는 법』, 책읽는수요일, 2011
- 장정일, 『빌린책 산책 버린 책 장정일의 독서일기 2』, 마티, 2010
- 정여울, 『1일 1페이지, 세상에서 가장 짧은 심리 수업 365』, 위즈덤하우스, 2021
- 제러미 리프킨 저/안진환 역, 『회복력 시대』, 민음사, 2022
- 제인 구달 저/햇살과 나무꾼 역, 『내가 사랑한 침팬지』, 두레, 2003
- 제임스 패커 외 저/조계광 역, 『하나님의 인도』, 생명의 말씀사, 2008
- 제임스 패커 저/정옥배 역, 『하나님을 아는 지식』, IVP, 2008
- 제임스 패커 저/홍종락 역, 『성령을 아는 지식』, 홍성사, 2020
- 조신영, 박현찬, 『경청』, 위즈덤하우스, 2007
- 존파이퍼 공저/ 백금산 역, 『하나님의 열심』, 부흥과개혁사, 2003
- 조남주, 『82년생 김지영』, 민음사, 2016
- 조윤제, 『다산의 마지막 공부』, 청림출판, 2023
- 조정민, 『사후대책』, 두란노, 2019
- 존 맥스웰 저, 『생각의 법칙 10+1』, 청림출판, 2003
- 지셴린 저/허유영 역, 『다 지나간다』, 추수밭, 2009

(ㅊ)

- 차무진, 『인 더 백』, 요다, 2019
- 찰스 M 쉘던 저/손현선 역, 『예수님이라면 어떻게 하실까』, 선한청지기, 2020
- 찰스 디킨스 저, 『두 도시 이야기』, 펭귄클래식코리아, 2012

- 천선란, 『천개의 파랑』, 허블, 2020
- 천위안 저/정주은 역, 『제갈량의 지혜에서 배우다』, 아이넷북스, 2016
- 천위안 저/유연지 역, 『심리학이 관우에게 말하다』, 리드리드출판, 2023
- 최윤필, 『함께 가만한 당신』, 마음산책, 2016
- 최은영, 『애쓰지 않아도』, 마음산책, 2022
- 최진영, 『구의 증명』, 은행나무, 2023
- 최재천, 『손잡지 않고 살아남은 생명은 없다』, 샘터, 2014
- 최재천, 『과학자의 서재』, 움직이는서재, 2015
- 최재천·안희경, 『최재천의 공부』, 김영사, 2022
- 최재붕, 『포노 사피엔스』, 쌤엔파커스, 2019

(ㅋ, ㅌ, ㅍ)

- 카일 아이들먼 저/정성묵 역, 『한 번에 한 사람』, 두란노, 2022
- 콘라드 하이어스 저/양인성 역, 『그리고 하나님이 웃음을 창조하셨다』, 아모르문디, 2005
- 크리스틴 울머 저/한정훈 역, 『두려움의 기술』, 예문아카이브, 2018
- 타라 웨스트오버 저/김희정 역, 『배움의 발견』, 열린책들, 2020
- 펄 S. 벅 저/안정효 역, 『대지』, 문예출판사, 2003
- 피에르 쌍소 저, 『게으름의 즐거움』, 호미, 2003
- 피에르 쌍소 저/백선희 역, 『아주 사소한, 그러나 소중한』, 현대문학, 2008
- 피터 윌슨 역/이지혜 역, 『하나님인가, 세상인가』, 아드몬테스, 2013
- 필립 얀시 저/홍종락 역, 『한밤을 걷는 기도』, 두란노, 2021
- 프랭크 루박 저/유정희 역, 『프랭크 루박의 편지』, 생명의말씀사, 2014

(ㅎ)

- 하태완, 『나는 너랑 노는 게 제일 좋아』, 북로망스, 2023
- 한강, 『작별하지 않는다』, 문학동네, 2021
- 한근영, 『나는 같이 살기로 했다』, 규장, 2020
- 한근영, 『나는 기도하기로 했다』, 규장, 2022
- 한근영, 『나는 기록하기로 했다』, 규장, 2023
- 한재욱, 『인문학을 하나님께』, 규장, 2018
- 한재욱, 『인문학을 하나님께 2』, 규장, 2019
- 한재욱, 『인문학을 하나님께 3』, 규장, 2021

- 헨리 데이비드 소로 저/홍지수 역, 『월든』, 펭귄클래식코리아, 2014
- 헨리클라우드 외 저/차상구 역, 『NO!라고 말할 줄 아는 그리스도인』, 좋은씨앗, 2008
- 황농문, 『몰입』, 알에이치코리아(RHK), 2007
- 황순원, 『소나기』, 다림, 2002
- 황윤정, 『린을 찾아가는 길』, 한국소설가협회, 2018
- 황희영, 『먼 그리움』, 예맥출판사, 2019
- 현진건, 『적도』, BOOKK(부크크), 2018
- 히가시노 게이고 저/양윤옥 역, 『매스커레이드 이브』, 현대문학, 2015
- 히가시노 게이고 저/양윤옥 역, 『라플라스의 마녀』, 현대문학, 2016
- 히가시노 게이고 저/양윤옥 역, 『매스커레이드 게임』, 현대문학, 2023